Coordinació: MARTA MAS PRATS

ALBERT VILAGRASA GRANDIA

Autors: NÚRIA BASTONS VILALLONGA

MARTA MAS PRATS

GEMMA VERDÉS PRIETO

M. HELENA VERGÉS CARRERAS

ALBERT VILAGRASA GRANDIA

LLIBRE D'EXERCICIS i GRAMÀTICA

VEUS 1

CURS COMUNICATIU DE CATALÀ

ENFOCAMENT PER TASQUES

Publicacions de l'Abadia de Montserrat

Primera edició, octubre de 2005
Segona edició, abril de 2010

© Coordinació del projecte: Marta Mas Prats i Albert
   Vilagrasa Grandia, 2005

© Autors: Núria Bastons Vilallonga, Marta Mas Prats,
   Gemma Verdés Prieto, M. Helena Vergés Carreras
   i Albert Vilagrasa Grandia, 2005

© Il·lustracions: Javier Olivares, 2005

© Fotògrafs: Pau Guerrero, Ingrid Morató, 2005
   i Jordi Salinas 2009

© Fotografies: Getty Images, Photostock, F.C.
   Barcelona: Hans Gamper i Wimbledon, 2005

Disseny: Blanca Hernández i Jordi Avià

La propietat d'aquesta edició és de Publicacions de
l'Abadia de Montserrat
Ausiàs Marc, 92-98 - 08013 Barcelona
ISBN: 978-84-9883-269-3
Dipòsit legal: B.14.902-2010

Imprès a Tallers Gràfics Soler, S.A. - Enric Morera,
15 - 08950 Esplugues de Llobregat

Agraïments:

Agraïm als alumnes de primer curs de les Escoles Ofi-
cials d'Idiomes de Barcelona Drassanes i Barcelona
Vall d'Hebron la seva participació en el pilotatge de
les unitats, i al professorat del Departament de Català
de l'Escola Oficial d'Idiomes de Barcelona Drassanes
la seva col·laboració en la valoració dels materials.

Expressem la nostra gratitud als amics Anna Berruezo
i Joan Melcion, que ens han aconsellat en diferents
moments del procés d'elaboració dels materials.

També donem les gràcies a totes les persones, amics,
familiars, alumnes..., al restaurant *ÉS* i a la cafeteria
Olívia cafè de Barcelona, que han prestat, de manera
desinteressada, la seva imatge com a part il·lustra-
tiva del llibre.

Volem fer una menció especial de la Blanca i del Jordi,
amb qui hem compartit la il·lusió del projecte.

També agraïm la col·laboració de totes aquelles
persones, especialment de Josep Peres i Monter, que
amb els seus suggeriments han fet possible la millora
d'aquesta edició.

Unitat 1

JO SÓC AIXÍ

JO SÓC AIXÍ

1 **Completa els diàlegs amb el verb ser.**

1 Hola! qui _____ (tu)?
(Jo) _soc_ la Teresa. I tu, qui _ets_?
_____ el Manel.
Hola, Manel!
Hola!

2 Saps qui _____ aquella noia?
Sí, _____ la Mercè. I tu saps qui
_____ aquell noi?
Sí, _____ en Josep.

3 Hola! (Jo) _____ l'Emili.
Hola, Emili. Jo _____ l'Òscar.

4 Perdoni, _____ la Sra. Muntaner?
No. La Sra. Muntaner _____ aquella.
Jo _____ la Mireia Martí.

5 I vostè, qui _____?
_____ l'Empar Cases.

6 Perdona, saps qui _____ aquella noia?
Aquella? _____ la Sònia Trepat.
Gràcies.
De res.

7 _____ en Quim?
No, _____ en Jordi.
En Quim _____ aquest.

2 **Completa els diàlegs amb el verb dir-se.**

1 Hola! com _____ (tu)?
(Jo) _____ Teresa. I tu, com
_____?
_____ Manel.
Hola, Manel!
Hola!

2 Saps com _____ aquella noia?
Sí, _____ Mercè. I tu saps com
_____ aquell noi?
Sí, _____ Josep.

3 Hola! (Jo) _____ Emili.
Hola, Emili. Jo _____ Òscar.

4 Perdoni, com _____?
_____ Mireia Muntaner.
Sap com _____ aquella senyora?
_____ Teresa Martí.

5 I vostè, com _____?
_____ Empar Cases.

6 Perdona, saps com _____ aquella
noia?
Aquella? _____ Sònia Trepat.
Gràcies.
De res.

7 _____ Quim?
No, _____ Jordi. Aquest noi
_____ Quim.

Perdoni, és la Sra. Bacall?

No, sóc el Sr. Bacall.

Ai, perdoni!

SRA. BACALL

3 Canvia les formes del verb **ser** per les formes corresponents del verb **dir-se**.
Has de fer alguns canvis a les frases.

> Hola! **Sóc l'**Emili.
> Hola, Emili. Jo **sóc l'**Òscar.

> Hola! **Em dic** Ø Emili.
> Hola, Emili. Jo **em dic** Ø Òscar.

1 Hola! Qui ets?
Sóc la Teresa. I tu, qui ets?
Sóc el Manel.
Hola, Manel!
Hola!

2 Saps qui és aquella noia?
Sí, és la Mercè. I tu saps qui és aquell noi?
Sí, és en Josep.

3 Perdoni, és la Teresa Muntaner?
No. Jo sóc la Mireia Martí. Aquella senyora és la Teresa Muntaner.

4 Perdona, saps qui és aquella noia?
Aquella? És la Sònia Trepat.
Gràcies.
De res.

5 Ets en Quim?
No, sóc en Jordi. Aquest és en Quim.

4 Canvia les formes del verb **dir-se** per les formes corresponents del verb **ser**.
Has de fer alguns canvis a les frases.

> Hola! **Em dic** Ø Emili.
> Hola, Emili. Jo **em dic** Ø Òscar.

> Hola! **Sóc l'**Emili.
> Hola, Emili. Jo **sóc l'**Òscar.

1 Hola! Com et dius (tu)?
Em dic Teresa. I tu, com et dius?
Em dic Manel.
Hola, Manel!
Hola!

2 Saps com es diu aquella noia?
Sí, es diu Mercè. I tu saps com es diu aquell noi?
Sí, es diu Josep.

3 Perdoni, com es diu?
Em dic Mireia Muntaner.
Sap com es diu aquella senyora?
Es diu Teresa Martí.

4 Perdona, saps com es diu aquella noia?
Aquella? Es diu Sònia Trepat.
Gràcies.
De res.

5 Et dius Quim?
No, em dic Jordi. Aquest noi es diu Quim.

5 | **Completa els diàlegs amb el verb ser o dir-se.**

1 Hola, _____ la Laura.
   Hola, Laura, jo _____ Clara.

2 Perdoni, com _____?
   Pol Reig.

3 _____ en Jordi?
   No, en Jordi _____ aquell. Jo
   _____ Daniel.

4 Hola, _____ Laia Jordà.
   _____ l'Arnau?
   No, l'Arnau és aquest. Jo _____ el
   Gerard.

5 Nom, sisplau?
   _____ Jordi.
   I de cognom?
   Nadal.

6 Sap com _____ aquella senyora?
   Sí, _____ Anna Roca.

7 Bon dia. _____ David Selva.
   Bon dia, senyor Selva, jo _____ l'Alba
   Costa.

8 Hola, com _____?
   Júlia. I tu?
   Maria.

9 Saps qui _____ aquella noia?
   No, no sé qui _____.

10 Hola, _____ en Joan?
   No, jo _____ Marc. El Joan
   _____ aquest.

6 | **Completa els diàlegs amb l'article personal el / en, l', la o Ø.**

1 Bon dia! Sóc _____ Alba.
   Hola, _____ Alba. Jo sóc
   _____ Eloi.

2 Perdoni, com es diu?
   Em dic _____ Judit Vila.

3 Hola, _____ Helena!
   Hola! Ets _____ Josep, oi?
   No, jo sóc _____ Àlex.
   _____ Josep és aquell.

4 Com es diu?
   Em dic _____ Gemma.
   I de cognom?
   _____ Domènec.

5 Perdona, com et dius?
   Em dic _____ Antoni. I tu qui ets?
   Sóc _____ Francesc.

6 Perdoni, és el senyor _____ Ramon
   Rubiés?
   Sí. I vostè qui és?
   Sóc _____ Lluís Carbó.

7 Perdoni, aquella senyora és _____
   Montserrat Ponts?
   No, aquella senyora es diu _____
   Cristina Prats.

8 Senyora _____ Ponts, sóc
   _____ Artur Camí.
   Perdoni, jo no sóc la senyora _____
   Ponts, sóc _____ Joana Pujol.

9 Saps com es diu aquell noi?
   Sí, es diu _____ Quim.

10 Jo em dic _____ Ramon.
   Hola, _____ Ramon, i aquesta noia, qui
   és?
   És _____ Teresa.

11 Nom, sisplau?
   _____ Gabriel.
   Cognoms?
   _____ Estapé Duran.

12 Bona tarda, _____ senyor Pi, em dic
   _____ Carles Favà.

7 | **En cada frase hi ha un error. Escriu-les correctament.**

1	Jo em dic la Rosa.		6	Perdoni, ets el senyor Bruguera?
2	I tu, com es dius?		7	No, sóc senyor Roca.
3	Sóc Anna.		8	Aquesta ets la senyora Roure?
4	Qui ets aquell?		9	Perdona, és en Lluís?
5	Hola! Em diu Cristina.		10	No, jo es dic Ramon.

8 | **Escolta i repeteix.**

1 Hola, sóc la Laia. I tu, com et dius?
Josep.

2 Hola, sóc la Laia Rovira. I vostè, com es diu?
Josep Guardiola.

3 Hola, bon dia. Em dic Eva Pauses Gadia. I vostè, com es diu?
Antoni.
I de cognoms?
Comes i Ros.

4 Hola, bon dia. Em dic Eva. I tu, com et dius?
Antoni.

5 Hola, ets l'Helena?
Sí, sóc jo.
I de cognom, com et dius?
Cohen.

6 Hola, és la senyora Cohen?
Sí, sóc jo.

7 Saps com es diu aquest noi?
Es diu Stefano.

8 Sap com es diu aquell noi?
Es diu Stefano.

9 I, aquella, qui és?
És la Rose Pilcher.
Com?
Rose Pilcher.
Gràcies.
De res.

10 I, aquesta, qui és?
És la Rose Pilcher.

11 Perdoni, és la Sra. Bacall?
No, sóc el Sr. Bacall.
Ai, perdoni!

12 Perdoni, vostè es diu Bacall?
No, jo em dic Bogard.
Ai, perdoni!

13 Nom, sisplau?
Viyé.
Com s'escriu?
Ve baixa, i, i grega, e. Amb accent tancat a la e.
Cognom?
Diba. Amb be.

14 Nom, sisplau?
Helena.
Amb hac o sense?
Amb hac.
Cognom?
Grasset. Amb dues esses.

15 Com s'escriu Jehú?
Jota, e, hac, u.
Amb accent o sense?
Amb accent a la u.
Tancat o obert?
Tancat.
Així?
Sí.

16 Com s'escriu Raül?
Erra, a, u, ela. Amb dièresi a la u.

9 Escolta els noms i cognoms i escriu-los al quadre.

	Nom	Cognoms
1		
2		
3		
4		
5		

10 Escolta les sigles i escriu el número segons l'ordre en què les sentiràs. Després relaciona les sigles amb els significats.

Ordre		CAT
1		CD
2		CE
3		DNI
4		H
5		IVA
6		MACBA
7		MNAC
8		ONU
9		PC
10		PPCC
11		SP
12		SS
13		UE
14		VIP
15		VOS

Significat		Catalunya
	a	Ordinador personal
	b	Museu Nacional d'Art de Catalunya
	c	Servei Públic
	d	Països Catalans
	e	Impost sobre el valor afegit
	f	Versió original subtitulada
	g	Comunitat Europea, Consell d'Europa
	h	Organització de les Nacions Unides
	i	Disc compacte
	j	Unió Europea
	k	Document nacional d'identitat
	l	Seguretat social
	m	Hotel, Hospital
	n	Museu d'Art Contemporani de Barcelona
	o	Persona molt important

11 En parelles A i B. (A tapa el quadre de B, B tapa el quadre de A.) A pregunta a B els noms de nen més posats a Catalunya. B pregunta a A els noms de nena més posats a Catalunya. Pregunta com s'escriuen i escriu-los.

Com s'escriu...?

A

Noms de nena, noia, dona	Noms de nen, noi, home
Maria	
Paula	
Laura	
Carla	
Alba	
Marta	
Laia	
Júlia	
Andrea	
Anna	

B

Noms de nena, noia, dona	Noms de nen, noi, home
	Marc
	Àlex
	Pau
	David
	Pol
	Arnau
	Daniel
	Gerard
	Jordi
	Joan

12 Escolta i repeteix els noms de nen i de nena de l'exercici anterior. Marca la vocal tònica de cada nom.

Maria

Com es pronuncia la **a** tònica i la **a** àtona?
Com es pronuncia la **e** tònica i la **e** àtona?
Com es pronuncia la **o** tònica i la **o** àtona?

13 Relaciona les preguntes i les respostes.

Iolanda, amb i grega?		*No, amb i llatina.*
1	Com s'escriu Helena, amb hac o sense?	Sense hac.
2	Lluís, amb dièresi?	Amb ge.
3	Com s'escriu Raül?	Obert.
4	Júlia porta accent?	Amb hac.
5	Com és l'accent d'Àlex?	Amb dièresi.
6	Gerard, amb ge o amb jota?	Sí, tancat.
7	Jordi, amb ge o amb jota?	Sí, i, ge.
8	Com s'escriu Ernest?	No, sense.
9	Puig, s'escriu amb ge?	Amb jota.

14 Escolta els números i marca'ls als quadres.

Quadre 1

2	14	26	57	82
10	15	49	64	87
11	18	50	68	90
12	19	56	74	93

Quadre 2

5	13	22	40	78
6	16	35	60	80
7	17	36	70	95
12	18	37	74	96

15 En parelles A i B. (A tapa el quadre de B, B tapa el quadre de A.) Completa la informació del teu quadre. Els números de dues xifres es diuen junts (91: noranta-u) i els de tres, separats (972: nou, set, dos).

A

Prefix telefònic	Província
96	*Alacant*
971	Balears
	Barcelona
964	Castelló
972	Girona
	Lleida
977	Tarragona
	València

Quin prefix té Alacant?

El 96.

B

Prefix telefònic	Província
96	*Alacant*
	Balears
93	Barcelona
	Castelló
	Girona
973	Lleida
	Tarragona
96	València

16 Mira els símbols i fixa't quin servei il·lustren. Escolta i relaciona els serveis d'urgències amb els números de telèfon.

Serveis d'urgències

	Bombers Generalitat	🍃	a	012	
1	Emergències mèdiques	⚠️➕	b	061	
2	Creu Roja. Coordinació d'emergències	➕		085	
3	Bombers Generalitat. Barcelona, ciutat	🍃	c	091	
4	Cos Nacional de Policia	🚓	d	080	
5	Institut Català de la Salut (ICS). Informació	➕	e	088	
6	Guàrdia Urbana	🚓	f	092	
7	Emergències	⚠️	g	934 22 22 22	
8	Creu Roja. Informació	➕	h	902 11 14 44	
9	Mossos d'Esquadra	🚓	i	112	
10	Institut Català de la Salut (ICS). Sanitat respon	➕	j	932 05 14 14	

17 Mira els símbols i fixa't quin servei il·lustren. Escolta i escriu els números de telèfon dels serveis.

Altres serveis

	Generalitat de Catalunya. Atenció ciutadana	🏛	012
1	Generalitat de Catalunya. Trucades des de fora de Catalunya	🏛	
2	Correus	📯	
3	RENFE	↻	
4	Ferrocarrils de la Generalitat de Catalunya	🚆	
5	Transports metropolitans	TMB	
6	Aeroport del Prat. Central aeroport	✈	
7	Aeroport del Prat. Informació de vols	ⓘ	
8	Port de Barcelona	⚓	
9	Ajuda a la carretera	🚗	
10	Informació meteorològica	🗺	

18 Escolta i repeteix.

1 Té telèfon?
Sí, és el 9 7 2 46 16 25.

2 Tens telèfon?
No, no en tinc.

3 Tens mòbil?
Sí, és el 6 5 0 18 13 94.
Pots repetir-ho, sisplau?
Sí. 6 5 0 18 13 94.
Gràcies.
De res.

4 Tens mòbil?
No, no en tinc.

5 Té mòbil?
Sí que en tinc. És el 6 0 9 16 25 17.

6 Quants anys tens?
En tinc divuit. Tinc divuit anys.

7 Quants anys té?
En tinc seixanta.

8 Quants anys té aquesta noia?
En té disset.

9 Quants anys té aquell noi?
En té vint-i-sis.

19 Completa els diàlegs. Escriu només una paraula o Ø.

1 Perdoni, _____ telèfon?
Sí, és _____ 93 456 78 90.

2 I, tu, _____ mòbil?
Sí, _____ el 650 34 56 78.

3 Tens _____ mòbil?
No, no _____ tinc.

4 _____ telèfon?
Sí, _____ el 973 23 45 67.
Pots repetir-ho, _____?
Sí. _____ 973 23 45 67.
_____.
De res.

5 _____ Gemma, quants anys
_____?
_____ tinc quaranta.

6 Saps quants anys _____ en Joan?
Cinquanta.
_____?
Cinquanta.

7 Tu _____ trenta-dos
_____?
_____, en _____
trenta-un.

20 Escolta i repeteix.

1 D'on ets?
Sóc francesa, de París.

2 Vostè d'on és?
Sóc d'Itàlia, de Venècia.

3 D'on és aquella senyora?
És brasilera.

4 D'on és aquest senyor?
Del Paraguai, és paraguaià.

5 Quina llengua parles?
Parlo urdú.

6 Perdoni, quina llengua parla?
Parlo neerlandès.

7 Quines llengües parles?
Parlo l'urdú, el persa, l'anglès i l'espanyol.

8 Quantes llengües parles?
En parlo quatre. Parlo quatre llengües.

9 Què t'agrada fer en el temps lliure?
M'agrada mirar la televisió.

10 A vostè, què li agrada fer en el temps lliure?
M'agrada molt escoltar música.

11 A la Rosa no li agrada viatjar. I a tu?
A mi, m'agrada molt.

12 T'agrada ballar?
Sí que m'agrada.

13 T'agrada fer esport?
No, no m'agrada.

14 A en Tom li agrada navegar per internet?
Sí que li agrada.

15 Què fas, estudies o treballes?
Estudio hostaleria.

16 Què fa en Martí, estudia o treballa?
En Martí treballa. Fa de pintor.

17 Estudies o treballes?
Treballo. Sóc advocada.

18 De què fas?
Faig d'informàtic.

19 De què fa en Martí?
Fa de pintor.

20 Vostè, de què fa?
Faig de traductor.

21 Relaciona la columna de la dreta i la de l'esquerra.

		Em dic Norma, sóc de Noruega.		*Sóc noruega.*
1		Em dic Jiang, sóc de la Xina.	a	Sóc argentí.
2		Em dic Samuel, sóc del Camerun.	b	Sóc quebequesa.
3		Em dic Ia, sóc d'Atenes.	c	Sóc xinesa.
4		Em dic Pablo, sóc de l'Argentina.	d	Sóc grega.
5		Em dic Jacqueline, sóc del Quebec.	e	Sóc camerunès.

22 Completa el quadre amb els gentilicis. Busca les paraules al diccionari.

	País	Masculí acabat en consonants diverses	Femení: -a
1	Suècia		
2	Brasil		
3	Canadà		
4	Turquia		
5	Noruega		
		Masculí acabat en vocal tònica: -à / -è / -í / -ó	Femení: -ana / -ena / -ina /-ona
6	Mèxic		
7	Eslovènia		
8	Marroc		
9	Letònia		
		Masculí acabat en: -ès	Femení: -esa
10	Portugal		
11	Japó		
12	Dinamarca		
13	Polònia		

23 Completa el quadre.

	Sóc de / d' / del /de l' / de la / dels /de les		Sóc		Parlo
	de	Catalunya	català	catalana	català...
1		Xina			xinès...
2		Alemanya	alemany		
3		Eslovàquia		eslovaca	
4		Índia			hindi...
5		Filipines			tagal o tagàlog...
6		Països Baixos			neerlandès...
7		Regne Unit			irlandès, escocès...
8		Federació Russa			rus...
9		Estats Units d'Amèrica			anglès...
10		República Txeca			
11		Iraq		iraquiana	
12		França			

24 Completa els diàlegs amb els interrogatius **qui, com, quants, quantes, d'on, quina, quines, què, de què.**

1 _____ ets?

De Polònia.

_____ llengües parles?

Polonès i alemany.

2 _____ et dius?

Ainhoa.

Ets basca?

Sí, de Sant Sebastià.

_____ llengües parles?

Quatre.

3 _____ és aquella noia?

La professora d'èuscar.

_____ es diu?

Aduna.

_____ és?

De Bilbao.

4 Perdoni, _____ es diu?

David Duran.

_____ fa?

Faig de traductor. Sóc traductor.

_____ llengües parla?

Català, espanyol, italià i portuguès.

5 Hola! _____ ets?

L'Andreu.

_____ ets?

De Mallorca.

_____ llengua parles?

Català.

6 Perdona, _____ és aquest noi?

El Carlo.

_____ anys té?

Vint-i-set.

_____ fa?

De pintor.

7 Perdoni, _____ es diu?

Chris Lee.

_____ estudia?

Català.

_____ treballa?

De caixer, a la Caixa.

8 Bon dia!

Bon dia! Perdona, _____ ets?

La Sylvie, la dissenyadora gràfica.

_____ llengua parles?

Català. El català de la Catalunya Nord.

_____ ets?

De Banyuls.

9 Ei! Sóc la Vicenta i m'agrada navegar per internet. I tu, _____ et dius?

_____ ets? _____ llengua parles?

_____ fas?... Adéu!

10 Ei! Què hi ha? Sóc en Tomeu, sóc de Mallorca, sóc pintor i m'agrada viatjar. I tu, _____ ets?_____ estudies?

_____ llengües parles?_____ t'agrada fer?... Que vagi bé!

11 Hola a tothom! Sóc el Ton, sóc de Lleida, sóc intèrpret, però faig de professor. I tu, _____ anys tens? _____ treballes? _____ i _____ llengües parles?... Fins aviat!

25 Completa els diàlegs amb **jo, tu, vostè, a mi, a tu, a vostè** o **Ø**. Escriu els pro-moms només quan sigui necessari.

1 _____ t'agrada ballar?
   _____ sí.
   Doncs _____, no.

2 _____ com et dius?
   _____ em dic Úrsula.

3 Hola! _____ ets la Marina?
   Sí, sóc _____.

4 I _____, com et dius?
   _____ em dic Gregori.

5 Perdoni, _____ és la senyora Lantieri?
   No, _____ sóc l'Eva Daumerie.

6 Té _____ telèfon?
   Sí.

7 _____ tens mòbil?
   No, _____ no en tinc.

8 I _____, com et dius?
   _____ em dic Tom.

9 I _____, què li agrada?
   _____ m'agrada fer esport.
   Doncs _____ no m'agrada fer esport.

10 I _____, de cognom, com et dius?
    _____ em dic Rivera.

11 I _____, com es diu?
    Carolina Martí.

12 _____ què t'agrada fer en el temps lliure?
    _____ m'agrada navegar per internet.
    I _____, què t'agrada?
    _____ m'agrada escoltar música.

13 Quantes llengües parles _____?
    _____ en parlo tres. I _____,
    quantes en parles?
    Quatre.

14 D'on ets _____?
    _____ sóc d'Alacant. I _____, d'on és?
    De Perpinyà.

15 Quants anys té _____?
    _____ en tinc quaranta.

26 Posa accents i dièresis.

1 Perdoni, voste com es diu?
   Em dic Lika.
   D'on es?
   Del Brasil.

2 Quants anys te aquesta noia?
   En te 15.

3 Tens telefon?
   Si, es el 973 45 09 28.
   I mobil?
   No, no en tinc.

4 Perdoni, te telefon?
   No, no en tinc.
   I mobil?
   Si, es el 650 98 55 97.

5 Quina llengua parles?
   L'italia.

6 Quantes llengues parles?
   Una. L'angles.

7 Qui es aquella noia?
   Es l'Ester.
   De que fa?
   Fa de traductora.

8 I tu, de que fas?
   Soc pintora i faig de dissenyadora.

9 I voste de que fa?
   Soc informatic.

10 Que t'agrada fer en el temps lliure?
    Escoltar musica.

11 T'agrada ballar?
    A mi, si.
    Doncs a mi, no.

12 Qui es aquest noi?
    Es l'Enric.
    De que fa?
    De caixer.
    Quines llengues parla?
    El catala, l'espanyol, el frances, l'arab i una mica de xines.

27 Escolta els textos de l'exercici 17 del llibre de l'alumne i després llegeix-los en veu alta.

28 En parelles A i B. Llegeix el teu correu electrònic i completa'l. Marca-hi les dades: nom, lloc de procedència..., perquè el teu company te les preguntarà. A tapa l'anunci de B, B tapa l'anunci de A. Amb les dades que t'ha donat el teu company completa la fitxa i redacta un correu electrònic. Compara'l amb el real.

A

Hola, sóc un noi _____ (1), de Bogotà, la capital de Colòmbia. _____(2)

32 anys. Sóc casat. Fa tres anys que visc a Barcelona. Normalment _____ (3)

espanyol. _____ (4) a l'Escola Oficial d'Idiomes: català i també _____(5)

perquè la meva parella és _____ (6) Països Baixos. Sóc advocat, però _____

(7) en una escola privada, _____ (8) de _____ (9) d'espanyol.

_____ (10) viatjar, escriure i caminar. No _____ (11) córrer ni fer es-

port. Escriviu-me o truqueu-me al mòbil: 677 45 90 12. No _____ (12) telèfon fix. Fins

_____ (13)!

WILSON TAIA chorel99@yahoo.co

Nom:_____

Cognoms: _____

Sexe: ☐ Home ☐ Dona

Edat: _____

Estat civil:

☐ Solter / Soltera ☐ Casat / Casada ☐ Altres

Llengües que parla: _____

Estudis:_____

Activitat laboral: _____

Aficions: _____

Telèfon: _____

Mòbil: _____

B

Ei! _____ (1) hi ha? Sóc una noia jove. _____ (2) anys tinc?

_____ (3) tinc 27. Sóc soltera. Sóc _____ (4) Irlanda i parlo algunes llengües

_____ (5) Regne Unit: l' _____ (6) i el gaèlic, que es parla al País de

Gal·les, a Irlanda i a Escòcia. També parlo, una mica, el català. Sóc traductora, però no _____ (7)

de traductora. _____ (8) de _____ (9) per al diari CATALONIATODAY.

_____ (10) escoltar música, ballar i cuinar. No _____ (11) córrer ni fer

esport. Escriviu-me o envieu-me un SMS!!! Tel. 609 64 61 69. No _____(12) telèfon fix.

Una _____ (13),

MARGARET WILLIAMS marwill@wanadoo.cat

29 Escolta l'Andrew, pren notes de les seves dades i redacta el seu perfil (en tercera persona).

30 Escolta dues converses de persones desconegudes, que es troben en una festa. Completa-les, segons el que diuen.

Conversa 1

Hola! _____ (1) nit!

_____ (2) nit!

Ei! _____ (3) hi ha?

_____ (4), com et dius?

Borja.

_____ (5)?

Borja.

Això és nom o _____ (6)?

Nom.

Ah!

Ets _____ (7)?

No.

Ets _____ (8)?

Sóc divorciada.

T'agrada ballar?

No, _____ (9) m'agrada.

_____ (10) a mi, sí _____(11) m'agrada.

_____ (12) balla! Ja ens

_____ (13)!

Fins _____ (14)!

Conversa 2

● _____ (1) tarda!

■ _____ (2) tarda!

◆ _____ (3) tarda!

● El seu nom, _____ (4)?

■ Jo em dic Sue.

◆ Gràcies.

■ _____ (5).

● Perdoni, i _____ (6) com es diu?

◆ Hellen.

● _____ (7), Hellen!

◆ _____ (8)!

■ I _____ (9) qui és?

● Ai, _____ (10). Jo sóc en JR.

■ A _____ (11), JR, li agrada ballar?

● _____ (12)... I _____ (13), Hellen, li agrada ballar?

◆ No, _____ (14) m'agrada.

■ _____ (15) a mi, sí _____(16) m'agrada. I escoltar música, _____ (17), JR, li agrada?

● _____ (18)... I _____ (19), Hellen, li agrada escoltar música?

◆ No, _____ (20) m'agrada.

■ _____ (21) a mi, sí _____ (22) m'agrada.

● _____ (23), Hellen, què li agrada?

◆ Viatjar!

■ Hellen!

◆ Sue! _____ (24)!

● _____ (25), Hellen! _____(26), senyores!

■ _____ (27), JR! _____ (28) aviat!

1

1. ets, sóc, ets, Sóc
2. és, és, és, és
3. sóc, sóc
4. és, és, sóc
5. és, Sóc
6. és, És
7. Ets, sóc, és

2

1. et dius, em dic, et dius, Em dic
2. es diu, es diu, es diu, es diu
3. em dic, em dic
4. es diu, Em dic, es diu, Es diu
5. es diu, Em dic
6. es diu, Es diu
7. Et dius, em dic, es diu

3

1.
Hola! com et dius?
Em dic Teresa. I tu, com et dius?
Em dic Manel.
Hola, Manel!
Hola!

2.
Saps com es diu aquella noia?
Sí, es diu Mercè. I tu saps com es
diu aquell noi?
Sí, es diu Josep.

3.
Perdoni, es diu Teresa Muntaner?
No. Jo em dic Mireia Martí. Aquella
senyora es diu Teresa Muntaner.

4.
Perdona, saps com es diu aquella
noia?
Aquella? Es diu Sònia Trepat.
Gràcies.
De res.

5.
Et dius Quim?
No, em dic Jordi. Aquest noi es diu
Quim.

4

1.
Hola! qui ets?
Sóc la Teresa. I tu, qui ets?
Sóc el / en Manel.
Hola, Manel!
Hola!

2.
Saps qui és aquella noia?
Sí, és la Mercè. I tu saps qui és
aquell noi?
Sí, és el / en Josep.

3.
Perdoni, qui és?
Sóc la Mireia Muntaner.
Sap qui és aquella senyora?
És la Teresa Martí.

4.
Perdona, saps qui és aquella noia?
Aquella? És la Sònia Trepat.
Gràcies.
De res.

5.
Ets el / en Quim?
No, sóc el / en Jordi. Aquest és el
/ en Quim.

5

1. sóc, em dic
2. es diu
3. Ets, és, em dic
4. em dic, Ets, sóc
5. Em dic
6. es diu, es diu
7. Em dic, sóc
8. et dius / es diu
9. és, és
10. ets, em dic, és

6

1. l', Ø, l'
2. Ø
3. Ø, el / en, l', En / El
4. Ø, Ø
5. Ø, en / el
6. Ø, en / el
7. la, Ø
8. Ø, l', Ø, la
9. Ø
10. Ø, Ø, la
11. Ø, Ø
12. Ø, Ø

7

1. Jo em dic Rosa
2. I tu, com et dius?
3. Sóc l'Anna.
4. Qui és aquell?
5. Hola! Em dic Cristina.
6. Perdoni, és el senyor Bruguera?
7. No, sóc el senyor Roca.
8. Aquesta és la senyora Roure?
9. Perdona, ets en Lluís?
10. No, jo em dic Ramon.

9

1. Núria Bastons Vilallonga
2. Marta Mas Prats
3. Gemma Verdés Prieto
4. Maria Helena Vergés Carreras
5. Albert Vilagrasa i Grandia

10

Ordre		Significat	
1.	6	a.	9
2.	7	b.	7
3.	9	c.	11
4.	10	d.	10
5.	3	e.	5
6.	4	f.	15
7.	5	g.	2
8.	11	h.	8
9.	12	i.	1
10.	1	j.	13
11.	8	k.	3
12.	13	l.	12
13.	2	m.	4
14.	14	n.	6
15.	15	o.	14

12

Paula, Laura, Carla, **A**lba, Marta,
Laia, Júlia, Andrea, **A**nna, Marc,
Àlex, Pau, David, Pol, Arnau,
Daniel, Gerard, Jordi, Joan

13

1. Amb hac.
2. No, sense.
3. Amb dièresi.
4. Sí, tancat.
5. Obert.
6. Amb ge.
7. Amb jota.
8. Sense hac.
9. Sí, i, ge.

14

Quadre 1	Quadre 2
50	17
64	78
15	35
49	80
93	22
10	5
57	96
14	18
82	60
11	16
68	6
19	13
26	70
90	12
2	40

16

1.	b	6.	f
2.	g	7.	i
3.	d	8.	j
4.	c	9.	e
5.	a	10.	h

17

1. 902 40 00 12
2. 902 19 71 97
3. 902 24 02 02
4. 932 05 15 15
5. 010
6. 932 98 38 38
7. 902 40 05 00
8. 933 06 88 00
9. 900 12 35 05
10. 932 21 16 00

19

1. té, el
2. tens, és
3. Ø, en
4. Tens, és, sisplau, Ø, Gràcies
5. Ø, tens, En
6. té, Quants / Com
7. tens, anys, No, tinc

21

1. c
2. e
3. d
4. a
5. b

22

1. suec, sueca
2. brasiler, brasilera
3. canadenc, canadenca
4. turc, turca
5. noruec, noruega
6. mexicà, mexicana
7. eslovè, eslovena
8. marroquí, marroquina
9. letó, letona
10. portuguès, portuguesa
11. japonès, japonesa
12. danès, danesa
13. polonès, polonesa

23

1. de la Xina, xinès, xinesa
2. d'Alemanya, alemanya, alemany...
3. d'Eslovàquia, eslovac, eslovac...
4. de l'Índia, indi, índia
5. de les Filipines, filipí, filipina
6. dels Països Baixos, holandès / belga / luxemburguès, holandesa / belga / luxemburguesa
7. del Regne Unit, anglès / irlandès / gal·lès / escocès, anglesa / irlandesa / gal·lesa / escocesa
8. de la Federació Russa, rus, russa
9. dels Estats Units d'Amèrica, nord-americana / estatunidenca, nord-americà / estatunidenc...
10. de la República Txeca, txec, txeca, txec...
11. de l'Iraq, iraquià, kurd, àrab...
12. de França, francès, francesa, francès, català...

24

1. D'on, Quines
2. Com, Quantes
3. Qui, Com, D'on
4. com, De què, Quines
5. Qui, D'on, Quina
6. qui, Quants, De què
7. com, Què, De què
8. qui, Quina, D'on
9. com, D'on, Quina, De què
10. qui / d'on, Què, Quines / Quantes, Què
11. quants, De què, Quantes, quines

25

1. Ø, Ø, a mi
2. Ø, Ø
3. Ø, jo
4. tu, Ø
5. Ø, Ø
6. Ø
7. Ø, Ø
8. tu, Ø
9. a vostè, Ø, a mi
10. tu, Ø
11. vostè
12. Ø, Ø, a tu, Ø
13. Ø, Ø, tu
14. Ø, Ø, vostè
15. Ø, Ø

26

1. vostè, és (D'on és)
2. té, té
3. telèfon, Sí, és, mòbil
4. té, telèfon, mòbil, Sí, és
5. italià
6. llengües, anglès
7. és, És, què
8. què, Sóc
9. vostè, què, Sóc, informàtic
10. Què, música
11. sí
12. és, És, què, llengües, català, francès, àrab, xinès.

28

A.	B.
1. colombià	1. Què
2. Tinc	2. Quants
3. parlo	3. En
4. Estudio	4. d'
5. neerlandès...	5. del
6. dels	6. anglès
7. treballo	7. faig / treballo
8. faig / treballo	8. Faig / Treballo
9. professor	9. periodista
10. M'agrada	10. M'agrada
11. m'agrada	11. m'agrada
12. tinc	12. tinc
13. aviat	13. abraçada

29 Solucions orientatives

Es diu Andrew i és dels Estats Units d'Amèrica, concretament de Boston. Té 40 anys. És arquitecte, però no fa d'arquitecte, ni de dissenyador, ni de res. No treballa. Parla moltes llengües: l'anglès, és clar, el català, l'hindi, el tagàlog, el kurd... Ara estudia coreà, persa i portuguès. Coses que li agrada fer? Estudiar llengües minoritàries, escriure, caminar, a poc a poc, eh! No li agrada estudiar les llengües que estudia tothom, ni córrer, ni fer esport. I sobretot no li agrada treballar. Està casat amb una catalana magnífica... però treballa molt. La felicitat completa no existeix.

30

Conversa 1	Conversa 2
1. Bona	1. Bona
2. Bona	2. Bona
3. Què	3. Bona
4. Perdona	4. si us plau
5. Com	5. De res
6. cognom	6. vostè
7. casada	7. Hola
8. soltera	8. Hola
9. no	9. vostè
10. Doncs	10. perdoni
11. que	11. vostè
12. Doncs	12. Depèn
13. veurem	13. a vostè
14. ara	14. no
	15. Doncs
	16. que
	17. a vostè
	18. Depèn
	19. a vostè
	20. no
	21. Doncs
	22. que
	23. A vostè
	24. Adéu-siau
	25. Adéu
	26. Passi-ho bé
	27. Adéu
	28. Fins

Unitat 2

CIUTATS I GENT

CIUTATS I GENT

1 **Relaciona les preguntes i les respostes.**

1		Coneixes la Maria?	a		No, no ens coneixem.
2		Us coneixeu?	b		No, no els conec.
3		Sr. Rigol, coneix la Sra. Vidal?	c		No, no la conec.
4		Coneixeu en Martí?	d		No, no les conec.
5		Coneixes els professors?	e		Sí, ja ens coneixem.
6		Sra. Siurana, coneix la Sra. Arisa i la Sra. Llofriu?	f		Sí, ja el coneixem.

2 **Completa els diàlegs amb els pronoms el, la, els, les, ens, us.**

1

Lluïsa: Hola, Joana! Coneixes la Sofia?

Joana: No, no _____ conec. Hola, Sofia.

2

Oriol: Ei, Roger! Què hi ha?

Roger: Bé, anar fent. I tu?

Oriol: Bé... Coneixes l'Anna i la Pepa?

Roger: Sí, ja _____ conec.

Anna i Pepa: Sí, sí, ja _____ coneixem.

3

Jordi: Oi que no _____ coneixem?

Pau: No, no _____ coneixem. Em dic Pau i tu?

Jordi: Jordi. Encantat.

4

Lourdes: Senyor Badia, coneix el senyor Pi i la senyora Mas?

Sr. Badia: No, no _____ conec. Encantat.

Sr. Pi: Molt de gust.

Sra. Mas: Hola, molt de gust.

5

Esteve: Coneixes el director de l'empresa?

Roser: No, no _____ conec. I tu, _____ coneixes?

Esteve: No, jo tampoc.

3 **Completa els diàlegs amb el verb conèixer.**

1

Robert: Giovanni, _____ la Maria?

Giovanni: No. Hola, Maria, què hi ha?

Maria: Hola, què hi ha?

2

Sònia: Olívia i Francesc, ja

_____ els companys de

classe?

Olívia: Jo només en _____

uns quants.

Francesc: Jo també en _____

uns quants.

3

Júlia: Maria, et presento la Montse.

Maria: Ja ens _____, oi?

Montse: Sí, ja ens _____.

4

Sr. Tous: Sr. Tarrés, _____ la Sra.

Ribera?

Sr. Tarrés: Encantat.

Sra. Ribera: Molt de gust.

5

Sr. Mas: Sra. Prats, Sr. Rius, _____ la Sra. Camps?

Sra. Prats: No, no ens _____.

Sr. Rius: Encantat.

Sra. Camps: Molt de gust.

6

Joan: Nois, _____ la Paula?

Nois: No, hola, què hi ha?

Paula: Ei, què hi ha?

4 **Escolta els diàlegs i marca les frases que s'hi diuen. Després escriu els diàlegs.**

		Diàleg 1	Diàleg 2	Diàleg 3	Diàleg 4	Diàleg 5
a	Encantada.					
b	Joan, et presento en Quim.					
c	Us presento la Mercè i la Laura.					
d	Hola, què hi ha?					
e	Anar fent. I tu?					
f	Encantat.					
g	Ei, què hi ha?					
h	Hola, Quim.					
i	Sr. Casamitjana, aquest és el Sr. Siurana.					
j	Com va això?					
k	Ei, com va això?					
l	Molt de gust.					
m	Molt bé.					
n	Sra. Miralles, li presento la Sra. Mir.					
o	Ei, com anem?					

5 Completa els diàlegs amb **on** o **d'on**.

1

_____ ets?

De Venècia.

2

_____ és la teva ciutat?

Al nord del país.

3

Saps _____ és i _____ viu, en Manel?

Sé que és català, però no sé _____ viu.

4

Sóc d'Alacant.

Perdona, _____?

D'Alacant.

I _____ és?

Al sud de València.

6 Completa les frases amb **a, al, a l', a la, als, a les, de, d', del, de l', dels, de les.**

Som **de les** Illes Balears, **de** Mallorca.

1 Sóc _____ Japó, _____ Osaka.

2 Visc _____ Xina.

3 Som _____ Estats Units, _____ Nova York.

4 Viviu _____ Austràlia?
Sí, _____ Sidney.

5 En John viu _____ Índia, però és _____ Itàlia, _____ Venècia.

6 Visc _____ Regne Unit, _____ Cambridge.

7 Vivim _____ Argentina, _____ Buenos Aires.

8 Sou _____ Alemanya, oi?
Sí, _____ Munic.

9 El Sr. Roure viu _____ Filipines?
Sí, però és català. La seva dona és filipina.

7 Completa els espais amb el verb **viure**, les preposicions **a** o **de** i l'article, si és necessari.

> La Rosa és **de** Manlleu, però viu **a** Barcelona.

1 On _____ en Jan?
No ho sé. I tu, on _____?
Jo _____ _____ Barcelona.

2 L'Olívia i jo _____ _____ Girona.
I vosaltres on _____?
També _____ _____ Girona.

3 Els professors d'anglès _____ _____
Andorra, però són _____ Londres.

4 En Patrick fa un any que _____
_____ Anglaterra, _____
Londres, però és _____ Irlanda.

5 On vius?
_____ _____ Japó, però sóc
_____ Índia.

6 La Teresa i la Miranda són _____ Filipines,
però fa dos anys que _____ _____
Estats Units.

7 En Mohamed és _____ Marroc, però
_____ _____ França.

8 Nosaltres som _____ Xina, però
_____ _____ Mèxic fa set anys.

9 On _____ vosaltres?
_____ _____ Equador, però
som _____ Perú.

10 La Neus i la Laia _____ _____ Reus
i nosaltres _____ _____ Tarragona.

8 Tria la informació per a cada personatge i escriu-la en primera persona, com si es presentés.

català, espanyol i anglès
7 anys
Tarragona – Reus fa 65 anys
traductor
Marta
Enric i Marc
català i espanyol
40 anys
Barcelona
professors d'anglès
David i Pepa
75 anys
xinès, espanyol i català
llegir i escoltar música
Yu-Lee
Xangai – Girona fa 15 anys
28 i 26 anys
Badalona
català i espanyol
viatjar

9 Escolta i repeteix.

Que saps com es diu?
Que sabeu quants anys té?
Que saps d'on és?

Que sabeu on viu?
Que saps quantes llengües parla?
Que sabeu de què fa?

10 **Completa el quadre.**

Singular		Plural	
Masculí	Femení	Masculí	Femení
prim			
	alta		
			baixes
		rossos	
gras			
	maca		
moreno			
lleig			

11 **Completa el correu electrònic, fent els canvis necessaris a les paraules que hi ha entre parèntesis.**

Envia: pere89@msm.com

Per a: monicapi@msm.com

Tema: hola!

Hola, Mònica. Què hi ha?

Aquesta ciutat és fantàstica. És una ciutat molt *maca* (maco) i _____ (1) (petit).

És molt _____ (2) (turístic), però no és _____ (3) (perillós).

T'envio una foto amb els amics. Els nois _____ (4) (alt) es diuen John i Peter i

són _____ (5) (anglès). La noia _____ (6) (ros) és la Patricia i

és _____ (7) (argentí). És una mica _____ (8) (lleig), però molt

simpàtica. La noia _____ (9) (moreno) es diu Laura i és _____

(10) (italià). Aquells dos nens _____ (11) (ros) i _____ (12) (baix)

són en Bernat i en Pau. Són els fills de la Rosa, la senyora _____ (13) (gras). Són

_____ (14) (català).

I tu, com estàs?

Un petó,

Pere

 12 **Escolta el text de l'exercici 8 del llibre de l'alumne i després llegeix-lo en veu alta.**

13 Completa el quadre.

Singular		Plural	
Masculí	Femení	Masculí	Femení
el pare	la mare		
el marit			
			les filles
		els germans	
		els oncles / els tiets	
el cunyat			
	la néta		
		els nebots	
			les àvies
	la cosina		
		els gendres	
el sogre			

14 Completa les frases per identificar les persones, segons l'arbre genealògic.

Joan ⓪ Lluïsa

M. Antònia ⓪ Pep   M. Lluïsa ⓪ José María   Santi ⓪ Alícia   Albert

Joan   Marta   Diego   David   Jordi   Manel   Lluís

1   La M. Antònia és _____ de la Marta.

2   La Marta és _____ d'en Manel.

3   L'Albert és _____ del Joan.

4   En David és _____ d'en Jordi.

5   La M. Lluïsa és _____ del Lluís.

6   En Pep és _____ de la M. Antònia.

7   L'Alícia és _____ d'en Santi.

8   En Diego és _____ del Joan i de la Lluïsa.

9   En Pep és _____ del Jordi.

10 En Manel i en Lluís són _____ d'en Santi.

11 La Marta és _____ de la M. Lluïsa.

12 El José María és _____ d'en Pep.

13 La Lluïsa és _____ d'en David.

14 L'Alícia és _____ de la Lluïsa i d'en Joan.

15 La M. Lluïsa és _____ d'en Joan i la Lluïsa.

16 En Pep és _____ de la Lluïsa i del Joan.

17 En Joan és _____ del Jordi.

18 En Joan i la Lluïsa són _____ del Pep.

19 En Santi i l'Albert són _____ .

20 En Manel i la Marta són _____ .

21 L'Alícia i la M. Antònia són _____ .

15 Completa el text amb els verbs **dir-se, ser, tenir, viure i parlar**. Després digues si les afirmacions són veritables (V) o falses (F).

La família de la Marta

Aquests d'aquí _____ (1) els meus avis. _____ (2) Joan i Lluïsa. L'avi _____ (3) de Seròs, un poble a prop de Lleida, i _____ (4) 78 anys. L'àvia _____ (5) de Terrassa i _____ (6) 75 anys. Els meus avis _____ (7) a Terrassa i _____ (8) quatre fills: la M. Antònia, la meva mare, la M. Lluïsa, en Santi i l'Albert.

Aquesta _____ (9) la meva tieta M. Lluïsa i aquest _____ (10) el seu home, en José María. El meu oncle no _____ (11) català. _____ (12) d'Àvila i _____ (13) uns 56 anys. La meva tieta _____ (14) més jove que el meu oncle. _____ (15) 3 fills que _____ (16) Diego, David i Jordi. Els meus cosins _____ (17) 24 anys el gran, 21 anys el mitjà i 15 anys el petit i _____ (18) espanyol entre ells. _____ (19) a Madrid i els agrada venir a Catalunya. Quan són a Catalunya _____ (20) una mica català.

Aquell _____ (21) el meu oncle Santi. La seva dona _____ (22) Alícia i _____ (23) de Barcelona. El Santi i l'Alícia _____ (24) dos fills que _____ (25) en Manel i en Lluís. _____ (26) 11 i 9 anys. _____ (27) a Sabadell.

Aquest _____ (28) el meu oncle. _____ (29) Albert. _____ (30) 38 anys i _____ (31) a Barcelona. _____ (32) traductor i li agrada viatjar. _____ (33) català, espanyol, francès, anglès i italià. _____ (34) solter.

Els meus pares _____ (35) aquells d'allà. El meu pare _____ (36) Pep i la meva mare, M. Antònia. _____ (37) de Terrassa i _____ (38) gairebé 50 anys. _____ (39) professors i també els agrada viatjar.

Aquest _____ (40) el meu germà, en Joan. _____ (41) 22 anys i _____ (42) a Terrassa amb tres amics. I jo _____ (43) aquesta. Oi que _____ (44) maca? _____ (45) Marta, _____ (46) 17 anys i _____ (47) amb els meus pares. Els meus pares i jo _____ (48) a Terrassa, molt a prop de casa dels meus avis.

		V
	L'avi i el germà de la Marta es diuen Joan.	V
1	Els avis de la Marta són tots dos de Terrassa.	
2	Els avis de la Marta tenen set néts.	
3	La M. Lluïsa només té una neboda.	
4	L'Albert és fill únic.	
5	La Marta és la filla petita.	
6	Tota la família de la Marta parla català.	
7	La Marta viu amb el seu germà i els seu pares.	
8	La Marta viu a prop de casa dels seus avis.	

16 Escolta el text de l'exercici 9 del llibre de l'alumne i després llegeix-lo en veu alta.

17 Completa les frases amb els possessius, segons les relacions de l'exercici anterior.

La família no té memòria!

1 M. Antònia:

En Joan i la Marta són

(de mi) _____ fills.

2 Pep i M. Antònia:

L'Alícia és (de nosaltres) _____

cunyada.

3 Lluïsa:

Santi, ja saps que en David

és (de tu) _____ nebot?

4 Santi i Alícia:

En Manel i en Lluís són (de nosaltres)

_____ fills.

5 Marta:

Albert i Santi, qui són (de vosaltres)

_____ germanes?

6 Albert:

M. Lluïsa, qui és (de tu)

_____ neboda?

M. Lluïsa:

(de mi) _____ neboda és

la Marta. I també és (de tu)

_____ neboda!

7 Joan:

La Lluïsa és (de mi) _____

dona, oi?

8 M. Lluïsa:

El Pep no sap qui són (d'ell)

_____ fills!

18 Completa els diàlegs amb **aquest, aquesta, aquests, aquestes, aquell, aquella, aquells, aquelles.**

1 Qui és _____ d'aquí?

La meva germana.

2 Com es diuen _____ nenes de la foto?

Laura i Olívia. Són les meves nebodes.

3 D'on és _____ noi d'allà?

Qui? _____?

Sí.

Ah! És el xicot del Joan. És francès.

4 Mira, Magda, _____ és l'Albert. Us coneixeu?

Sí, sí ja ens coneixem.

5 Qui són _____ nens? Són els seus fills?

No. La Maria no té fills. Són els seus nebots.

6 Mira, _____ nens d'aquí són en Narcís i en Gabriel.

I _____ senyora d'allà, qui és?

La seva mare, la Teresa.

7 D'on són _____ senyores d'allà?

_____ són les professores. No les coneixes?

19 **Escolta i repeteix.**

Aquests són els teus cosins, oi?

Aquestes són les vostres germanes, oi?

Aquells són els seus nebots, oi?

Aquelles són les teves tietes, oi?

Aquests són els teus avis, oi?

20 **Coneixes aquestes famílies? Què en saps? Escriu-ho.**

La família Adams

La família reial anglesa

La família reial espanyola

21 **Completa els textos.**

Text 1

L'Anna ensenya una fotografia de la seva família

Sóc l'Anna i _____ (1) d'aquí són les _____ (2) mares. Tinc dues mares. _____ (3)

Laia i Montse i són catalanes. Són molt maques. La Laia té 37 _____ (4) i la Montse _____ (5)

té 42. _____ (6) a Sant Cugat, una ciutat a prop de Barcelona. A la Laia _____ (7) agrada

cuinar, però a la Montse, no. A mi _____ (8) m'agrada cuinar. La Montse té un germà, _____ (9)

oncle, que es diu Toni i també _____ (10) a Sant Cugat. La Laia no té _____ (11) germà

ni _____ (12) germana. _____ (13) avis, els pares de la Laia, són de Barcelona, però

_____ (14) a Girona. La meva altra _____ (15), la mare de la Montse, viu _____ (16)

Sant Cugat. És viuda.

Text 2

_____ (1) Alexandre i tinc 14 anys. _____ (2) germà es diu Nicolau i _____ (3)

té 12. _____ (4) d'Ucraïna i som estudiants. _____ (5) a Manresa amb _____ (6)

pare, que es diu Martí i és català. És solter i _____ (7) d'advocat. Ell és moreno, però nosaltres som

_____ (8). A mi _____ (9) agrada navegar per internet i jugar a futbol. _____ (10)

germà també li agrada navegar per internet. El nostre avi es diu Martí, com el pare, i _____ (11) àvia,

Roser. Els avis també _____ (12) a Manresa.

22 **Completa els diàlegs amb els verbs adequats.**

1 On _____, tu i el Pere?
_____ a Roses, a l'Empordà.

2 Nosaltres _____ de Figueres i _____ català, espanyol i francès. I vosaltres, quantes llengües _____?

3 _____ fills, tu i la Maria?
No, no en _____. I vosaltres, en _____?
No, tampoc en _____.

4 Hola, nois! Com _____, de cognom?
Ros. _____ germans.

5 En Jean-Philippe i jo _____ a Tolosa de Llenguadoc, a França. _____ francès, anglès i una mica de català, perquè _____ molts amics a Girona.

23 **En parelles A i B. (A tapa el quadre de B, B tapa el quadre de A.) Demana la informació que necessites per completar el teu quadre.**

On viu, en Joan?

Viu a Tortosa, però és d'Alacant.

A

En Joan	Tortosa / Alacant
Els meus avis	Barcelona / París
La teva germana	
Nosaltres	Ripoll / Girona
Tu	
La Joana	Reus / Eivissa
Vosaltres	

B

En Joan	Tortosa / Alacant
Els teus avis	
La meva germana	Girona / Andorra
Vosaltres	
Jo	Lleida / València
La Joana	
Nosaltres	Sabadell / Barcelona

24 **En parelles A i B. (A tapa el quadre de B, B tapa el quadre de A.) Demana la informació que necessites per completar el teu quadre.**

Quant temps fa que en Joan viu aquí?

Fa tres anys.

A

En Joan	3 anys
Els meus avis	2 anys
La teva germana	
Nosaltres	5 anys
Tu	
La Joana	8 anys
Vosaltres	

B

En Joan	3 anys
Els teus avis	
La meva germana	10 anys
Vosaltres	
Jo	6 anys
La Joana	
Nosaltres	11 anys

25 **Relaciona les preguntes i les respostes.**

1		Com et dius?	a	Fem de traductors.
2		Com es diuen?	b	Vivim a Badalona.
3		Qui són?	c	No, sóc alt i ros.
4		Quants anys tens?	d	Els meus pares.
5		Com sou?	e	Alts i rossos.
6		On viviu?	f	Joan i Pere.
7		De què feu?	g	Joan.
8		Quantes llengües parla?	h	No, és el meu cosí.
9		Qui és?	i	En Manel.
10		Ets baix?	j	16.
11		És el teu germà?	k	Tres: català, espanyol i francès.

26 **Continua el diàleg entre el Sr. Vidal i la Sra. Sorolla, per arribar a conèixer tota la informació sobre la Sra. Sorolla. (Tractament formal)**

Es diu Teresa Sorolla i Ribes. El seu pare es diu Francesc i la seva mare, Rosa. Té tres germans: dos nois i una noia. Ella és la segona. El seu germà gran es diu Joan i els altres es diuen Maria i Francesc. És casada. El seu marit es diu Josep Maria Vernet i no té fills, però té dos nebots, fills del seu germà gran: l'Arnau i el Pau. Té trenta-cinc anys.

Com es diu?

Em dic Teresa.

27 **Escolta i repeteix.**

Les meves germanes viuen a Girona.

El meu cosí i jo vivim a França.

On viviu, vosaltres?

Nosaltres parlem català, espanyol i anglès.

Els nostres cosins parlen anglès.

Tu ets de Barcelona i tens vint-i-cinc anys, oi?

Us coneixeu? No, no ens coneixem.

Aquest noi és el seu fill i és lleig.

Aquesta ciutat és lletja, perillosa i sorollosa.

28 En parelles A i B. (A tapa el quadre de B, B tapa el quadre de A.) Demana la informació que necessites per completar el teu quadre.

Què vol dir DK?

Vol dir Dinamarca.

Com s'escriu? Amb accent?

No.

Així?

A

DK	Dinamarca	N	Noruega
AND	Andorra		J
E		CH	Suïssa
NL	Holanda	F	
A	Àustria	D	Alemanya
H		S	
P	Portugal	SLO	Eslovènia
SF		SK	
TR		CY	Xipre
YU	Iugoslàvia	LV	Letònia
L		CZ	
GB		LT	
		PL	Polònia

B

DK	Dinamarca	N	
AND		J	Japó
E	Espanya	CH	
NL		F	França
A		D	
H	Hongria	S	Suècia
P		SLO	
SF	Finlàndia	SK	Eslovàquia
TR	Turquia	CY	
YU		LV	
L	Luxemburg	CZ	Txèquia
GB	Gran Bretanya	LT	Lituània
		PL	

29 Escolta i repeteix.

100:	cent	650:	sis-cents cinquanta	1.200:	mil dos-cents
200:	dos-cents	760:	set-cents seixanta	500.000:	mig milió
300:	tres-cents	890:	vuit-cents noranta	900.000:	nou-cents mil
400:	quatre-cents	1.000:	mil	1.000.000:	un milió
				2.000.000:	dos milions

30 En parelles A i B. (A tapa el quadre de B, B tapa el quadre de A.) Demana la informació que necessites per completar el teu quadre.

A

Marroc	27.877.000
Índia	
Austràlia	
Senegal	8.762.000
Mèxic	
Andorra	82.766
Irlanda	
Gàmbia	1.500.000
Espanya	40.791.000
Itàlia	

Quants habitants té l'Índia?

Quants habitants hi ha a l'Índia?

B

Marroc	
Índia	1.000.000.000
Austràlia	20.000.000
Senegal	
Mèxic	104.907.991
Andorra	
Irlanda	3.917.336
Gàmbia	
Espanya	
Itàlia	57.460.274

31 **Escolta quants habitants tenen els països i escriu la xifra al costat de cada país.**

Alemanya _____   Dinamarca _____

Islàndia _____   França _____

Portugal _____

32 **Escolta el text de l'exercici 11 del llibre de l'alumne i després llegeix-lo en veu alta.**

33 **Completa els textos amb una de les paraules del quadre.**

1   Barcelona és una _____ que té més d'un milió d' _____.
    És a la _____ est de Catalunya. És molt _____, perquè
    hi ha monuments de Gaudí i, a més, té _____, per prendre el sol,
    si hi fa bon _____.

2   A l'Índia hi ha 18 _____ oficials. També n'hi ha de regionals i
    dialectes. És el país més _____ del món, després de la Xina. El
    _____ més famós de l'Índia és el Ganges.

3   Xipre és una _____ del Mediterrani, al _____ de Turquia.
    S'hi parla grec, turc i _____.

4   Andorra és un _____ d'Europa i una regió històrica al _____
    dels Països Catalans. La _____ oficial d'Andorra és el _____ i
    la _____ és Andorra la Vella.

anglès
capital
català
ciutat
costa
habitants
illa
llengua
llengües
nord
país
platja
poblat
riu
sud
temps
turística

34 **Completa el text amb els connectors a més (a més), però, perquè i també.**

Els meus oncles viuen a Austràlia.

Austràlia és l'illa més gran del món, _____ (1) és el continent més petit. De nord a

sud té uns 3.700 quilòmetres i d'est a oest en té uns 4.000. La seva població no arriba als 20 milions

de persones. El meu oncle Bernat és català i la meva tieta Georgina és australiana. Els meus cosins

_____ (2) són australians. Viuen a Sidney. Sidney és la ciutat més gran, antiga i dinàmica

d'Austràlia. _____ (3), té el port més important del sud-est d'Austràlia i és la capital

de l'estat de Nova Gal·les del Sud, _____ (4) no és la capital del país. La capital es

diu Canberra. Sidney té una superfície de 1.736 quilòmetres quadrats. La major part de la població que

viu a la ciutat és d'origen britànic o irlandès, _____ (5) _____ (6) hi

ha gent d'origen asiàtic, grec i italià i, és clar, català. Hi ha gairebé 4 milions d'habitants. A la ciutat hi

ha molts parcs, moltes platges i _____ (7) molts turistes, _____ (8)

és una ciutat meravellosa.

1

1. a, c, e
2. a, e
3. a, c, e
4. a, e, f
5. a, b, e
6. a, d, e

2

1. la
2. les, ens
3. ens, ens
4. els
5. el, el

3

1. coneixes
2. coneixeu, conec, conec
3. coneixem, coneixem
4. coneix
5. coneixen, coneixem
6. coneixeu

4

Diàleg 1: f, i, l
Diàleg 2: a, l, n
Diàleg 3: c, d, g, o
Diàleg 4: b, h, j
Diàleg 5: e, k, m
Diàlegs: transcripcions

5

1. D'on
2. On
3. d'on, on, on
4. D'on, on

6

1. del, d'
2. a la
3. dels, de
4. a, a
5. a l', d', de
6. al, a
7. a l', a
8. d', de
9. a les

7

1. viu, vius, visc, a
2. vivim, a, viviu, vivim, a
3. viuen, a, de
4. viu, a, a, d'
5. Visc, al, de l'
6. de les, viuen, als
7. del, viu, a
8. de la, vivim, a
9. viviu, Vivim, a l', del
10. viuen, a, vivim, a

8 Solucions orientatives

1. Em dic Yu-Lee. Sóc de Xangai, però fa 15 anys que visc a Girona. Tinc 40 anys i sóc traductor. Parlo xinès, espanyol i català. M'agrada viatjar.

2. Ens diem David i Pepa / Som en David i la Pepa, tenim 28 i 26 anys i som de Barcelona. Som professors d'anglès. Parlem català, espanyol i anglès.

3. Em dic Marta / Sóc la Marta i sóc de Tarragona, però visc a Reus fa 65 anys. Tinc 75 anys, parlo català i espanyol i m'agrada llegir i escoltar música.

4. Ens diem Enric i Marc / Som l'Enric i en Marc i tenim 7 anys. Vivim a Badalona i parlem català i espanyol.

10

prim, prima, prims, primes
alt, alta, alts, altes
baix, baixa, baixos, baixes
ros, rossa, rossos, rosses
gras, grassa, grassos, grasses
maco, maca, macos, maques
moreno, morena, morenos, morenes
lleig, lletja, lletjos, lletges

11

1. petita
2. turística
3. perillosa
4. alts
5. anglesos
6. rossa
7. argentina
8. lletja
9. morena
10. italiana
11. rossos
12. baixos
13. grassa
14. catalans

13

el pare, la mare, els pares, les mares

el marit, la dona, els marits, les dones

el fill, la filla, els fills, les filles

el germà, la germana, els germans, les germanes

l'oncle / el tiet, la tia / la tieta, els oncles / els tiets, les ties / les tietes

el cunyat, la cunyada, els cunyats, les cunyades

el nét, la néta, els néts, les nétes

el nebot, la neboda, els nebots, les nebodes

l'avi, l'àvia, els avis, les àvies

el cosí, la cosina, els cosins, les cosines

el gendre, la jove / la nora, els gendres, les joves / les nores

el sogre, la sogra, els sogres, les sogres

14

1. la mare
2. la cosina
3. el fill, l'oncle /el tiet
4. el germà
5. la tia / la tieta
6. l'home / el marit
7. la dona
8. el nét
9. l'oncle / el tiet
10. els fills
11. la neboda
12. el cunyat
13. l'àvia
14. la jove / la nora
15. la filla
16. el gendre
17. l'avi, el cosí
18. els sogres
19. germans
20. cosins
21. cunyades

15

1. són
2. Es diuen
3. és
4. té
5. és
6. té
7. viuen
8. tenen
9. és
10. és
11. parla
12. És
13. té
14. és
15. Tenen
16. es diuen
17. tenen
18. parlen
19. Viuen
20. parlen
21. és
22. es diu
23. és
24. tenen
25. són
26. Tenen
27. Viuen
28. és
29. Es diu
30. Té
31. viu
32. És
33. Parla
34. És
35. són
36. es diu
37. Són
38. tenen
39. Són
40. és
41. Té
42. viu
43. sóc
44. sóc
45. Em dic.
46. tinc

47. visc
48. vivim

1. F
2. V
3. V
4. F
5. V
6. F
7. F
8. V

17

1. els meus
2. la nostra
3. el teu
4. els nostres
5. les vostres
6. la teva, La meva, la teva
7. la meva
8. els seus

18

1. aquesta
2. aquestes / aquelles
3. aquell, Aquell
4. aquest
5. aquests, aquells
6. aquests, aquella
7. aquelles, Aquelles

21

Text 1
1. aquestes
2. meves
3. Es diuen
4. anys
5. en
6. Vivim
7. li
8. també / tampoc /no / sí que
9. el meu
10. viu
11. cap
12. cap
13. Els meus
14. viuen
15. àvia
16. a

Text 2
1. Em dic / Sóc l'
2. El meu
3. en
4. Som
5. Vivim
6. el nostre
7. fa/ treballa
8. rossos
9. m'
10. Al meu
11. l'/ la nostra
12. viuen

22

1. viviu, Vivim
2. som, parlem, parleu
3. Teniu, tenim, teniu, tenim
4. us dieu, Som
5. vivim, Parlem, tenim

25

1. g
2. f
3. d
4. j
5. e
6. b
7. a
8. k
9. i
10. c
11. h

26 Solucions orientatives

Com es diu?
I de cognom?
Com es diuen els seus pares?
Quants germans té? / Té germans?
Vostè és la germana gran o la petita?
Com es diu el seu germà gran?/ Com es diuen els seus germans?
És casada?
Com es diu el seu marit?
Té fills?
Té nebots?
De quin germà són fills, els seus nebots?
Com es diuen els seus nebots?
Quants anys té?

31

Alemanya: 82.439.000
Islàndia: 287.559
Portugal: 10.408.000
Dinamarca: 5.368.354
França: 59.183.000

33

1. ciutat, habitants, costa, turística, platja, temps
2. llengües, poblat, riu
3. illa, sud, anglès
4. país, nord, llengua, català, capital

34

1. però
2. també
3. A més (a més)
4. però
5. però
6. també
7. també / a més (a més)
8. perquè

Unitat 3

DE SOL A SOL

1 **Què fan l'Antoni i la Josefina? Escriu les lletres que falten a cada espai.**

	L'Antoni	La Josefina
AL MATÍ	1 _llevar-se_	1 _dutxar-se_
	2 _esmorzar_	2 _esmorzar_
	3 _fer_ esport	3 _estudiar_ alemany
AL MIGDIA	4 _dinar_	4 _dinar_
A LA TARDA	5 _treballar_	5 _fer_ la migdiada
	6 _estudiar_ _escribir_	6 _berenar_
AL VESPRE	7 _sopar_	7 _sopar_

	l'Antoni	la Josefina
A LA NIT	8 _f u m a r_	8 _m i r a r_ la televisió
	9 _l l e g i r_	9 _a n a r - s e' n_ a dormir
	10 _a n a r - s e' n_ a dormir	
A LA MATINADA	11 _d o r m i r_	10 _d o r m i r_

---

2 **Escriu què fa l'Antoni i què fa la Josefina.**

Al matí em llevo...
Al migdia...
- Al matí esmorzo i faig esport.
- Al migdia dino
- a la tarda treballo i escric
- Al vespre sopo
- a la nit fumo, llegeixo, i m'en vaig a dormir
- a la matinada dormo

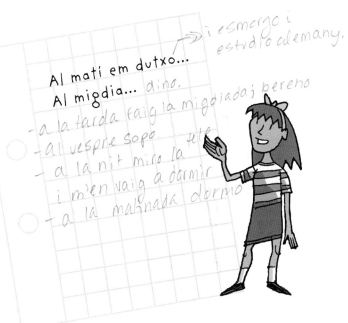

Al matí em dutxo... i esmorzo i estudio alemany.
Al migdia... dino.
- a la tarda faig la migdiada i bereno
- Al vespre sopo
- a la nit miro la tele
- i m'en vaig a dormir
- a la matinada dormo

3 **Relaciona els rellotges amb les hores.**

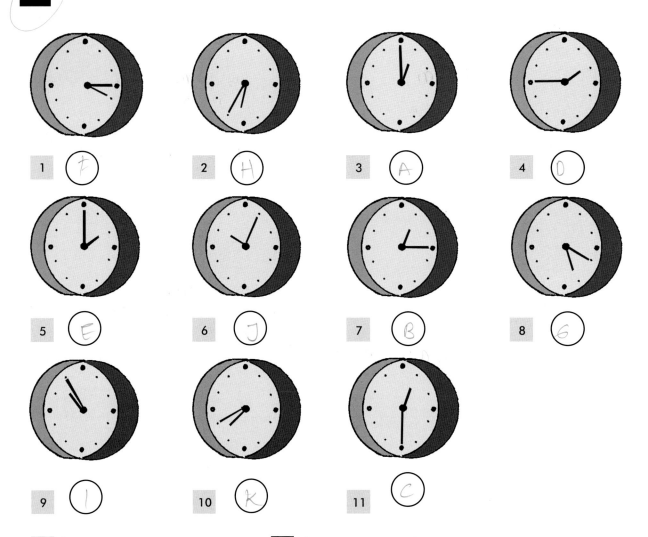

1	(F)	2	(H)	3	(A)	4	(D)
5	(E)	6	(J)	7	(B)	8	(G)
9	(I)	10	(K)	11	(C)

a	És la una.	g	És un quart i cinc de sis.
b	És un quart de dues.	h	Són dos quarts i cinc de set.
c	Són dos quarts de dues.	i	Falten cinc minuts per a les onze.
d	Són tres quarts de dues.	j	Són les deu i cinc.
e	Són les dues.	k	Falten cinc minuts per a tres quarts de vuit.
f	És un quart de cinc.		

4 **Relaciona els elements de la primera columna amb els de la segona i la tercera.**

1	b-A	08.00 h	a	És un quart de nou.	A	del matí
2	f-E	22.10 h	b	Són les vuit.		
3	h - B	14.40 h	c	Falten tres minuts per a dos quarts de vuit.	B	del migdia
4	c - D	19.27 h	d	Són les cinc i deu.		
5	j - F	03.15 h	e	Falten cinc minuts per a les cinc.	C	de la tarda
6	a - D	20.15 h	f	Són les deu i deu.		
7	g - B	13.45 h	g	Són tres quarts de dues.	D	del vespre
8	d - F	05.10 h	h	Falten cinc minuts per a tres quarts de tres.		
9	e - C	16.55 h	i	Són les dotze i cinc.	E	de la nit
10	i - B	12.05 h	j	És un quart de quatre .	F	de la matinada

5 Escolta les hores i marca en quin ordre es diuen.

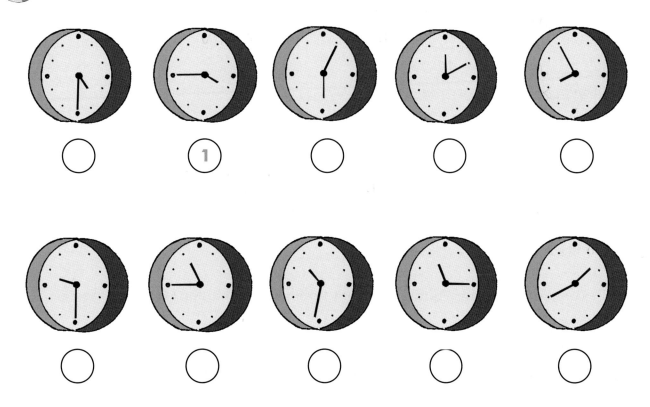

6 Escriu en lletres les hores de l'exercici anterior.

> 15.45 h: *Són tres quarts de quatre de la tarda.*

1	04.30 h	Són dos quarts de cinc de la matinada
2	18.05 h	Són les sis i cinc de la tarda
3	12.10 h	Són les dotze i deu de la migdia
4	07.55 h	Falten cinc minuts per nc a les vuit del matí
5	21.30 h	Són dos quarts de deu de la nit
6	22.45 h	Són tres quarts d'onze de la nit
7	10.33 h	Són dos quarts i tres minuts d'onze del matí
8	23.15 h	És un quart de dotze de la nit
9	13.40 h	Falten cinc minuts per a tres quarts de deus del migdia

7 **Completa les frases, si és necessari.**

1 Són _les_ tres i cinc.

2 És un _quarts_ d'una _del_ migdia.

3 Són tres quarts _i_ cinc _de_ tres.

4 És _la_ una _de la_ matinada.

5 Són _✗_ dos quarts de _✗_ deu.

6 És un quart _de_ vuit _del_ vespre.

7 Falten _✗_ cinc minuts per _a_ les tres.

8 És un quart de _✗_ nou.

9 Falten _✗_ deu minuts per a _les_ dotze.

10 Són _✗_ dos quarts _d'_ onze.

8 **Completa el quadre amb les formes verbals que hi falten. Escolta i repeteix.**

	llevar-se	esmorzar	fer	escriure
jo	em llevo	esmorzo	faig	escric
tu	et lleves	esmorjas	fas	escrius
ell, ella, vostè	es lleva	esmorza	fa	escriu
nosaltres	ens llevem	esmorzen	fem	escrivim
vosaltres	us lleveu	esmorjeu	feu	escriviu
ells, elles, vostès	es lleven	esmorzen	fan	escriuen

	dormir	sortir	llegir	anar-se'n
jo	dormo	sorto	llegeixo	me'n vaig
tu	dorms	surts	llegeixes	te'n vas
ell, ella, vostè	dorm	surt	llegeix	se'n va
nosaltres	dormim	sortim	llegim	ens n'anem
vosaltres	dormiu	sortiu	llegiu	us n'aneu
ells, elles, vostès	dormen	surten	llegeixen	se'n van

9 En parelles A i B. (A tapa el quadre de B, B tapa el quadre de A.) Pregunta què fan.

> *Què fa el Pere
> a les set del matí?*

> *Es dutxa.*

A

el Pere	7.00	es dutxa
tu	8.30	
el meu germà	10.45	va a l'escola
els teus pares	14.10	
nosaltres	16.15	fem la migdiada
les filles del Pere	17.00	
la meva dona i jo	18.20	berenem
jo	19.45	llegeixo
la Pepa	00.00	

B

el Pere	7.00	es dutxa
jo	8.30	esmorzo
el teu germà	10.45	
els meus pares	14.10	dinen
vosaltres	16.15	
les filles del Pere	17.00	escriuen
la teva dona i tu	18.20	
tu	19.45	
la Pepa	00.00	se'n va a dormir

10 Completa les frases amb la forma adequada del present d'indicatiu del verb que hi ha entre parèntesis.

1 El Manel _____ (dutxar-se) a dos quarts de vuit i _____ (esmorzar) a les vuit.

2 Els meus pares _____ (anar) al cine al vespre.

3 El teu germà i tu _____ (dinar) a les dues i _____ (sopar) a les vuit, oi?

   Sí, però no _____ (berenar).

4 La meva dona i jo _____ (escoltar) música quan _____ (fer) el dinar.

5 Al matí _____ (escriure) un correu electrònic als meus pares perquè tinc temps.

6 El Manel _____ (sortir) a la nit, perquè no _____ (treballar). Però jo, a la nit,

   no _____ (sortir), perquè al matí _____ (llevar-se) a les set.

7 Nosaltres no _____ (escriure) correus electrònics perquè no _____ (saber)
   què dir.

8 A la nit jo _____ (llegir). I tu, _____ (llegir) a la nit?

9 Quantes hores _____ (dormir) tu i en Ramon?

10 Els teus amics _____ (fumar)?

   No, però jo, sí. I tu, _____ (fumar)?

11 Completa el quadre amb les formes verbals del present d'indicatiu que hi falten. Escolta i repeteix.

	començar	plegar	passejar
jo	començo		
tu			
ell, ella, vostè		plega	
nosaltres			
vosaltres			passegeu
ells, elles, vostès	comencen		

12 Completa les formes verbals amb **c** o **ç**, **g** o **j**, **g** o **gu**.

1 La Paula comen_____a a treballar a les nou del vespre. I tu, quan comen_____es?

Jo comen_____o a les deu.

2 L'Enric i tu comen_____eu les classes a les vuit del matí, oi?

No, comen_____em a dos quarts de deu.

Les classes comen_____en a dos quarts de deu?

Sí.

3 Jo passe_____o a les tardes. I tu, quan passe_____es?

La meva dona i jo passe_____em al vespre.

4 Els avis passe_____en al matí perquè fa sol.

5 Quan ple_____es de treballar?

Ple_____o a les dues.

I la teva germana també ple_____a a les dues?

No, a les tres.

6 Quan ple_____eu, aneu a sopar al restaurant?

Si ple_____em a les nou, sí que anem al restaurant.

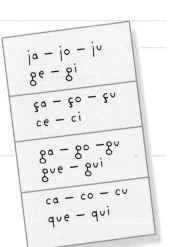

ja – jo – ju
ge – gi

ça – ço – çu
ce – ci

ga – go – gu
gue – gui

ca – co – cu
que – qui

13 **Completa les frases amb la forma adequada del present d'indicatiu del verb que hi ha entre parèntesis i transforma-les a partir dels canvis.**

1.a Nosaltres ja _ens en anem_ (anar-se'n). I vosaltres, _veniu_ (venir)?

1.b Jo ja _me'n vaig_. I tu, _vens_?

2.a En Pau _es lleva_ (llevar-se) a les 7 del matí perquè _comença_ (començar) a treballar a les 8.

2.b L'Anna i el Joan _es lleven_ a les 7 del matí perquè _comencen_ a treballar a les 8.

3.a Tu, Laura, _véns_ (venir) amb mi o _et quedes_ (quedar-se)?

3.b Vosaltres, nens, _veniu_ amb mi o _us quedeu_?

4.a Nosaltres, a la nit, _llegim_ (llegir).

4.b Vosaltres, a la nit, _llegiu_?

5.a Els nens _es renten_ (rentar-se) les dents i _s'en van_ (anar-se'n) a dormir.

5.b Tu _et rentes_ les dents i _t'en vas_ a dormir.

6.a Jo _dormo_ (dormir) 8 hores: _me'n vaig_ (anar-se'n) a dormir a les 12 i _em llevo_ (llevar-se) a les 8.

6.b El meu company _dorm_ 8 hores: _se'n va_ a dormir a les 12 i _es lleva_ a les 8.

7.a Els meus amics, quan _pleguen_ (plegar) de la feina, _van_ (anar) al cine.

7.b Jo, quan _plego_ de la feina, _vaig_ al cine.

8.a I tu, què _fas_ (fer) al matí?
Em llevo (llevar-se), _esmorzo_ (esmorzar) i _vaig_ (anar) a classe.

8.b I ells, què _fan_ al matí?
es lleven, _esmorgen_ i _van_ a classe.

9.a A la nit tu _llegeixes_ (llegir)?
No, a la nit _dormo_ (dormir).

9.b A la nit ells _llegeixen_?
No, a la nit _dormen_.

10.a Què fas?
Escric (escriure) un correu electrònic al meu germà.

10.b Què feu?
Escrivim un correu electrònic al nostre germà.

14 Completa les frases amb la forma adequada del verb **anar-se'n**.

Ei, Pere, ja ___te'n vas___?

Sí, ___me'n vaig___. Ja són tres quarts de dues!

I vosaltres, també ___us en aneu___?

Sí, ___ens en anem___ perquè a les tres comencem a treballar. I en Pol i la Montserrat també ___se'n vaig___.

Doncs sabeu què? Jo també ___me'n vaig___. Adéu!

15 Escolta i repeteix.

1 Quina hora és?

És un quart d'una.

2 Quina hora és?

És la una.

3 Quina hora és?

Són les dues.

4 Què fas al matí?

Em llevo, em dutxo i esmorzo.

5 Què fa al migdia?

Se'n va a dinar i llegeix el diari.

6 Què feu a la tarda?

Fem la migdiada i tornem a treballar.

7 Què fan al vespre?

Llegeixen el diari i surten.

8 Què fas a la nit?

Me'n vaig a dormir i dormo vuit hores.

16 Completa els diàlegs amb **doncs, també, tampoc** o **normalment**.

1 A quina hora et lleves?

___Normalment___, a les vuit.

___Doncs___ jo, a dos quarts de nou.

2 A quina hora dines?

A les dues.

Jo ___també___.

3 ___Normalment___ faig esport al matí. I tu?

___doncs___ jo, a la tarda, perquè al matí treballo.

4 ___Normalment___ no faig la migdiada.

Jo ___tampoc___ la faig, perquè no dino a casa.

5 A les nits no surto.

Jo ___tampoc___.

___doncs___ jo, sí.

17 En parelles A i B. (A tapa el quadre de B, B tapa el quadre de A.) Pregunta a quina hora fan els programes que no tenen horari.

A quina hora fan l'Agenda del dia?

A les set.

A

7.00	Agenda del dia
7.30	Actualitat
9.00	Telenotícies matí
_____	Bon dia, Catalunya
12.00	Coses de casa
_____	El medi ambient
14.30	Telenotícies migdia
_____	El temps
15.30	Cuina per a tothom
_____	La tarda de TV13
18.20	Hola, nens!
_____	Esports
_____	Telenotícies vespre
21.15	El temps
_____	Pel·lícula
_____	Telenotícies nit
00.00	Nit d'òpera

B

7.00	Agenda del dia
_____	Actualitat
_____	Telenotícies matí
11.00	Bon dia, Catalunya
_____	Coses de casa
14.00	El medi ambient
_____	Telenotícies migdia
15.15	El temps
_____	Cuina per a tothom
16.15	La tarda de TV13
_____	Hola, nens!
19.20	Esports
20.30	Telenotícies vespre
_____	El temps
21.30	Pel·lícula
23.30	Telenotícies nit
_____	Nit d'òpera

18 En parelles A i B. (A tapa el quadre de B, B tapa el quadre de A.) Completa els horaris.

A quina hora es dutxa, el Pere?

A les set.

A

el Pere	7.00	es dutxa
tu		esmorzes
el meu germà	10.45	va a treballar
els teus pares		dinen
nosaltres	16.15	fem la migdiada
les filles del Pere		escriuen
jo i la meva dona	18.20	berenem
jo	19.55	llegeixo
la Pepa		se'n va a dormir

B

el Pere	7.00	es dutxa
jo	8.30	esmorzo
el teu germà		va a treballar
els meus pares	14.10	dinen
vosaltres		feu la migdiada
les filles del Pere	17.00	escriuen
tu i la teva dona		bereneu
tu		llegeixes
la Pepa	00.00	se'n va a dormir

19 **Completa els diàlegs.**

1 Quin horari fan?

_____ (9.00 h-14.00 h i 15.00 h-18.00 h)

2 A quina hora obren al supermercat?

_____ (8.30 h)

3 _____

Sí, són dos quarts de vuit.

4 _____

Al vespre, tanquen a les nou.

5 _____

Són les dues.

6 _____

És obert de 8 a 8. No tanquen al migdia.

20 **Completa les frases, si és necessari.**

1 A _quina_ hora et lleves?

A les dotze o dos quarts _d'_ una.

2 _Què_ fas al matí?

Esmorzo, em dutxo i vaig a treballar.

3 A_quina_ hora sopes?

Normalment a les vuit _del_ vespre.

4 Quan vas a fer esport?

Normalment _a_ la tarda.

5 _Quin_ horari fan els bancs?

Normalment de vuit _a_ tres. També obren _els_ dissabtes.

6 Quan et dutxes, _al_ matí o _a la_ nit?

Normalment, _al_ matí.

7 Quina hora és?

Són _les_ tres quarts _d'_ una.

8 Que té hora?

Sí. És _×_ la una.

9 _a_ quina hora comences a treballar?

_a_ la una.

10 Les pastisseries obren ___els___ diumenges i tanquen ___els___ dilluns.

11 ___A___ quin horari fan?

Des de ___les___ nou ___fins___ a les dues ___del___ migdia. ___A___ la tarda obren de cinc a ___x___ vuit.

12 ___A___ quina hora comences?

___A___ les vuit.

13 Obert ___des de___ les nou del matí fins a les vuit del ___vespre___ .

14 ___A l'___ estiu i ___a la___ primavera tanquen ___el___ diumenge.

15 ___A l'___ hivern i ___a la___ tardor obren ___el___ dijous ___a___ la tarda.

16 ___El___ cap de setmana no treballo, però ___el___ dilluns, sí.

17 És obert ___des de___ les vuit ___fins a___ les dues.

18 És tancat. ___Fins a___ les deu, no obren.

19 El banc ___obre___ a dos quarts de nou del matí.

A la Caixa també ___obren___ a dos quarts de nou.

20 Al supermercat ___tanquen___ al migdia?

No, és obert.

21 Quin horari ___fan___ a la pastisseria? Dilluns és tancat, oi?

Sí, perquè els diumenges no ___tanquen___.

22 Quin horari fan ___al___ supermercat?

23 Saps l'horari que fa _____ la farmàcia Boix?

No ho sé, però ___el___ cap de setmana és tancat.

---

21 Completa les sèries.

1	dilluns	dimarts				
2	llegeixo	llegeixes				
3	plego	plegues				
4	les tres	un quart de quatre		les quatre		
5	primavera					
6		avui				
7	tanca					
8		obren				

22 Completa les formes verbals amb les lletres adequades.

1 Nosaltres treball___em___ a l'escola. Comen___cem___ a les vuit i pleg___uem___ a les dues.

2 Jo din___o___ a casa, perquè comen___ço___ a treballar a les vuit del matí i pleg___o___ a les tres. Però els meus companys din___en___ al restaurant, perquè comen___cen___ a les nou i pleg___uen___ a les dues. I a la tarda comen___cen___ a les tres i pleg___uen___ a les sis de la tarda.

3 Jo, normalment, passe___jo___ amb els meus fills els diumenges; ells també passe___gen___ amb els seus avis.

4 L'Imma i tu pleg___ueu___ a les dues i torn___eu___ a les quatre, d'acord?

5 Els seus sogres dorm___en___ dotze hores! I tu, quantes hores dorm___en___?

6 Nosaltres treball___em___ a la nit i els nostres companys treball___en___ al matí.

7 L'escola obr___e___ a les vuit i tan___ca___ a les nou.

8 Quin horari f___an___ a la farmàcia?

Obr___en___ a les vuit i tan___quen___ a les nou.

I no tan___quen___ al migdia?

No.

23 El millor dia de la setmana. Escolta diferents persones que diuen la seva opinió sobre el millor dia de la setmana i marca la resposta correcta.

1 El millor dia de la setmana és el divendres perquè

a no treballa.

b comença el cap de setmana.

2 El millor dia de la setmana és el dilluns perquè

a els nens van a l'escola i ell treballa.

b va al cine i a passejar amb els seus fills.

3 El millor dia de la setmana és el diumenge perquè

a va a Barcelona, a futbol.

b va a veure el Barça i sopa en un restaurant de Barcelona.

4 Els millors dies de la setmana són els dies de cada dia perquè

a els festius treballa.

b els dies feiners surt quan plega de treballar.

24 **Quin és el millor dia de la setmana segons tu? Escriu un text breu per explicar-ho.**

Per a mi, el millor dia de la setmana és el...

25 **Escolta i repeteix.**

1 A quina hora plegues?

Plego a tres quarts de dues i torno a casa.

2 A quina hora te'n vas a dormir?

Sopo a les deu i me'n vaig a dormir les dotze de la nit.

3 A quina hora comences a treballar?

A l'hivern començo a les nou i a l'estiu, a les vuit.

4 Quin horari fan?

Des de les deu del matí fins a les deu del vespre. El dissabte i el diumenge tanquen.

5 Quin horari fa la farmàcia Boix?

Al matí, des de les 9 fins a dos quarts de dues i a la tarda, des de dos quarts de cinc fins a les nou.

A Catalunya les pastisseries tanquen al migdia.

A França, també.

26 **Escolta i marca quines persones verbals diuen.**

	nosaltres		vosaltres		ells / elles / vostès
1	tanquem		tanqueu		tanquen
2	estudiem		estudieu		estudien
3	esmorzem		esmorzeu		esmorzen
4	treballem		treballeu		treballen
5	sortim		sortiu		surten
6	dormim		dormiu		dormen
7	escrivim		escriviu		escriuen
8	dinem		dineu		dinen
9	comencem		comenceu		comencen
10	plequem		plegueu		pleguen

27 **En parelles A i B. (A tapa el quadre de B, B tapa el quadre de A.) Relaciona les frases amb les persones dels dibuixos.**

Què està fent l'Antoni?

S'està dutxant.

A	L'Antoni s'està dutxant.
1	En Pep
2	L'Adriana està estudiant.
3	En Pep i la Roser
4	El Jordi està fent el sopar.
5	La Marta
6	En Dídac està escrivint a l'ordinador.
7	El Gabriel i la Núria
8	Jo estic mirant què fan els meus veïns.
9	En Marc i la Laia
10	La Mariona està sortint de casa.

B	L'Antoni s'està dutxant.
1	En Pep està començant a sopar.
2	L'Adriana
3	En Pep i la Roser estan mirant la tele.
4	El Jordi
5	La Marta està llegint el diari.
6	En Dídac
7	El Gabriel i la Núria ja estan dormint.
8	Tu
9	En Marc i la Laia s'estan rentant les dents.
10	La Mariona

28 **Completa les frases amb els verbs del quadre en la forma estar + gerundi. Es poden repetir.**

1 M'agrada molt llegir. Ara _estic llegint_ un llibre molt interessant.

2 Quin horari fas?

   Normalment només treballo al matí, però ara _estic treballant_ a la tarda.

3 I l'Albert i el Santi?

   estan dinant en un restaurant.

4 Què _estan fent_ en Pau i el seu germà? _Estan dormint_?

   No, no dormen. En Pau _s'està duxant_ i el seu germà _s'està rentant_ les dents.

5 En aquests moments la Sra. Roure _està treballant_ a l'oficina i el Sr. Mora _està llegint_ el diari. Els seus fills _estan estudiant_ a la universitat.

6 Què _esteu fent_ tu i la Maria?

   Estem escrivint un correu electrònic.

7 Ei, Carme! Què fas aquí?

   Hi _estic estudiant_ rus. I tu?

   Doncs jo hi _estic estudiant_ francès.

Quadre:
~~dinar~~
dormir
dutxar-se
~~escriure~~
estudiar
~~fer~~
~~llegir~~
llevar-se
~~rentar-se~~
~~treballar~~

29 **Completa els textos amb les paraules del quadre. Es poden repetir.**

Text 1

Em llevo _tard_ (1), a dos quarts de dotze del migdia i la primera cosa que faig és esmorzar. _Abans d'_ (2) esmorzar, em dutxo. Començo a treballar a les tres, però surto de casa molt _aviat_ (3), a la una, perquè m'agrada passejar _abans de_ (4) començar a treballar. Treballo _desde de_ (5) les tres _fins a_ (6) les sis. Només tres hores. Quan plego i _abans a_ (7) tornar a casa, vaig a fer esport i a comprar. Torno a casa a les nou i sopo. _Havent_ (8) sopat, miro la tele o llegeixo.

Quadre:
abans de / d'
aviat
des de
després de / d'
d'hora
fins a
havent
tard

Text 2

Sóc metge i treballo a l'hospital. Començo a treballar a les sis del matí. Em llevo molt _aviat_ (1), a les cinc. Plego a les dues i dino. _Havent_ (2) dinat, faig la migdiada i _després de_ (3) fer la migdiada, estudio anglès _fins a_ (4) les set. Quan acabo, sopo i _havent_ (5) sopat, me'n vaig a dormir. Ah! _abans d'_ (6) anar-me'n a dormir, em dutxo.

30 Escolta els textos de l'exercici 10 del llibre de l'alumne i després llegeix-los en veu alta.

31 Completa el text amb la forma adequada dels verbs **prendre, beure, esmorzar, dinar, berenar, sopar, menjar**. Escolta i repeteix.

Jo faig quatre àpats al dia: l'esmorzar, el dinar, el berenar i el sopar. Al matí abans de sortir de casa _____*prenc*_____ (1) un suc de taronja i una magdalena. A les onze, al bar de l'empresa, _____*bec*_____ (2) un cafè amb llet. Al migdia _____*dino*_____ (3) al restaurant de l'empresa, dos plats i _____*bec*_____ (4) un cafè. A la tarda, a les sis o a les set, _____*bereno*_____(5). Menjo un croissant i _____*bec/prenc*_____ (6) un tallat. A la nit _____*sopo*_____ (7) a casa. Només _____*menjo*_____ (8) un entrepà i, abans d'anar a dormir, _____*bec*_____ (9) un altre cafè.

32 Escriu el text de l'exercici anterior canviant jo per nosaltres.

Nosaltres fem quatre àpats al dia: l'esmorzar, el dinar, el berenar i el sopar. Al matí abans de sortir de casa...

33 En cada frase hi ha un error. Busca'l i corregeix-lo.

1 Jo em llevo molt aviat. I tu, a quina hora es lleves?

_____

_____

2 Al matí només pren un cafè. És que no tinc temps d'esmorzar.

_____

_____

3 Es quedem a casa. No sortim.

_____

4 Ara que tens ordinador, per què no m'escriu un correu electrònic?

_____

_____

5 Quin horari fan "la Caixa"?

_____

6 Es renteu les dents i sortiu.

_____

7 Els meus fills dinem a l'escola.

_____

8 I vosaltres, què fan després de sopar?

_____

9 El Miquel només dorms sis hores.

_____

10 Havent dinar, prenc un cafè.

_____

11 És molt tard, em vaig a dormir.

_____

34 Llegeix les frases i ordena-les per formar un text sobre els hàbits dels catalans. Marca quines paraules t'han ajudat a ordenar-lo.

1 **a** ELS HÀBITS DELS CATALANS

b Els caps de setmana són diferents: molts catalans sopen fora de casa, en un restaurant, i després van a prendre una copa a un bar. Van a dormir tard i també es lleven més tard.

c Normalment els restaurants fan un menú al migdia que és barat; el menú ofereix un primer plat, un segon plat, postres, pa, vi i aigua. Algunes persones dinen a la feina i mengen un entrepà o un plat que porten de casa.

d Els dies de cada dia molts catalans no esmorzen a casa. Es lleven, es dutxen i prenen un cafè o un cafè amb llet; alguns també prenen un suc de taronja.

e Després van a treballar i a mig matí, entre les deu i les onze, fan una pausa i van al bar a esmorzar. Normalment mengen un entrepà o una pasta i prenen un altre cafè o un tallat.

f A la tarda, quan pleguen, o van a casa o fan activitats diverses: van a comprar, van a fer esport, passegen... Alguns van a un cafè o a una granja per berenar o beure alguna cosa amb amics. La gent que té fills va a buscar-los a l'escola i després van a jugar al parc o a casa.

g Normalment la gent sopa a casa, entre les nou i les deu. Alguns havent sopat miren la televisió una estona, altres abans d'anar-se'n a dormir llegeixen una mica.

h L'hora de dinar és entre les dues i les tres del migdia. Molta gent dina en un restaurant a prop de la feina perquè no té temps d'anar a casa. Els diumenges la gent dina més tard.

35 I al teu país, quins hàbits hi ha? Completa les frases següents.

La gent

Algunes persones

Ningú

Havent sopat

Els caps de setmana

36 Els àpats a casa? Escolta les entrevistes d'un programa de ràdio a diferents persones del carrer. Què fa cada entrevistat.

		entrevistat 1	entrevistat 2	entrevistat 3	entrevistat 4
1	Sempre esmorza a casa.				
2	No esmorza mai.				
3	Cada dia dina a la feina.				
4	Sempre dina i sopa al restaurant.				
5	De tant en tant va a un restaurant.				
6	A vegades va a un bar amb els amics.				
7	Berena en una granja.				
8	Els caps de setmana no sopa a casa.				

37 El senyor Gris fa cada setmana les mateixes coses. A partir de la seva agenda, escriu la freqüència amb què fa totes les activitats del quadre.

telefonar als pares
anar al teatre
tenir una reunió amb la cap
dinar a la feina
anar a buscar els nens
dinar amb els pares
esmorzar, dinar, sopar amb la Puri
anar a futbol
anar al cine
telefonar a l'exdona
prendre una copa
sortir amb amics
quedar-se a casa a la nit

sempre
cada dia, nit...
sovint
de / a vegades
de tant en tant
alguna vegada, dos cops per setmana...
gairebé mai
mai

	dilluns	dimarts	dimecres	dijous	divendres	dissabte	diumenge
MATÍ	telefonar als pares esmorzar amb la Puri	11.00 reunió amb la cap	dinar a la feina	esmorzar amb la Puri	telefonar als pares esmorzar amb la Puri	fer esport	dinar amb els pares
TARDA	16.00 reunió amb la cap	anar a buscar els nens	telefonar als pares	16.30 reunió amb la cap	17.00 reunió amb la cap	telefonar als pares	
NIT	anar al cine	telefonar als pares prendre una copa	sopar amb la Puri	telefonar als pares prendre una copa	sortir amb el Pere i el Pep	partit amb el Pep Barça- Madrid	telefonar als pares prendre una copa

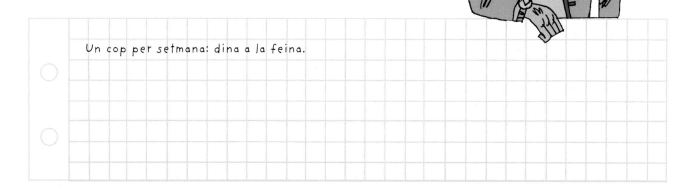

Un cop per setmana: dina a la feina.

38 **Escolta el diàleg i completa'l.**

En una consulta. Un metge fa preguntes a la pacient.

I així, com està?

Molt cansada. Potser és que faig moltes coses.

_____ (1)?

Cinc o sis.

Només?

Sí, és que _____ (2). I a la nit, _____ (3), a les

dotze, la una.

Quants àpats fa cada dia?

Un o dos. Al matí _____ (4), només _____ (5) un cafè. Dino a la

feina i _____ (6), perquè no tinc ganes de fer el sopar.

I els caps de setmana, què fa?

Normalment _____ (7) a casa. Però _____ (8) vaig

a l'estranger per la feina.

Fa esport?

No, _____ (9).

Beu alcohol?

Sí, _____ (10). Sobretot quan vaig a dinar o sopar al restaurant.

Ara treballa molt?

Sí, molt.

39 **L'Anna és una noia catalana que fa d'au-pair a Boston. Llegeix el correu electrònic que envia a la seva família i escriu les paraules que hi falten.**

Envia:	Anna
Per a:	pfam@mnp.cat

Hola, família!

Ja sóc a Boston i estic molt bé. Visc en un poble que hi ha a prop de la ciutat, es diu Longville i és petit i tranquil. M'agrada la meva nova vida, però tinc problemes amb els horaris, perquè els que faig aquí són molt diferents dels que faig a Barcelona. Sempre _em llevo_ (1) molt d'hora, a les sis del matí (a mi que m'agrada tant dormir!); em dutxo i després estudio anglès. Normalment no _esmorzo_ (2) perquè aquí la gent menja cereals i a mi no m'agraden; només _faig_ (3) un cafè. Més tard, a dos _quarts de_ (4) vuit, porto els nens a l'escola i després vaig a la universitat a fer un curset sobre literatura. L'horari és de dos quarts de deu a una; a les onze fem una pausa. Normalment _dino_ (5) a la universitat amb altres companys del curs: un entrepà o una hamburguesa amb patates i una coca-cola (ja sabeu que aquí tothom beu coca-cola); tot típic americà! _Després_ (6) vaig a la biblioteca a estudiar; a vegades vaig a un centre comercial perquè aquí les botigues no tanquen _mai_ (7). A la tarda, a les quatre, vaig a l'escola a buscar els nens i més tard, a les set, sopem; sí, sopem molt _aviat/d'hora_ (8)! Jo que normalment a Barcelona sopo a les deu... Després de sopar _miro_ (9) la televisió; anem a dormir aviat, a les deu o a dos quarts d'onze. Els dissabtes o els diumenges anem a Boston o anem al centre comercial; aquí la gent passa _els dies_ (10) en aquests centres perquè hi poden comprar, menjar, anar al cine...; a més a més, _obren_ (11) tot el dia: des de les set del matí _fins a_ (12) les onze de la nit. La veritat és que a mi m'agrada més passejar o viatjar però, de moment, aquí no ho faig. Ja ho veieu, així és la meva vida. Us deixo perquè és tard, són les onze. _Quina hora_ (13) és a Barcelona? Crec que hi ha sis hores més... Estic bé, però penso molt en vosaltres. Espero notícies vostres ben aviat. Un petó,

Anna

40 **A partir del model de l'exercici anterior, escriu un correu electrònic a un altre estudiant de català o a un amic explicant què fas normalment.**

Envia:

Per a:

41 **Completa les frases amb els pronoms adequats.**

1 A quina hora _____ lleves?

   Normalment a les set o a dos quarts de vuit. _____ dutxo, _____ vesteixo i _____ vaig a la feina.

2 Quantes vegades _____ renteu les dents?
   Tres vegades, al matí, al migdia i abans d'anar a dormir.

3 A quina hora _____ lleven els teus fills?

   Els dies de cada dia _____ lleven d'hora, però els caps de setmana _____ lleven més tard perquè també _____ van a dormir més tard.

4 A l'estiu, quan fem vacances, fem un horari diferent: _____ llevem tard, _____ dutxem, _____ vestim, esmorzem i _____ anem a la platja.

5 Ignasi, on ets?

   Sóc al bany, _____ estic afaitant.

6 Què estan fent els nens?

   La Joana _____ està vestint i el Miquel _____ està pentinant.

   I tu, que no _____ vesteixes?

   No, és que avui _____ quedo a casa perquè no treballo.

7 Jo, quan surto a sopar, _____ arreglo més i també _____ maquillo.

8 Quan _____ dutxeu, al matí o a la nit?

   Normalment _____ dutxem a la nit perquè al matí _____ anem molt aviat i no tenim temps.

9 Com que tinc molts cabells blancs, _____ tenyeixo cada quinze dies.

   La meva germana també té molts cabells blancs i no _____ tenyeix mai.

42 Escolta el text de l'exercici 11 del llibre de l'alumne i després llegeix-lo en veu alta.

43 En grup. Llegiu el text. Després feu dos grups: A i B. Les persones del grup A són els entrevistats i contesten les preguntes. Les persones del grup B són els entrevistadors i escriuen les preguntes.

En parelles. Una persona del grup A i una persona del grup B. Comprova si les preguntes i les respostes s'adeqüen.

En Jaume Puig té 36 anys i és casat. És de Terrassa, però viu a Sabadell. La seva dona és de Sabadell, i tenen dos fills, el Miquel i el Llorenç. En Jaume és economista i, al matí, treballa en un banc. Treballa cada dia des de les vuit fins a les tres. Esmorza dos cops: quan es lleva esmorza una mica, pren un cafè amb llet i dues torrades i, a les onze, menja un entrepà i beu una cervesa sense alcohol. Torna a casa a un quart de quatre i dina amb la seva dona a dos quarts de quatre. Havent dinat fa una migdiada. Dos cops per setmana va a classes de ball amb un professor particular, el dimarts i el dijous, de cinc a set. Quan acaba la classe, berena en un bar a prop de la casa del professor. Pren un tallat i llegeix el diari. El dilluns i el dimecres fa esport.

Només una hora, de set a vuit. Sopa cada dia a les nou. Havent sopat, la seva dona i els seus fills se'n van a dormir. Però en Jaume torna a treballar. Abans de sortir de casa es dutxa, s'afaita, es maquilla, es pentina i es vesteix. Després d'arreglar-se, surt. Fa de transvestit en un bar. Hi balla des de les dotze fins a les tres de la matinada. Li agrada molt ballar. Els caps de setmana no hi treballa i surt amb la seva dona. Van a ballar a una discoteca, perquè els agrada molt.

3

A

1	Com es diu?	Em dic Jaume Puig.
2	D'on és?	
3	On viu?	
4	Quants anys té?	
5	És casat?	
6	Té fills? Com es diuen?	
7	De què fa?	
8	On treballa?	
9	Quin horari fa a la feina?	
10	Quants àpats fa al dia?	
11	Es lleva molt d'hora?	
12	A quina hora dina?	
13	Què fa a la tarda?	
14	Llegeix el diari?	
15	Què fa havent sopat?	
16	Què fa els caps de setmana?	
17	Va a la discoteca?	

B

1	Com es diu?	Em dic Jaume Puig.
2		De Terrassa, a prop de Barcelona.
3		A Sabadell.
4		36.
5		Sí, fa vuit anys, amb una noia de Sabadell.
6		Sí. Tinc dos fills. Es diuen Miquel i Llorenç.
7		Sóc economista, però a les nits faig de transvestit.
8		En un banc i en un bar.
9		Cada dia de vuit a tres i des de les dotze fins a la matinada. El diumenge no treballo.
10		Quatre o cinc. Esmorzo a les vuit i a les onze. Dino i sopo. A vegades bereno, però no sempre.
11		Sí. A tres quarts de set del matí perquè començo a treballar a les vuit.
12		Tard, a dos quarts de quatre. Plego del banc a les tres i torno casa a un quart de quatre.
13		Dos cops a la setmana vaig a classe de ball. El dimarts i el dijous. I el dilluns i el dimecres faig esport.
14		Sí, quan surto de la classe de ball vaig a prendre un tallat i llegeixo el diari.
15		M'arreglo perquè començo a treballar a les dotze.
16		Surto amb la meva dona. Normalment anem a ballar.
17		Cada cap de setmana. M'agrada molt.

1

l'Antoni	la Josefina
1. llevar-se	1. dutxar-se
2. esmorzar	2. esmorzar
3. fer esport	3. estudiar alemany
4. dinar	4. dinar
5. treballar	5. fer la migdiada
6. escriure	6. berenar
7. sopar	7. sopar
8. fumar	8. mirar la televisió
9. llegir	9. anar-se'n
10. anar-se'n	10. dormir
11. dormir	

2

L'Antoni: al matí em llevo, esmorzo i faig esport. Al migdia dino. A la tarda treballo i escric. Al vespre sopo. A la nit fumo, llegeixo i me'n vaig a dormir. A la matinada dormo.

La Josefina: al matí em dutxo, esmorzo i estudio alemany. Al migdia dino. A la tarda faig la migdiada i bereno. Al vespre sopo. A la nit miro la televisió i me'n vaig a dormir. A la matinada dormo.

3

1. f, 2. h, 3. a, 4. d, 5. e, 6. j, 7. b, 8. g, 9. i, 10. k, 11.c

4

1. b-A, 2. f -E, 3. h-B/C, 4. c-D, 5. j-F, 6. a-D, 7. g-B, 8. d-F, 9.e-C, 10. i-B

5

1. 15.45 h	6. 07.55 h
2. 23.15 h	7. 04.30 h
3. 21.30 h	8. 10.33 h
4. 12.10 h	9. 13.40 h
5. 18.05 h	10. 22.45 h

6

1. Són dos quarts de cinc de la matinada.
2. Són les sis i cinc de la tarda.
3. Són les dotze i deu del migdia.
4. Falten cinc minuts per a les vuit del matí.
5. Són dos quarts de deu de la nit.
6. Són tres quarts d'onze de la nit.
7. Són dos quarts i tres minuts d'onze del matí.
8. És un quart de dotze de la nit.
9. Falten cinc minuts per a tres quarts de dues del migdia.

7

1. les	6. de, del
2. quart, del	7. ø, a
3. i, de	8. ø
4. la, de la	9. ø, les
5. ø, ø	10. ø, d'

8

llevar-se	dormir
em llevo	dormo
et lleves	dorms
es lleva	dorm
ens llevem	dormim
us lleveu	dormiu
es lleven	dormen
esmorzar	**sortir**
esmorzo	surto
esmorzes	surts
esmorza	surt
esmorzem	sortim
esmorzeu	sortiu
esmorzen	surten
fer	**llegir**
faig	llegeixo
fas	llegeixes
fa	llegeix
fem	llegim
feu	llegiu
fan	llegeixen
escriure	**anar-se'n**
escric	me'n vaig
escrius	te'n vas
escriu	se'n va
escrivim	ens en anem
escriviu	us en aneu
escriuen	se'n van

10

1. es dutxa, esmorza
2. van
3. dineu, sopeu, berenem
4. escoltem, fem
5. escric
6. surt, treballa, surto, em llevo
7. escrivim, sabem
8. llegeixo, llegeixes
9. dormiu
10. fumen, fumes

11

començar	plegar	passejar
començo	plego	passejo
comences	plegues	passeges
comença	plega	passeja
comencem	pleguem	passegem
comenceu	plegueu	passegeu
comencen	pleguen	passegen

12

1. comença, comences, començo
2. comenceu, comencem, comencen
3. passejo, passeges, passegem
4. passegen
5. plegues, plego, plega
6. plegueu, pleguem

13

1.a. ens en anem, veniu
1.b. me'n vaig, véns
2.a. es lleva, comença
2.b. es lleven, comencen
3.a. véns, et quedes
3.b. veniu, us quedeu
4.a. llegim
4.b. llegiu
5.a. es renten, se'n van
5.b. et rentes, te'n vas
6.a. dormo, me'n vaig, em llevo
6.b. dorm, se'n va, es lleva
7.a. pleguen, van
7.b. plego, vaig
8.a. fas, em llevo, esmorzo, vaig
8.b. fan, es lleven, esmorzen, van
9.a. llegeixes, dormo
9.b. llegeixen, dormen
10.a. escric
10.b. escrivim

14

te'n vas
me'n vaig
us en aneu
ens en anem
se'n van
me'n vaig

16

1. Normalment, Doncs
2. també
3. Normalment, Doncs
4. Normalment, tampoc
5. tampoc, Doncs

19 Solucions orientatives

1. Al matí des de les nou fins a les dues del migdia i a la tarda des de les tres fins a les sis / Al matí de nou a dues i a la tarda de tres a sis.
2. Obren a dos quarts de nou del matí.
3. Que té hora? / Té hora? / Que tens hora? / Tens hora?
4. A quina hora tanquen al vespre? / Quan tanquen al vespre?
5. Quina hora és?
6. Quin horari fan?

20

1. quina, d'
2. Què
3. quina, del
4. a
5. Quin, a, els
6. al, a la, al
7. ø, d'
8. ø
9. A, A
10. els, els
11. ø, les, fins, del, A, ø
12. A, A
13. des de, vespre
14. A l', a la, el
15. A l', a la, el / els, a
16. El, el / els

17. des de, fins a
18. Fins a
19. obre, obren
20. tanquen
21. fan, tanquen
22. al
23. ø, el

21

1. dilluns, dimarts, dimecres, dijous, divendres, dissabte, diumenge
2. llegeixo, llegeixes, llegeix, llegim, llegiu, llegeixen
3. plego, plegues, plega, pleguem, pleguem, pleguen
4. les tres, un quart de quatre, dos quarts de quatre, tres quarts de quatre, les quatre
5. primavera, estiu, tardor, hivern
6. ahir, avui, demà
7. tanca, tanquen
8. obre, obren

22

1. treballem, comencem, pleguem
2. dino, començo, plego, dinen, comencen, pleguen, comencen, pleguen
3. passejo, passegen
4. plegueu, torneu
5. dormen, dorms
6. treballem, treballen
7. obre, tanca
8. fan, obren, tanquen, tanquen

23

1. b, 2. a, 3. a, 4. a

26

1. tanquem, tanquen
2. estudiem, estudieu
3. esmorzeu, esmorzen
4. treballem, treballen
5. sortiu, surten
6. dormim, dormen
7. escrivim, escriuen
8. dinem, dineu
9. comencem, comenceu
10. plegueu, pleguen

28

1. estic llegint
2. estic treballant
3. Estan dinant
4. estan fent, Estan dormint, s'està dutxant / està estudiant / està llegint / està escrivint, s'està rentant
5. està treballant, està llegint, estan estudiant
6. esteu fent / esteu escrivint / esteu llegint, Estem llegint / Estem escrivint
7. estic estudiant / estic fent, estic estudiant / estic fent

29

Text 1	Text 2
1. tard	1. d'hora / aviat
2. Després d'	2. Havent
3. d'hora / aviat	3. després de
4. abans de	4. fins a
5. des de	5. havent
6. fins a	6. abans d'
7. abans de	
8. Havent	

31

1. prenc	6. prenc / bec
2. bec / prenc	7. sopo
3. dino	8. menjo
4. bec / prenc	9. bec / prenc
5. bereno	

32

Nosaltres fem quatre àpats al dia: l'esmorzar, el dinar, el berenar i el sopar. Al matí abans de sortir de casa prenem un suc de taronja i una magdalena. A les onze, al bar de l'empresa, bevem / prenem un cafè amb llet. Al migdia dinem al restaurant de l'empresa, dos plats i bevem / prenem un cafè. A la tarda, a les sis o a les set, berenem. Mengem un croissant i bevem / prenem un tallat. A la nit sopem a casa. Només mengem un entrepà i, abans d'anar a dormir, bevem / prenem un altre cafè.

33

1. ...et lleves?
2. ...prenc un cafè. / ...no té temps...
3. Ens quedem...
4. ... té... / ...m'escrius...
5. ...fa "la Caixa"? / ...fan a "la Caixa"?
6. Us renteu...
7. ...dinen a l'escola.
8. ...què feu... / I vostès...
9. ...dorm sis hores.
10. Havent dinat... / Després de...
11. ... me'n vaig a dormir./ ...vaig a dormir.

34

1. a
2. d (Els dies de cada dia, esmorzen)
3. e (Després, matí)
4. h (dinar, migdia)
5. c (restaurants, migdia)
6. f (A la tarda, pleguen)
7. g (sopa, havent sopat)
8. b (Els caps de setmana)

36

1. entrevistat 2, entrevistat 3
2. entrevistat 4
3. entrevistat 3
4. entrevistat 4
5. entrevistat 2, entrevistat 3

6. entrevistat 2
7. entrevistat 3
8. entrevistat 1

37 **Solucions orientatives**

Sempre / Cada dia: Telefona als pares.
Sovint: Té una reunió amb la cap. Esmorza amb la Puri. Pren una copa
A vegades / De tant en tant: Pren una copa.
Tres cops per setmana: Esmorza amb la Puri.
Un cop per setmana: Dina a la feina. Va a buscar els nens. Dina amb els pares. Sopa amb la Puri. Va a futbol. Va al cine. Surt amb els amics.
Gairebé mai: No dina a la feina. No va a buscar els nens. No dina amb els pares. No sopa amb la Puri.
Mai: No va al teatre. No dina amb la Puri. No telefona a l'exdona. No es queda a casa a la nit.

38

1. Quantes hores dorm cada dia?
2. al matí em llevo molt d'hora.
3. me'n vaig a dormir tard
4. no esmorzo mai
5. prenc
6. a vegades no sopo
7. em quedo
8. de tant en tant
9. mai
10. a vegades

39

1. em llevo
2. esmorzo
3. bec / prenc
4. quarts de
5. dino
6. Havent dinat / Després de dinar
7. al migdia / mai
8. aviat / d'hora
9. miro / mirem
10. el cap de setmana / els caps de setmana / el dia
11. obren
12. fins a
13. Quina hora

41

1. et, Em, em, me'n
2. us
3. es, es, es, se'n
4. ens, ens, ens, ens en
5. m'
6. s', s', et, em
7. m', em
8. us, ens, ens en
9. em, es

Unitat 4

A CASA MEVA O A CASA TEVA?

A CASA MEVA O A CASA TEVA?

1 Escolta tres persones que donen les seves dades. Cada targeta té dos errors, corregeix-los.

1

Pere Tomeu Picatoste
Passeig del Tossal, 23, 4t 4a
08651 Taradell

Tel. 93 880 23 36
ptomeupi7@hotmail.com

2

Mercè Vilar Falcò
c. Progrés, 69, 3r 5a
08850 Gavà

Tel. 93 638 26 42
vendes@barnasud.es

3

Michiko Kobe
c. Salvador Espriu, 63, 6è 2a
08005 Barcelona

Tel. 93 225 98 78
michikokobe@ub.edu

2 Completa aquestes frases amb **en, als, a, al, a l', a la**.

1 La Justine i l'Eduard viuen _____en_____ un barri molt cèntric de la ciutat de Buffalo,
_____a l'_____ estat de Nova York, _____als_____ Estats Units.

2 Casa meva és aquí mateix, _____al_____ carrer de la Princesa, _____a_____ barri de la Ribera. Visc
_____en_____ un pis petit, un estudi _____a la_____ tercera planta.

3 S'està _____a la_____ ciutat de València, _____en_____ una casa unifamiliar.

4 _____A En_____ quin carrer vius? No és un carrer, visc _____a l'_____ avinguda Moratell, _____al_____
número 14, _____a l'_____ entresòl, segona. I la botiga, la tenim _____al_____ passeig de les Flors,
en la _____als_____ uns baixos. Per sort és molt a prop.

5 El bar d'en Marc és _____a la_____ plaça de les Olles.

3 Completa les frases perquè siguin diferents però que signifiquin el mateix.

> Quina és la teva adreça? = Quina adreça tens? = On és casa teva?

1 Ella, a quin carrer viu? = Ella, a quin carrer _____s'està_____? = Quin és el
_____seu carrer_____?

2 Quina és la teva adreça electrònica? = _____quina adreça electrònica_____ tens?

3 Quin districte postal teniu al teu poble? = Quin _____districte postal és el_____ del teu poble?

4 Visc al carrer Hèlsinki. = _____m'estic_____ al carrer Hèlsinki.

5 Casa nostra és al barri de la Sedeta. = Nosaltres _____vivim_____.

6 La Lídia viu a Sitges, en un àtic del carrer del Pi, a la segona porta. = L'adreça de la Lídia és
_____c. Pi, àt. 2a, Sitges_____.
        del

7 Us esteu a Puigcerdà o a la Seu? = _____viviu_____ a Puigcerdà o a la Seu? =
_____Casa voste_____ és a Puigcerdà o a la Seu?

8 Quin és el número de casa teva? = _____Quin número_____ vius?
                                         A

4 **Llegeix aquests diàlegs fixant-te en les abreviatures. Escolta'ls i comprova si has llegit bé les abreviatures.**

1 On vius?

A l'Av. Diagonal, núm. 217, 4t 5a.

2 Quina adreça tens?

Pg. de Joan Maragall, 30,1r 2a.

3 Adreça?

Rbla. Prim, 45, àt. 4a.

4 On t'estàs ara?

A la pl. Castella, 5, entl. 2a.

5 On s'està el teu fill?

Ara viu a la Rda. Guinardó, 65, pral. 2a.

6 Quina és la teva adreça electrònica?

Apunta: jkrim@vilanet.net

7 Tens l'adreça de la Mireia?

Sí. Viu a Rubí, al carrer Miraflors, 40, 2n 6a.

8 Quina és la seva adreça electrònica, senyor Puig?

És rpuig@bancvic.com

9 Quina és l'adreça del restaurant Estevet?

c. Lluçà, núm. 9, bxs. A.

5 **Completa les frases amb les paraules del quadre.**

1 A l'estiu sempre sopem a fora, al ___*menjador*___ (jardí). No sopem mai al ___*menjador*___, perquè hi fa molta calor, però a l'hivern sempre hi dinem i hi sopem. Quan acabem de sopar, a l'estiu, anem tots a la ___*sala d'estar*___, perquè no hi fa calor, a llegir o a mirar la tele.

2 Ara sempre dino a la ___*cuina*___ perquè és més còmode i ho tinc tot més a prop.

3 La Rita, quan es lleva, entra al ___*bany*___ i s'hi està més de tres quarts: es dutxa, es pentina, es maquilla: no acaba mai!!! Sort que tenim un ___*lavabo*___ petit per a la resta de la família, perquè quan et lleves, ja se sap...

4 Per què no fem uns entrepans i dinem aquí mateix a l'___*estudi*___, i continuem treballant?

5 M'agrada tenir un ___*safareig*___ per a la rentadora.

6 Aquest pis fa 120m². Té tres sortides: una ___*terrassa*___ gran orientada al sud, un ___*balcó*___ petit orientat a l'est i la ___*galeria*___, al costat de la cuina.

7 Aquests dies no dormo a la meva ___*habitació*___, perquè hi dorm la meva mare; jo dormo a la ___*sala d'estar*___, al sofà. Les maletes de la meva mare, les tinc al ___*rebedor*___, darrere la porta d'entrada.

balcó
bany
cuina
estudi
galeria
habitació
jardí
lavabo
menjador
rebedor
safareig
sala d'estar (2)
terrassa

6 **Completa les paraules amb les lletres adequades. Escolta i repeteix.**

1 Què hi ha e____ aquest pis?

Hi ha d_____ habitacions, la cuina, el menjador i un bany.

2 Quantes habitacions té?

E____ té quatre, però una és l'estudi.

3 Quants banys tens?

Al meu pis hi ha d_____ banys, però no hi ha saf_____ ni galeria.

4 Quantes habitacions hi ha a casa t_____ ?

Casa meva té tres habitacions, cuina, menjador, bany, reb_____ i dues terrasses mo____ grans.

5 Què és això?

A _____ és l'estudi i a_____ és la cuina.

6 Aquí és on dorms?

No, aqu_____ és l'habit_____ d'en Pere i aquesta és la d'en Pau.

7 **Llegeix els textos i completa'ls amb les paraules dels quadres. Escolta'ls i comprova si els has completat bé.**

Text 1

La masia catalana és un tipus d'habitatge de camp, situat normalment fora dels pobles, que s'adapta als diferents tipus de clima de la geografia catalana. Al sud de Catalunya la masia és més petita que al nord. Té influències de l'arquitectura romànica i de la italiana.

La masia està formada d'un _____ _____ (1) principal, generalment de dos o tres _____(2). Després hi ha petites edificacions al voltant enganxades a la casa o separades, que es fan servir per a diverses coses relacionades amb la feina agrícola. A la _____ (3) baixa hi ha la _____ (4), que és l'espai més important de l'edifici i és el lloc on la família menja els dies de cada dia. En aquest pis, també hi ha l'espai dedicat a les màquines del camp. A la primera _____ (5) hi ha els _____ (6) de tots els membres de la família i el _____ (7), que és un espai que només es fa servir per als àpats dels dies de festa i que dóna a fora, normalment a una _____ (8) molt gran, on la família s'està als vespres a l'estiu. A l'última _____ (9) hi ha les golfes, que és un espai sota la teulada on es guarden els objectes vells de la família i els records.

Algunes masies tradicionals no tenen _____ (10) fins a finals del segle XX: els grans es renten i es banyen a les habitacions, i els nens, a la cuina. Tampoc no tenen _____ (11): els seus habitants fan "les seves necessitats bàsiques" en una petita edificació, fora de la casa principal, que es diu comuna.

bany
cuina
dormitoris
edifici
lavabo
menjador
pisos
planta (3)
terrassa

Text 2

Una de les cases típiques del Japó és un _____ (1) de dues _____ (2) amb un _____ (3) petit, que normalment dóna al carrer. Hi ha un espai petit a l'entrada on la gent es treu les sabates.

A la _____ (4) baixa, hi ha la _____ (5), el lavabo, el _____ (6) i, a més a més, una o dues _____ (7). El _____ (8) té un estil diferent de l'europeu. Normalment és format per diferents espais: a l'entrada hi ha un lloc amb la pica per rentar-se les mans i on també posen la rentadora. Des d'aquest lloc es pot accedir al vàter per una porta i, per una altra porta, a un espai amb una dutxa o una banyera.

A la primera _____ (9) hi ha les altres _____ (10) i l'_____ (11) per treballar o estudiar. Algunes habitacions de la casa són d'estil japonès i les altres són d'estil occidental.

El _____ (12) també té un _____ (13) per a un parell de cotxes.

bany
cuina
edifici
estudi
habitacions (2)
jardí (2)
menjador
pàrquing
planta (2)
plantes

---

8 **Escriu les frases canviant l'element ressaltat pel seu contrari.**

1 **Entrant, a mà dreta** hi ha la cuina. ≠ _Sortint, a mà esquerra_

2 L'estudi és **a l'esquerra** de la cuina. ≠ _a la dreta_

3 **A fora** hi dorm el gos. ≠ _Dintre_

4 **A dalt** no hi ha lavabos. ≠ _A baix_

5 **Darrere** de la casa hi ha dos restaurants. ≠ _Davant_

9 **Completa els textos amb les paraules del quadre. Es poden repetir.**

لُغَات كَثِيرَة وَصَوْت واحِد

Text 1

esquerra
dreta
dalt
baix

L'àrab es llegeix de _esquerra_ (1) a _dreta_ (2) i les llengües amb cal·ligrafia llatina d'_esquerra_ (3) a _dreta_ (4). El japonès es pot llegir a la manera tradicional, verticalment, de _dalt_ (5) a _baix_ (6) i de _dreta_ (7) a _esquerra_ (8), o completament a l'inrevés: a l'estil occidental horitzontal i d'_esquerra_ (9) a _dreta_ (10).

漢字

Text 2

És un hotel de cinc estrelles. És a l'Avinguda del Mar, número 4. Està realment bé. _Davant_ (1) hi ha la platja: és a primera línia de mar. A la planta baixa, _entrant_ (2) a l'hotel, hi ha la recepció. Al _fons_ (3) del corredor hi ha el restaurant i al ~~dins~~ _davant/costat_ (4) del restaurant hi ha el bar. Al ~~sobre~~ _voltant_ (5) de tot l'hotel hi ha jardins molt macos amb molta vegetació. Hi ha una piscina a _dins_ (6) de l'hotel i una altra a _fora_ (7), al jardí. A _baix_ (8) de tot, al pis –3 (menys tres), hi ha un garatge. A _sobre_ (9) del garatge, al pis –2 (menys dos) hi ha un gimnàs per fer esport.

A _dalt_ (10) de tot, al pis 23è, hi ha una terrassa espectacular amb vista a tota la ciutat i al mar. Al _costat_ (11) d'aquest hotel, al número 6 de la mateixa avinguda, hi ha un restaurant italià.

~~baix~~
~~costat~~
~~dalt~~
~~davant~~
~~dins~~
~~entrant~~
~~fons~~
~~fora~~
~~sobre~~
voltant

10 Canvia l'ordre de les paraules d'aquestes frases, de manera que diguin el mateix amb una altra estructura. En quines d'aquestes frases s'han de fer més canvis perquè funcionin? Per què?

L'habitació de la Maria és a la dreta.	A la dreta hi ha l'habitació de la Maria.

1 Els dormitoris són al costat del menjador. _Al costat del menjador hi ha els dormitoris_

2 Al costat de la cuina hi ha un lavabo petit. _Un lavabo petit és al costat de la cuina._

3 El jardí és a la part del darrere. _A la part del darrere hi ha el jardí._

4 Al fons del passadís hi ha un pati. _Un pati és al fons del passadís._

5 Davant de l'estudi hi ha el menjador. _El menjador és davant de l'estudi._

6 El menjador és al fons del passadís. _Al fons del passadís hi ha el menjador_

7 El bany és a dalt de tot. _A dalt de tot hi ha el bany_

8 A sobre de la cuina hi ha un bany. _Un bany és a sobre de la cuina._

9 Al voltant de la casa hi ha el jardí. _El jardí és al voltant de la casa_

10 A mà dreta hi ha el rebedor. _El rebedor és a mà dreta_

11 El safareig és entre la cuina i el bany. _Entre la cuina i el bany hi ha un safareig._

11 Completa aquest text amb **hi ha, és, són i s'està**.

Estimada Claire,

Els apartaments de Girona són preciosos. I, saps què? Sorpresa! El que diu l'anunci és tot veritat! Els propietaris són una família molt agradable formada per un matrimoni: la Remei i el Salvi i un avi que té noranta anys més o menys i que és molt simpàtic, ho sap tot sobre la ciutat i, a més, li agrada molt parlar amb la gent que passa uns dies a casa seva. Els apartaments de lloguer _____ (1) al 3r i els propietaris viuen a sobre, al 4t. L'Ariana, la noia que tu coneixes, _____ (2) al 2n, hi viu tot l'any.

S'entra al primer apartament, que és el 3r 1a, pel menjador i davant de la porta d'entrada _____ (3) la cuina, amb una finestra que dóna al menjador ("cuina office"). Al costat de la cuina _____ (4) un passadís petit. El bany _____ (5) al fons a mà esquerra. A l'esquerra del bany, _____ (6) l'habitació de matrimoni i a la dreta del passadís, una habitació amb dos llits. És un pis petit, amb molta llum i amb una vista molt maca de la Girona medieval.

El segon apartament, el 3r 2a, és més gran. Hi entres també pel menjador. A l'esquerra _____ (7) dos balcons. La cuina _____ (8) al fons del menjador i és tancada, separada del menjador, vull dir. A la dreta de la cuina _____ (9) dues habitacions. Totes dues són grans: una és la de matrimoni i l'altra, que és molt gran, és per a quatre persones. A l'habitació gran _____ (10) dos llits i una llitera. Entre les dues habitacions _____ (11) el bany, que, curiosament, és més petit que el de l'altre apartament.

Segur que t'encantaran. T'envio l'adreça electrònica on pots fer la reserva: apartgirona@lloguer. cat

Un petó. Si et decideixes, ja m'ho diràs.

Caterina

12 Escolta els textos de l'exercici 6 del llibre de l'alumne i després llegeix-los en veu alta.

13 En parelles. La família Figueres, el Xavi, la Tere i les seves filles, la Llúcia, la Gal·la i l'Estel, tenen una casa nova. Observa durant uns segons el plànol de la casa i després prova de contestar les preguntes sense mirar el plànol. Escriu les respostes. **Qui té més memòria de tots dos?**

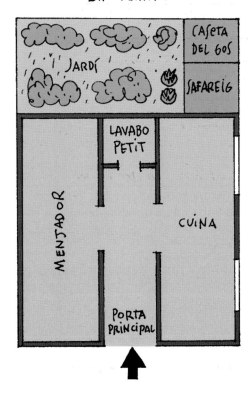

1a PLANTA

1	On és la cuina?
2	On és el menjador?
3	Quines habitacions donen a la terrassa?
4	Quines habitacions donen al jardí?
5	On és l'habitació de la Llúcia?
6	I l'habitació de la Gal·la?
7	I l'habitació de l'Estel?
8	A quin pis hi ha els estudis de la Tere i el Xavi?
9	Quants banys hi ha?
10	On són?
11	On és el lavabo petit?
12	On és el safareig?
13	On és el jardí?

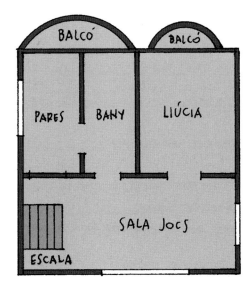

2a PLANTA

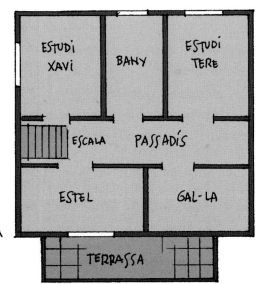

3a PLANTA

14 **Relaciona les preguntes de l'exercici anterior amb les respostes.**

a	A baix, entrant per la porta principal, a la dreta, davant del menjador.
b	Darrere de la casa.
c	L'habitació de la Gal·la i l'habitació de l'Estel.
d	És a la segona planta, al costat del bany de l'habitació dels pares. Té un balcó petit.
e	És a la tercera planta, al costat de la de l'Estel, a la dreta del passadís, davant de l'estudi de la Tere.
f	A la planta baixa, davant de la porta d'entrada.
g	A baix, entrant per la porta principal a l'esquerra, davant de la cuina.
h	És a la tercera planta, al costat de la de la Gal·la, a la dreta del passadís, davant del bany i de l'estudi d'en Xavi.
i	A fora, al jardí, al costat de la caseta del gos.
j	L'habitació dels pares i l'habitació de la Llúcia.
k	N'hi ha dos.
l	Un és a dintre de l'habitació dels pares i l'altre és entre l'estudi de la Tere i l'estudi del Xavi.
m	Al tercer pis.

15 **Escriu com és una casa típica o tradicional del teu lloc d'origen. Fixa't en les descripcions de l'exercici 7.**

16 **Escolta el text de l'exercici 10 del llibre de l'alumne i després llegeix-lo en veu alta.**

17 **Llegeix els anuncis de les immobiliàries i completa'ls amb les paraules del quadre.**

> balcons
> distribuït
> pàrquing
> reformat
> assolellat

> aire condicionat
> grans
> preu
> soroll
> terrassa
> comunicat

Anunci 1

Pis de lloguer, totalment _____ _____ (1), ben _____ _____ (2), ja moblat: a punt per viure-hi. 60 m². Cèntric, clar i _____ (3), amb dos _____ (4) que donen al carrer Major. Amb ascensor. Un mes de dipòsit. Plaça de _____ (5) opcional. Tracte directe amb la propietària. Telèfon 616402943.

Anunci 2

Sabadell. Pis de 2a mà, de 90m², en venda, sala-menjador 23 m², 3 habitacions, cuina completament nova, bany complet, dos balcons _____ (1), calefacció i _____ (2). 7a planta en un bloc d'obra vista de 7 pisos construït el 1997. Molt ben _____ (3), accés directe Autopista A-18 (20 min de Barcelona), davant Estació Renfe Sabadell Sud._____ _____ (4) amb una vista excel·lent. Tot exterior. Poc _____ (5), zona molt tranquil·la i molt de sol. _____ (6) a convenir. Telèfon: 935743271. Pregunteu per Carme Fontserè.

comunicat
avinguda
ascensor
tranquil·la
passeig
a prop
contracte

amb
dues
fosc
habitació
petit
lloguer
moblat

Anunci 3

ES LLOGA una habitació per a estudiants. Pis de 90 m² amb 2 banys, menjador i dret a cuina. Ben _____(1): entre el _____(2) Fabra i Puig i l' _____ (3) Meridiana. _____ (4) del metro (línia 1), de l'estació d'autobusos i de RENFE. A 15 minuts de la plaça Catalunya. Escala _____(5), amb pocs veïns. És un 9è pis amb _____ ____ (6). Aparcament privat. Hi vivim dos nois i una noia que som estudiants. Tenim un gos. _____ (7) d'un any. Truqueu al 699 36 17 51 o al 93 331 05 83.

Anunci 4

Som una parella que busquem un apartament _____ (1) de _____ (2): d'una _____ (3), o, com a màxim, _____ (4), a la comarca d'Osona. Sense mobles o _____ (5), però el volem en bones condicions, preparat per entrar-hi a viure _____ (6) calefacció, bona vista i assolellat: no ens interessa si és interior o _____ _____(7). Contacte: 636 77 04 04. peresola4@hotmail.com

---

18 Completa les frases amb **més, que, tan, tant, tants, tantes i com.**

1 Els pisos de la meva ciutat són ___més___ cars que els d'aquí.

2 El govern del meu país no ajuda ___que___ els joves estudiants com el d'Holanda.

3 Els pisos per a joves al meu país són més petits ___que___ els d'aquí.

4 Al meu país l'oferta de pisos per a joves no és ___tan___ gran ___com___ aquí.

5 A Sabadell hi ha ___més___ →tants possibilitats de trobar un pis maco i barat ___que___ →com aquí.

6 Els joves dels països nòrdics s'emancipen ___més___ aviat que aquí.

7 Els joves universitaris no gasten ___tant___ ___com___ els joves que treballen.

8 Els sous d'aquí són més baixos ___que___ els del nord d'Europa, en canvi els preus no són ___tan___ alts ___com___ allà.

9 Hi ha ___més___ pisos de lloguer a les ciutats grans ___que___ als pobles petits.

10 A Catalunya l'Administració no dóna ___tantes___ ajudes als joves ___com___ en altres llocs.

19 En cada diàleg hi ha un error. Busca'l i corregeix-lo. Escolta els diàlegs i comprova si has corregit bé els errors.

1 A què edat se'n van els joves de casa dels seus pares al teu país?
Normalment als 18 anys, quan acaben la secundària.

2 És difícil per als joves trobar pis al teu país?
Sí, com aquí. A les ciutats els pisos són molt car.

3 Els pares ajuden econòmicament els seus fills?
No tant com aquí. Els joves treballen o té beques per pagar el lloguer del seu pis.

4 La gent joves viu en pisos de lloguer o de compra?
La majoria viuen en pisos de lloguer, perquè comprar un pis és molt car.

5 Les gent joves comparteix pis amb altres joves?
Més que aquí. La majoria dels joves viuen en un pis d'estudiants amb altres amics.

6 Quant costa un pis de compra al teu país?
Depèn del barri, però menys o menys com aquí.

7 Quant pagues al mes per un pis de llogar al teu país?
Depèn del barri, però són més barats que aquí.

20 En parelles A i B. (A tapa el quadre de B, B tapa el quadre de A.) Escriu les possibles preguntes i respostes per demanar i donar informació de les cases. Demana i dóna la informació a la teva parella.

A

	Mas Manjó	El Molí del Planet	Mas Cisteró	Ca l'Angeleta
Assolellada	☀	☀		
Cuina	🍳	🍳		
Bany a les habitacions	🚿	🚿		
Nombre d'habitacions	3	2		
Calefacció	▥	▥		
Aire condicionat	❄			
Rentadora		▤		
Televisió				
Piscina		～		
Preu de lloguer per un cap de setmana	600 € per a 6 persones	300 € per a 4 persones		
Al centre del poble				
Adreça	Camí d'Olot, s/n Vall de Bianya	Carretera Bassa del Molí, s/n Ridaura		
Adreça electrònica	despuig@agroturcat.org	molidelplanet@agroturcat.org		
Situació	A 12 km d'Olot i a 56 km de Girona	Casa reformada a prop d'un riu a 8 km del parc Natural de la Garrotxa		
Propietari	Joan Carles Despuig	Narcís Casacuberta		

B

	Mas Manjó	El Molí del Planet	Mas Cisteró	Ca l'Angeleta
Assolellada			☀	
Cuina				🍳
Bany a les habitacions			🚿	
Nombre d'habitacions			7	6
Calefacció			▥	
Aire condicionat			❄	
Rentadora				▤
Televisió			📺	📺
Piscina			～	～
Preu de lloguer per un cap de setmana			850 € per a 12 persones	950 € per a 14 persones
Al centre del poble			◉	
Adreça			Carrer Major, 4 La Pinya, Vall d'en Bas	Camí Ral, s/n Els Hostalets d'en Bas
Adreça electrònica			cistero@agroturcat.org	angeleta@agroturcat.org
Situació			A 15 km de Camprodon	Entre Olot i Santa Coloma de Farners
Propietari			Agnès Puigantic Cisteró	Anna Diumenges

21 Escolta i repeteix. Fixa't en l'entonació de les preguntes i en la pronunciació de **què** i **que**.

1 Que té calefacció? = Té calefacció?

2 Què té el teu pis? = Què hi ha al teu pis?

3 Que ja tens pis? = Ja tens pis?

4 Que hi ha aire condicionat al teu pis? = Hi ha aire condicionat al teu pis? = Al teu pis, hi ha aire condicionat?

5 Té pàrquing la casa? = Que té pàrquing la casa?

6 Hi ha piscina a la casa? = Que hi ha piscina a la casa?

7 Això és la teva habitació? = Que és la teva habitació, això?

8 Què és això? = Això, què és?

9 Oi que això és la cuina? = La cuina és això, oi?

10 Amb qui comparteixes pis? = Comparteixes pis? Amb qui?

22 Completa els textos amb les paraules dels quadres.

Text 1

del costat
de sobre
de sota

En Jaume i l'Anton viuen en un edifici de 4 pisos amb un pati interior comunitari. Ells viuen al 3r 1a i tenen molt bona relació amb els veïns _____ (1), els del 3r 2a, els Grau, i amb les veïnes _____ (2), la Gemma i l'Olga, que viuen al 4t 1a, però tenen alguns problemes amb els veïns _____ (3), la família Ferrer, que s'estan al 2n 1a, perquè sempre diuen que en Jaume i l'Anton fan molt soroll.

Text 2

entrant
a la dreta
a mà esquerra
davant d'
al fons
davant de

Visc en un apartament petit, però que té de tot: per a mi és un palau, no vull res més. _____ (1) del passadís hi ha un espai gran (sala d'estar-menjador-habitació-habitació de convidats-estudi). Menjo i treballo en aquest espai. En aquesta sala també hi ha un sofà-llit, on dormo jo i... de vegades algú més. _____ (2) aquest espai, quan entres _____ (3) hi ha una cuina petita i _____ (4) del passadís, _____ (5) la porta d'entrada, hi ha un bany.

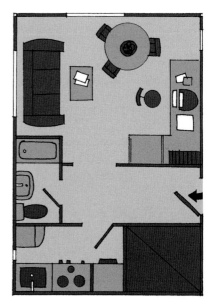

Text 3

hi viu
hi viuen
és
viu
són
de sobre
a baix
a sobre
de dalt de tot

Mare,

Estic molt contenta del pis, sobretot amb els veïns, que són molt agradables. Ja saps que jo visc _____ (1), a l'entresòl. Al costat, _____ (2) un noi sol amb el seu gos, sempre em saluda, però encara no sé com es diu. Els veïns _____ (3), els del 1r, són els Llopis, una família amb dos nens bessons. _____ (4) dels Llopis _____ (5) els Aramburu, que són d'Amorebieta, del País Basc, i són bastant seriosos, però molt educats. Els veïns _____ (6), els de l'àtic, _____ (7) orientals, es diuen Liu i no sé si són xinesos o coreans. La portera també _____ (8) maca, és de Mèrida i _____ (9) a la planta baixa.

23 **Transforma les frases de manera que diguin el mateix. Hi poden haver diverses solucions.**

> *Al pis de sobre de casa nostra hi viuen uns nois. Són molt tancats.*
> ***Els veïns de sobre són uns nois molt tancats.***

1 Al pis de sota hi ha un pis d'estudiants. Són molt sorollosos.
~del pis...
Els veïns de sota són estudiants molt sorollosos.

2 Davant de nosaltres hi viu una família. Tots són molt discrets i educats.
Els veïns de davant de casa nostre són una família mot discrets i educats.

3 Al pis del costat hi viu un senyor gran.
El veïn del pis del costat es un senyor gran

4 Els veïns de sobre són molt simpàtics i agradables. Són uns avis de Múrcia.
Al pis de sobre hi viuen uns avis de Múrcia que són molt simpàtics i agradables.

5 A baix de tot hi ha el Banc de Sabadell.
El Banc de Sabadell és a baix de tot.

6 La Roser viu a l'àtic, a dalt de tot. És una noia molt trempada.
A dalt de tot hi ha un àtic que viu la Roser, una noia molt trempada.

7 Al meu replà hi ha uns veïns molt agradables.
Els veïns del meu replà són molt agradables.

24 **Marca a, b o c.**

1 L'habitació 78, que és al 7è, és just _____ de l'habitació 68, que és al 6è.
a) a sobre
b) a dalt
c) a sota

2 Els lavabos de dones _____ al costat dels lavabos d'homes.
a) estan
b) són
c) hi ha

3 Els veïns _____ de tot són més oberts que els de sobre nostre.
a) a dalt
b) de dalt
c) dalt

4 El pis de la Paloma _____ a la vora, oi?
a) és
b) està
c) s'està

5 I _____ és l'habitació de la Carme.
a) aquest
b) això
c) en aquí

6 El menjador és _____ esquerra.
a) a la
b) a la mà
c) a mà

7 La universitat és al costat de _____.
a) la casa meva
b) casa meva
c) meva casa

8 El teu pis té galeria? El meu no _____ té.
a) ø
b) en
c) 'n

9 A la Consol, l'habitació _____ agrada molt: diu que és gran i clara.
a) l'
b) la
c) li

10 Un dels dos banys és a baix i _____ és a dalt.
a) altre
b) l'altre
c) l'altra

11 _____ hi ha un petit rebedor.
a) A l'entrant
b) Entrant
c) Entrar

12 La cuina _____ a la dreta i dóna a un balcó petit.
a) és
b) hi és
c) està

13 El meu pis és _____. Ara et faig un dibuix de casa meva.
a) com així
b) com això
c) així

14 _____ teu pis hi ha connexió a internet?
a) Al
b) El
c) En

15 Calefacció? No, _____.
a) n'hi ha
b) no n'hi ha
c) no hi ha

16 El teu pis és gran?
Sí que _____ és.
a) en
b) ho
c) l'

17 Casa meva fa 140 m^2.
_____ sort!
a) Que
b) Quin
c) Quina

18 T'agrada el teu pis?
Sí _____ agrada.
a) que m'
b) m'
c) sí l'

25 **Completa el text amb la forma adequada del verb que hi ha entre parèntesis.**

Diferències i tòpics

És curiós com a cada lloc la gent s'organitza de maneres diferents. Això depèn del país, de la cultura, del clima, de si és un poble o una ciutat...

Per exemple, molts anglesos no _tenen_ (1) (tenir) rentadora a dintre del seu pis i _van_ (2) (anar) sempre a la bugaderia. En canvi, aquí a Catalunya la majoria de la gent _té_ (3) (tenir) rentadora i hi ha molt poques bugaderies. A la meva classe, per exemple, tothom en _té_ (4) (tenir).

Una altra cosa diferent és el fet de tenir o no tenir senyora (perquè sol ser una "senyora") de fer feines. Les parelles de classe mitjana que treballen a Catalunya _tenen_ (5) (tenir) senyora de fer feines i, en canvi, a d'altres països només les famílies molt estables econòmicament en _tenen_ (6) (tenir). Els meus amics d'Alemanya, per exemple, que tenen entre vint i trenta anys, m'expliquen que cap dels seus coneguts allà en ~~tenen~~ _té_ (7) (tenir).

Suposo que això està lligat a estadístiques com aquesta: l'home espanyol _dedica_ (8) (dedicar) 6 hores setmanals a la feina de casa i la dona espanyola, 44. L'home suec n'hi _dedica_ (9) (dedicar) 22 i la dona sueca, 23. Els nombres són ben diferents. Això vol dir que aproximadament un 90% de les parelles de l'Estat espanyol encara no _tenen_ (10) (tenir) la feina de casa repartida a parts iguals. Els homes encara _arreglen_ (11) (arreglar) les coses espatllades més que les dones, perquè elles _diuen_ (12) (dir) que no _saben_ (13) (saber) fer-ho. I les dones, en canvi, ~~fregan~~ _freguen_ (14) (fregar), _endrecen_ (15) (endreçar) la casa, _netegen_ (16) (netejar) el lavabo o la cuina, etc. És clar que els catalans encara _cuinen_ (17) (cuinar) cada dia almenys un àpat, molt més que els anglesos o els alemanys, per exemple, i això representa més feina. Sembla que la feina relacionada amb els àpats està més repartida. Aproximadament un 65% de les parelles _diuen_ (18) (dir) que tots dos _controlen_ (19) (controlar) les despeses, _van_ (20) (anar) a comprar, _fan_ (21) (fer) el dinar i el sopar i _netegen_ (22) (netejar) la cuina junts, sobretot els caps de setmana. Hi ha coses que ara gairebé ningú no _fan_ (23) (fer), com, per exemple, anar a comprar cada dia. La gent _compra_ (24) (comprar) un o dos dies per setmana i després _congela_ (25) (congelar) el menjar. A mi em sembla que, en realitat, a ningú li _agrada_ (26) (agradar) fer la feina de casa.

Un altre aspecte diferent és el relacionat amb la compra o el lloguer dels pisos. A Catalunya actualment gairebé tothom que _compra_ (27) (comprar) un pis _té_ (28) (tenir) una hipoteca, per això hi ha gent amb vint-i-cinc o trenta anys que ja té pis de propietat. En canvi a altres llocs, els joves no _compren_ (29) (comprar) un pis fins als trenta-cinc o quaranta anys. A molts llocs d'Europa, d'Amèrica o d'Àsia el 80% dels joves _viuen_ (30) (viure) en pisos de lloguer i gairebé tots _s'emancipen_ (31) (emancipar-se) als divuit anys, quan _acaben_ (32) (acabar) el baxillerat i no _decideixen_ (33) (decidir) estalviar per comprar un pis fins que ~~és~~ _són_ (34) (ser) més grans i ~~té~~ _tenen_ (35) (tenir) més ingressos.

26 Acaba aquestes frases amb aspectes relacionats amb el text anterior. En quines frases pots fer servir el verb **agradar**?

1 A mi _____ fer la feina de casa i als meus amics també / tampoc no _____

2 A casa meva a tothom _____

3 Al meu país la gent jove _____

4 Al meu país els homes _____

5 Als catalans no _____

6 Al meu país moltes famílies _____

7 Al meu país a tothom _____

8 Al meu país aproximadament un _____ % de les dones _____

9 Al meu país poca gent _____

27 Relaciona els adjectius del quadre amb els seus contraris, segons els usos que has vist a la unitat. Després escriu-los en masculí plural al quadre de sota segons les terminacions.

1	alegre ≠	seriós
2	alt ≠	baix
3	assolellat ≠	fosc
4	car ≠	barat
5	clar ≠	fosc
6	endreçat ≠	desordenat
7	estrany ≠	normal
8	maco ≠	lleig
9	net ≠	brut
10	ple ≠	buit
11	rondinaire ≠	agradable
12	simpàtic ≠	antipàtic
13	sorollós ≠	silenciós
14	tancat ≠	obert
15	tímid ≠	obert
16	trempat ≠	antipàtic

agradable
antipàtic
baix
barat
brut
buit
desordenat
fosc
lleig
normal
obert
seriós
silenciós

Masculí Plural	
Plural acabats en **–s**	
Plurals acabats en **–os**	
Plurals acabats en **–ns**	

28 **Pensa en un nom (cosa, persona o lloc) per a cadascun dels adjectius.**

Endreçat: El pis dels meus pares / Una farmàcia...

Sorollós:

Rondinaire:

Car:

Trempat:

Lleig:

Fosc:

Silenciós:

Buit:

Discret:

Estrany:

29 **Completa els diàlegs amb que, què, qui, quin, quina, quins, quines, on, quant, quanta, quants, quantes, com.**

1 Agafeu el llibre!
_____ llibre?
El d'exercicis.
_____ pàgina?
La pàgina 94.

2 _____ ets, nena?
Sóc l'Helena.
Ah! Hola, Helena! Ets nova aquí, oi? _____ vius aquí, en aquesta escala?
Sí. Fa molt poc.
I a _____ pis t'estàs?
A l'àtic primera.
_____ sort! És un pis molt maco, amb molta llum, oi?
Sí, m'agrada molt.

3 Aquesta senyora, _____ és?
És la meva mare.
Ah sí? I _____ viu?
Al meu país, a Califòrnia.

4 De _____ nacionalitat ets?
Sóc australià.
_____ tens telèfon?
Sí.
_____ número?
El 932345437

5 _____ són vostès?
Som els pares de l'Andreu Rigot.
I _____ s'estan a casa de l'Andreu?
Sí, però només uns dies.

6 _____ hi ha al costat del laboratori d'idiomes?
Hi ha el departament d'alemany.

7 El despatx del director, sisplau, a _____ pis és?
És en aquest pis.
A _____ porta?
La primera a la dreta.
Gràcies.

8 _____ hi ha l'aula 72 en aquesta planta?

No, és a la de dalt de tot. A la setena.

9 De _____ nacionalitats són els teus alumnes?

Hi ha de tot: australians, japonesos, marroquins, mexicans, francesos, alemanys...

10 Aquests nens són els meus fills.

_____ nens? Aquests de la dreta?

No, els que hi ha davant de tot, a l'esquerra.

11 On és el bany?

Aquí, a la dreta.

A _____ dreta? A la teva dreta o a la meva dreta?

A la meva dreta!

12 _____ no ets el noi que comparteix pis amb el Lluís?

No, sóc en Miquel i no conec el Lluís.

I amb _____ vius tu?

De moment visc sol.

13 _____ és en Joan?

A dalt, a l'habitació.

14 _____ són aquests nens de la foto?

_____ nens, aquests o aquells?

Aquests d'aquí.

Ah, són els meus fills.

_____ anys tenen?

Cinc i set anys.

_____ es diuen?

Núria i Pere.

Són molt macos.

15 _____ viu en Josep?

Aquí a Barcelona.

Sí, sí, ja ho sé, però a _____ carrer?

Al carrer Còrsega.

A _____ pis?

Al tercer, em sembla.

_____ saps si li agrada el seu pis?

No ho sé, per què?

Perquè jo tinc un pis per llogar que està molt bé.

_____ metres quadrats fa?

130.

130! _____ gran! El seu és més petit, segur. _____ habitacions té?

Quatre.

16 D'_____ ets?

Del Brasil.

I de _____ ciutat?

De Rio.

17 Hola, _____ va això?

Bé, anar fent.

18 Ara _____ pagues de lloguer?

900 € al mes.

19 _____ gent viu en aquest pis?

No ho sé, són sis o set.

_____ persones dius?

Sis o set.

1

1. 2a, 08552
2. Falcó, 79
3. 5è, michiko.kobe@ub.edu

2

1. en / a, a l', als
2. al, al, en / a, a la
3. a la, en / a
4. A, a l', al, a l', al, en / a
5. a la

3

1. ...s'està?, ...el seu carrer?
2. Quina adreça electrònica...
3. ...és el districte postal...
4 M'estic...
5. ...vivim / ...ens estem al barri de la Sedeta.
6. ...c. del Pi, àt. 2a, Sitges.
7. Viviu..., Casa vostra...
8. A quin número (del carrer)...

5

1. jardí, menjador, sala d'estar
2. cuina
3. bany, lavabo
4. estudi
5. safareig
6. terrassa, balcó, galeria
7. habitació, sala d'estar, rebedor

6

1. en, dues
2. En
3. dos, safareig
4. teva, rebedor, molt
5. Això, aixó
6. aquesta, l'habitació

7

Text 1
1. edifici
2. pisos
3. planta
4. cuina
5. planta
6. dormitoris
7. menjador
8. terrassa
9. planta
10. bany
11. lavabo

Text 2
1. edifici
2. plantes
3. jardí
4. planta
5. cuina
6. menjador
7. habitacions
8. bany
9. planta
10. habitacions
11. estudi
12. jardí
13. pàrquing

8

1. Sortint, a mà esquerra
2. a la dreta
3. A dintre / A dins
4. A baix
5. Davant

9

Text 1
1. dreta
2. esquerra
3. esquerra
4. dreta
5. dalt
6. baix
7. dreta
8. esquerra
9. esquerra
10. dreta

Text 2
1. Davant
2. entrant
3. fons
4. davant / costat
5. voltant
6. dins
7. fora
8. baix
9. sobre
10. dalt
11. costat / davant

10

1. Al costat del menjador hi ha els dormitoris.
2. El lavabo petit és al costat de la cuina.
3. A la part del darrere hi ha el jardí.
4. El pati és al fons del passadís.
5. El menjador és davant de l'estudi.
6. Al fons del passadís hi ha el menjador.
7. A dalt de tot hi ha el bany.
8. El bany és a sobre de la cuina.
9. El jardí és al voltant de la casa.
10. El rebedor és a mà dreta.
11. Entre la cuina i el bany hi ha el safareig.

Canvis: frases 2, 4 i 8, perquè no es poden construir amb l'article indefinit.

11

1. són
2. s'està
3. hi ha
4. hi ha
5. és
6. hi ha
7. hi ha
8. és
9. hi ha
10. hi ha
11. hi ha

14

1. a
2. g
3. c
4. j
5. d
6. e
7. h
8. m
9. k
10. l
11. f
12. i
13. b

17

Anunci 1
1. reformat
2. distribuït
3. assolellat
4. balcons
5. pàrquing

Anunci 2
1. grans
2. aire condicionat
3. comunicat
4. Terrassa
5. soroll
6. Preu

Anunci 3
1. comunicat
2. passeig
3. avinguda
4. A prop
5. tranquil·la
6. ascensor
7. Contracte

Anunci 4
1. petit
2. lloguer
3. habitació
4. dues
5. moblat
6. amb
7. fosc

18

1. més
2. tant
3. que
4. tan, com
5. tantes, com / més, que
6. més
7. tant, com
8. que, tan, com
9. tants, com / més, que
10. tantes, com

19

1. A quina edat...
2. ...els pisos són molt cars.
3. ...o tenen beques...
4. La gent jove...
5. La gent jove comparteix...
6. ...però més o menys com aquí.
7. ...un pis de lloguer...

22

Text 1
1. del costat
2. de sobre
3. de sota

Text 2
1. Entrant a la dreta
2. Davant d'
3. a mà esquerra
4. al fons
5. davant de

Text 3
1. a baix
2. hi viu
3. de sobre
4. A sobre
5. hi viuen
6. de dalt de tot
7. són
8. és
9. viu

23 Solucions orientatives

1. Els estudiants del pis de sota són molt sorollosos.
2. La família de davant (nostre / de casa nostra) és molt discreta i educada.
3. El veí del costat és un senyor gran.
4. A sobre hi viuen uns avis de Múrcia, són molt simpàtics i agradables.
5. El Banc de Sabadell és a baix de tot.
6. A dalt de tot, a l'àtic, hi viu la Roser, és una noia molt trempada.
7. Els veïns del meu replà són molt agradables.

24

1. a
2. b
3. b
4. a
5. b
6. c
7. b
8. b
9. c
10. b
11. b
12. a
13. c
14. a
15. b
16. b
17. c
18. a

25

1. tenen
2. van
3. té / tenen
4. té
5. tenen
6. tenen
7. té
8. dedica
9. dedica
10. té / tenen
11. arreglen
12. diuen
13. saben
14. freguen
15. endrecen
16. netegen
17. cuinen
18. diu / diuen
19. controlen
20. van
21. fan
22. netegen
23. fa
24. compra / compren
25. congela / congelen
26. agrada
27. compra
28. té
29. compren
30. viu / viuen
31. s'emancipen
32. acaben
33. decideixen
34. són
35. tenen

26

1. A mi m'agrada fer la feina de casa..., ...els agrada.
2. A casa meva a tothom li agrada...
5. Als catalans no els agrada...
7. Al meu país a tothom li agrada...

27

1. alegre ≠ seriós
2. alt ≠ baix
3. assolellat ≠ fosc
4. car ≠ barat
5. clar ≠ fosc
6. endreçat ≠ desordenat
7. estrany ≠ normal
8. maco ≠ lleig
9. net ≠ brut
10. ple ≠ buit
11. rondinaire ≠ agradable
12. simpàtic ≠ antipàtic
13. sorollós ≠ silenciós
14. tancat ≠ obert
15. tímid ≠ obert
16. trempat ≠ antipàtic

-s: alegres, alts, assolellats, cars, clars, endreçats, estranys, macos, nets, rondinaires, simpàtics, tancats, tímids, trempats, agradables, antipàtics, barats, bruts, buits, desordenats, normals, oberts

-os: sorollosos, baixos, foscos, lletjos, seriosos, silenciosos

-ns: plens

29

1. Quin, Quina
2. Qui, Que, quin, Quina
3. qui, on
4. quina, Que, Quin
5. Qui, que
6. Què
7. quin, quina
8. Que
9. quines
10. Quins
11. quina
12. Que, qui
13. On
14. Qui, Quins, Quants, Com
15. On, quin, quin, Que, Quants, Que, Quantes
16. on, quina
17. com
18. quant
19. Quanta, Quantes

Unitat 5

LA NOSTRA HISTÒRIA

scolta i escriu les dates que falten en els textos.

Text 1

El pintor Joan Miró va néixer a Barcelona _el 20 d'abril de 1893_ (1) i va morir a Palma _el 25 de desembre de 1983_ (2). _El 2 d'octubre de 1983_ (3) es va casar amb Pilar Juncosa a Palma i _el 1930_ (4) van tenir una filla, la Maria Dolors. La Maria Dolors, que es va casar dues vegades i va tenir quatre fills, va morir a Palma _el 26 de desembre 2004_ (5), als 74 anys.

Joan Miró, pintor
(Barcelona, 1893 – Palma, 1983)

Text 2

Els meus avis, l'Enric i la Maria, van néixer el mateix dia, _el 31 de març_ (1), i al mateix lloc, a Lloret de Mar; però van néixer amb 10 anys de diferència. La meva àvia va néixer _el 31 de març de 1947_ (2) i el meu avi _el 31 de març de 1937_ (3). El meu avi va morir _el 1991_ (4).

Text 3

Sóc en Jaume i vaig néixer _el 16 d'agost de 1954_ (1) en un poble molt petit que es diu Vidrà, a la comarca del Ripollès. La meva dona es diu Maria Jesús i va néixer a Sòria _2 de juny de 1956_ (2).

---

2 Completa el diàleg a partir del text 1 de l'exercici anterior.

> **Quan va néixer Joan Miró?**
> **El 20 d'abril de 1893.**

I, _on va néixer?_ (1)?
A Barcelona.

Quin dia va néixer (2)?
El 25 de desembre de 1983.

I, _on va morir_ (3)?
A Palma.

Quin dia va casar (4)?
El 2 d'octubre de 1929.

Quan va néixer (5) la seva filla?
El 1930.

Quin dia va morir (6) la seva filla?
El 26 de desembre de 2004.

I, _on va morir la seva filla_ (7)?
A Palma, també.

3 Escolta i repeteix el diàleg anterior. Fixa't que la **r** final de l'infinitiu no es pronuncia.

4 En parelles A i B. (A tapa el quadre de B, B tapa el quadre de A.) Demana la informació que necessites per completar el teu quadre.

Quan va néixer Groucho Marx?

El 2 d'octubre de 1890. / El 1890.

I on va néixer?

A Nova York.

A

Groucho Marx, actor	Victòria dels Àngels, cantant (soprano)	Albert Einstein, científic i inventor
Nova York, 02/10/1890 Los Angeles, 19/08/1976	Barcelona, 01/11/1923 _____, __ / __ / ____	Ulm (Alemanya), 14/03/1879 _____, __ / __ / ____
Mercè Rodoreda, escriptora	**Christopher Reeve (Superman), actor**	**Mohandas Karamchand Gandhi, polític i líder pacifista**
_____, __ / __ / ____ Girona, 13/04/1983	_____, __ / __ / ____ Nova York, 10/10/2004	Porbandar, 02/10/1869 _____, __ / __ / ____

B

Quan va morir Groucho Marx?

El 19 d'agost de 1976. / El 1976.

I on va morir?

A Los Angeles.

Groucho Marx, actor

Nova York, 02/10/1890
Los Angeles, 19/08/1976

Victòria dels Àngels, cantant (soprano)

_____, __ / __ / ___

Barcelona, 15/01/2005

Albert Einstein, científic i inventor

_____, __ / __ / ___

Nova Jersei (EUA), 18/04/1955

Mercè Rodoreda, escriptora

Barcelona, 10/01/1908

_____, __ / __ / ___

Christopher Reeve (Superman), actor

Nova York, 25/09/1952

_____, __ / __ / ___

Mohandas Karamchand Gandhi, polític i líder pacifista

_____, __ / __ / ___

Nova Delhi, 30/01/1948

5 Escriu la forma del femení dels adjectius dels quadres i relaciona'ls amb els dibuixos. Pots consultar el diccionari.

amable

cregut

nerviós

optimista

pessimista

tímid

tranquil

6 **Escolta i repeteix.**

1 La Laia, és àries?
No, és taure.
És tossuda, oi?
Sí, sí que ho és.

2 Ets lleó?
Sí que ho sóc.
Ets independent, oi?
Home, depèn.

3 L'Abel, és escorpí?
No, és cranc.
És molt sensible, oi?
Sí, sí que ho és.

4 Ets bessons?
No, sóc capricorn.
Ets tímida, oi?
Home, depèn.

7 **Marca els dos adjectius que penses que no corresponen als personatges. Mira quins adjectius han triat els companys de classe.**

WOODY ALLEN	CLEOPATRA	BLANCANEU	PINOTXO
amable	creguda	creguda	sincer
idealista	irritable	responsable	tossut
nerviós	tranquil·la	tossuda	responsable
optimista	tossuda	sensible	independent
pessimista	amable	tímida	idealista
tímid	nerviosa	constant	intel·ligent
tranquil		sincera	

8 **Completa el quadre.**

Singular		Plural	
Masculí	Femení	Masculí	Femení
amable	amable	amables	amables
nerviós	nerviosa	nerviosos	nervioses
tranquil	tranquila	tranquils	tranquil·les
tossut	tossuda	tossuts	tossudes
cregut	creguda	creguts	cregudes
constant	constant	constants	constants
tímid	tímida	tímids	tímides
sincer	sincera	sincers	sinceres
idealista	idealista	idealistes	idealistes
pessimista	pessimista	pessimistes	pessimistes
intel·ligent	intel·ligent	intel·ligents	intel·ligents
independent	independent	independents	independents

9 **Acaba les frases fent els canvis necessaris.**

1 Em dic Laura. Vaig néixer el 27 d'abril. Sóc taure. Sóc amable, sensible, més aviat tranquil·la, tossuda i sincera.

Som l'Andreu i la Janis. Vam néixer el 29 d'abril. Som taures. Som _____

_____

2 Em dic M. Teresa. Vaig néixer el 25 de febrer. Sóc peixos. Sóc idealista, independent, tímida, de vegades optimista i d'altres, pessimista.

Em dic Pep. Vaig néixer el 9 de març. Sóc peixos. Sóc _____

_____

3 Em dic Mercè. Vaig néixer el 18 d'agost. Sóc lleó. Sóc constant, responsable, de vegades irritable, però en canvi no sóc gens creguda.

Em dic Leonardo. Vaig néixer el 29 de juliol. Sóc lleó. Sóc _____

_____

4 Em dic Ricard. Vaig néixer el 30 de setembre. Sóc balança o libra, és igual. Diuen que sóc intel·ligent i responsable, però també sóc tossut i bastant nerviós.

Som l'Àngela i la Rosa. Vam néixer l'11 d'octubre. Som balança o libra, és igual. Diuen que som

_____

10 **Ordena les paraules per fer frases.**

els / van / a / el / viure / meus / Terrassa / anar / 1964 / pares / a

Els meus pares van anar a viure a Terrassa el 1964. / El 1964 els meus pares van anar a viure a Terrassa. / Els meus pares, el 1964, van anar a viure a Terrassa.

1 l' / Ester / estudiar / vam / de / i / escola / a / l' / jo / música

_____.

2 vau / al / 1985 / a / viure / Estocolm / 1983 / del

_____?

3 quan / anar / decidir / a / Equador/ a / vas / treballar / l'

_____?

4 l' / a / passat / de / Tunísia / vacances / anar / vaig / any

_____.

5 l' / Paula / a / l' / 1977 / any / i / Enric / van / viure / la / a / anar / Eivissa

_____.

6 l' / any / a / escola / en / Ferran / va / anar / començar / a / 1999 / l'

_____.

7 en / Marc / i / vam / a / anar / la / jo / tele / dormir / una / mirar / tard / pel·lícula / perquè / vam / a

_____.

11 **Escriu les frases i posa els pronoms darrere del verb.**

> *Als 17 anys em vaig enamorar d'un veí.*
> *Als 17 anys vaig enamorar-**me** d'un veí*

1 El 2003 ens vam traslladar a Barcelona.

_____vam traslladar-nos_____

2 Quan us vau separar?

_____vau separar-vos_____

3 Em vaig casar fa tres anys.

_____ens vam casar_____

4 Franco es va morir el 1975.

_____vau plegar_____

5 Diumenge l'Ahmad i la Ruth es van quedar a casa a estudiar.

_____va conèixer_____

6 Al principi de ser aquí em vaig sentir sola.

_____vaig viure_____

7 On et vas estar quan vas anar a viure a Egipte?

_____vas llevar-te_____

8 Et vas traslladar fa dos anys?

_____vas començar_____

9 A quina hora us vau llevar el dia del vostre aniversari?

_____us vau rentar_____

10 Ens vam casar a Girona el 2004.

_____m'en vaig anar_____

12 **Completa les frases amb la forma adequada del verb.**

> *Ara m'estic a Barcelona amb la meva xicota.*
> *Del 1996 al 1999 **em vaig estar / vaig estar-me** a Sevilla*
> *perquè la meva xicota és d'allà.*

1 Tinc uns amics que es compren un pis a Santa Maria de Palautordera.

Fa dues setmanes uns amics _____ un pis a Santa Maria de Palautordera.

2 La meva mare viu a Austràlia.

El meu sogre _____ tres anys a Austràlia.

3 Finalment ens casem dissabte.

Finalment _____ dissabte passat.

4 La Núria i tu, cada dia plegueu de treballar a les 2 de la matinada?

La Núria i tu, dilluns passat _____ de treballar a les 2 de la matinada?

5 La Rosa ja coneix l'Albert.

La Rosa l'any passat _____ l'Albert.

6 Ara visc a l'Hospitalet.

Els dos primers mesos de ser aquí _____ a l'Hospitalet.

7 Sempre et lleves tan tard, el diumenge?

Diumenge passat, a quina hora _____?

8 A quina hora comences a treballar?

A quina hora _____ a treballar la setmana passada?

9 Quantes vegades us renteu les dents?

Quantes vegades _____ les dents ahir?

10 Avui me'n vaig a les deu.

Ahir _____ a les dues.

13 **Escolta el text de l'exercici 7 del llibre de l'alumne i després llegeix-lo en veu alta.**

14 **Relaciona els fets. Quan passen o van passar?**

a	En Miquel i l'Alícia se'n van a viure a Tortosa.	a	El mes de maig.
b	En Miquel i l'Alícia se'n van anar a viure a Tortosa.	b	Fa tres mesos.

1

a	Anem a la universitat de Girona.		Fa dues setmanes.
b	Vam anar a la universitat de Girona.		Cada setmana.

2

a	Va estudiar català a l'Escola Oficial d'Idiomes.		Cada dia.
b	Va a estudiar català a l'Escola Oficial d'Idiomes.		Fa un any.

3

a	Vaig a comprar al supermercat.		Cada dissabte.
b	Vaig anar a comprar al supermercat.		Dissabte passat.

4

a	Te'n vas a treballar molt d'hora, oi?		Ahir.
b	Te'n vas anar a treballar molt d'hora, oi?		Avui.

5

a	Aneu a esmorzar al bar?		Sovint.
b	Vau anar a esmorzar al bar?		Dilluns passat.

15 **Completa el text amb les expressions del quadre.**

l'any 2001
dels 15 als 18 anys
quan tenia 10 anys
als tres anys
el 1977
del 77 al 80
al cap de dos mesos

L'Alexis va néixer a l'Havana _____ *el 1977* _____ (1).
Els seus pares van trobar feina en una altra ciutat i per això, _____
_____ *del 77 al 80* _____ (2), va viure amb la seva àvia. *als*
tres anys _____ (3), quan els seus pares van tornar a l'Havana, va
començar a anar a l'escola i, *al cap de dos mesos* _____ (4), va néixer
la seva germana, la Gladis. *Quan tenia 10 anys* (5), amb la seva
mare, van anar a Rússia per primera vegada, a visitar uns familiars.
Dels 15 als 18 anys _____ (6) va estudiar en un internat i
l'any 2001 _____ (7) va acabar la carrera de Biologia.

16 **Escriu un text en passat sobre la vida d'algú utilitzant els elements del quadre.**

el...
del... al...
als... anys
al cap de...
quan tenia...
dels... als...
l'any...

17 Completa els textos amb la forma adequada dels verbs del quadre. Es poden repetir.

Text 1

arribar
casar-se
conèixer-se
llogar
néixer
quedar-se
tornar
traslladar-se
venir

Em dic Pere Ferrer i *vaig néixer* a Olot fa 70 anys. La meva dona es diu Carmen i _va néixer_ (1) a Sevilla, però _va venir_ (2) a viure a Catalunya, a Olot, quan tenia 15 anys. Quan _va arribar_ (3), va començar a treballar en una farmàcia i allà _vam conèixer-nos_ (4), ara fa cinquanta anys. Al cap de dos anys, la Carmen i jo _vam casar-nos_ (5), i _vam llogar_ (6) una casa als afores d'Olot on _va néixer_ (7) el nostre primer fill, en Paco. La meva dona _va quedar-se_ (8) a casa a cuidar el nen, perquè l'empresa on jo treballava _va traslladar-se_ (9) a Mataró, però, al cap d'un any, _vaig tornar_ (10) a Olot.

Text 2

acabar
anar
anar-se'n
començar
comprar
conèixer
estudiar
llogar
trobar
vendre
venir

El meu fill, en Paco, _va estudiar_ (1) a l'institut d'Olot i quan _va començar_ (2) a anar a la universitat _va anar_ (3) a viure a Girona. _Va llogar_ (4) una habitació petita en un pis d'estudiants. A la universitat _va conèixer_ (5) la Fàtima i quan tots dos _van acabar_ (6) la carrera _van anar_ (7) a viure junts. _Van comprar_ (8) un pis al centre de Girona amb els seus estalvis. Al cap de cinc anys la meva jove _va trobar_ (9) una feina d'investigadora als Estats Units, _va vendre_ (10) el pis i _van anar_ (11) a viure a Chicago.

Fa dos anys la meva dona i jo els _vam anar_ (12) a visitar i l'estiu passat ells _van venir_ (13) a Olot.

Text 3

acabar
aprendre
començar
estudiar
néixer
obrir
venir

Em dic Atif i _vaig néixer_ (1) a Islamabad, la capital del Pakistan. Quan tenia 3 anys, els meus pares i jo _vam anar_ (2) a viure a Barcelona, al barri del Raval, ara fa 20 anys. _Vaig estudiar_ (3) a l'institut i _vaig aprendre_ (4) espanyol i català. Els meus pares _van obrir_ (5) un supermercat al barri. L'any passat _vaig acabar_ (6) la carrera d'informàtic i _vaig començar_ (7) a treballar en una multinacional.

Text 4

arribar
llogar
morir-se
obrir
tornar
venir
viure

La meva família i jo som de Xangai i _____ (1) a Catalunya quan jo tenia 6 anys. _____ (2) perquè els meus tiets treballaven en un magatzem a Badalona i els meus pares els van venir a ajudar. Quan _____ (3) aquí, _____ (4) a casa dels tiets i al cap d'un any _____ (5) un pis. L'any passat, el meu pare _____ (6) a la Xina perquè la meva àvia _____ (7). La meva mare _____ (8) un restaurant a prop de casa.

18 **Completa els diàlegs amb per què, perquè, quan i quant.**

1 Elsa, _quant_ fa que vius aquí?
Cinc mesos.
Per què vas venir?
perquè al meu país no hi havia feina.

2 I en Mohamed _quant_ va venir?
Fa mig any.
Per què va venir?
perquè els seus pares vivien aquí.

3 Nadia, _quant_ fa que viviu aquí?
Dos anys.
Per què vau venir?
perquè hi teníem amics.

4 I vosaltres _quan_ vau arribar?
Fa vuit mesos.
Per què vau venir?
perquè ens volíem casar.

19 **Escolta les frases i marca a quina persona verbal fan referència.**

	Nosaltres	Vosaltres	Ells, elles, vostès
1			
2			
3			
4			
5			
6			
7			
8			
9			
10			
11			
12			

20 **Torna a escoltar les frases de l'exercici anterior i completa-les. Fixa't com es pronuncien els verbs i repeteix-les.**

1 ***Vam*** *venir perquè no teníem feina.*

2 ***Van*** *venir perquè no tenien feina.*

3 ***Vau*** *venir perquè no teníeu feina.*

4 _____ perquè _____ llibertat.

5 _____ perquè _____ llibertat.

6 _____ perquè _____ llibertat.

7 _____ quan _____ petits.

8 _____ quan _____ petits.

9 _____ quan _____ petits.

10 _____ amigues quan _____ català.

11 _____ amigues quan _____ català.

12 _____ amigues quan _____ català.

21 **Acaba les frases fent els canvis necessaris.**

1 L'Alba va començar a anar a l'escola quan tenia tres anys. Vivia a Manresa. Era una nena molt intel·ligent.

Els meus germans _____

2 Vas aprendre a llegir quan tenies cinc anys. Vivies a Ciutadella. Eres una nena molt tranquil·la.

(Vosaltres) _____

3 Vaig canviar d'escola quan tenia catorze anys. Vivia a València. Era un noi bastant tímid.

(Nosaltres) _____

4 Quan feies secundària, vas anar a Roma de viatge de final de curs? Sí que eres responsable!

Quan (vosaltres) _____

5 Quan van declarar Barcelona seu dels Jocs Olímpics del 1992, treballava de periodista. Era una idealista.

Quan van declarar Barcelona seu dels Jocs Olímpics del 1992, (nosaltres) _____

_____

6 Quan vaig arribar a Barcelona, feia moltes festes. A casa meva sempre hi havia molta gent.

Quan (nosaltres)_____

7 Quan vaig venir a viure aquí, el meu germà gran treballava en un restaurant i jo estudiava en una escola del barri.

Quan (nosaltres) _____ a viure aquí, els meus pares _____

en un restaurant i nosaltres _____ en una escola del barri.

22 **Escriu les formes de l'imperfet d'indicatiu de l'exercici anterior i marca les persones verbals que sempre porten accent.**

	Accent	Exemples
jo		
tu		
ell, ella, vostè		
nosaltres		
vosaltres		
ells, elles, vostès		

23 **Escolta el text i marca si les frases es diuen en imperfet d'indicatiu o en passat perifràstic d'indicatiu.**

		Imperfet d'indicatiu	Passat perifràstic d'indicatiu
	tenir un xicot català	X	
1	estar estudiant a la universitat		
2	acabar la carrera		
3	decidir venir també a Catalunya		
4	voler-se casar		
5	ser fàcil		
6	tenir molts problemes al poble		
7	anar a viure		
8	pensar-se		
9	ser un matrimoni de conveniència		
10	impactar i sorprendre		

24 **Completa el text amb els verbs de l'exercici anterior. Després torna'l a escoltar i comprova si està bé.**

Quan vivia al Brasil, *tenia* un xicot d'origen català. Un bon dia la seva família va decidir tornar

a Catalunya. En aquell moment jo _____ (1) a la universitat i quan

_____ (2) la carrera _____ (3) venir jo també a Catalunya

perquè _____ (4) casar. D'això fa 8 anys. No _____ (5) fàcil.

_____ (6) molts problemes al poble on _____ (7) a viure,

perquè tots _____ (8) que el nostre matrimoni _____ (9)

de conveniència. La primera cosa que _____ (10) i sorprendre d'aquí és que la

gent és molt treballadora, responsable i també seriosa.

25 Completa les frases amb les formes adequades dels verbs, entre parèntesis, en imperfet d'indicatiu o en passat perifràstic d'indicatiu.

Els meus pares es van enamorar / van enamorar-se (enamorar-se), quan tenien (tenir) 15 anys. Doncs jo em vaig enamorar / vaig enamorar-me (enamorar-se) de la Carla quan en tenia (tenir) 12.

1 Quan el Rafael i jo __vam marxar__ (marxar), al nostre país no __hi havia__ (haver-hi) democràcia.
Doncs al meu país __hi havia__ (haver-hi) un govern socialista.

2 Úrsula, quan __va caure__ (caure) el mur de Berlín, el 1989, hi __vivies__ (viure)?
Sí, __vivia__ (viure) a Berlín est i __treballava__ (treballar) en una empresa a prop del mur.

3 Quan el 1987 __hi va haver__ (haver-hi) l'atemptat a Hipercor, a Barcelona, els meus pares __vivien__ (viure) i __treballaven__ (treballar) molt a prop d'allà.
Doncs nosaltres __estudiàvem__ (estudiar) secundària a l'Institut i __vivíem__ (viure) a Conca.

4 Vosaltres, quan __vau tenir__ (tenir) la vostra filla gran, on __vivíeu__ (viure)?
__Vivíem__ (viure) al port de Palma, en un vaixell.

5 Quan __va néixer__ (néixer) el meu germà, el 2003, jo __feia__ (fer) 4t de primària, __tenia__ (tenir) 10 anys.
Doncs jo __estudiava__ (estudiar) periodisme a la universitat.

26 Canvia els verbs ressaltats pels verbs **anar-se'n** o **venir**.

Vau anar a Amsterdam al cap de dos dies de ser aquí?
Us en vau anar a Amsterdam al cap de dos dies de ser aquí?

1 Quan **vas visitar-me** el maig del 95, ja hi havia la Glòria a casa, oi?
2 Als 18 anys **va marxar** de casa dels seus pares.
3 El 2000 **vaig anar** a viure als Estats Units.
4 Des de Granada **vam anar** a Sevilla. Ens va agradar molt.
5 Quan feia dos mesos que vivien sols, van decidir **tornar** aquí, amb mi.
6 A les nou **van anar** a la festa de final de curs a casa de la Gemma. Jo no hi vaig poder anar.
7 Quan **vaig arribar** aquí, tenia disset anys.

27 Escolta les frases que has escrit i repeteix-les.

28 Marca l'opció correcta.

1 Quan va arribar, el català **es / li** va costar **una mica / gens**.

2 A les meves germanes no **els / les** va agradar **molt / gaire** el sopar.

3 I vosaltres, **us aneu / us vau** enyorar?
La veritat és que jo em vaig enyorar **força / gens**, però ell **es / li** va enyorar més que jo.

4 A nosaltres, al principi, **ens / us** va costar l'adaptació i ens ho vam passar **malament / mal**.

5 **Te / Et** va costar fer amics aquí?
Una mica / gens. La veritat és que la gent d'aquí, al principi, no és gaire sociable ni gaire co-
municativa.

6 A l'Isidre, **li / s'** agrada fer esport?
Sí, **una mica / molt**. Cada dia **va a nedar / va nedar**.

7 Els meus avis **van anar a / van anar** treballar a Alemanya. El país **ens / els** va agradar, però
es / els van enyorar **gaire / força**.

29 Completa les frases amb les preposicions a o de / d'.

> Quan hi va haver els Jocs Olímpics **a** Barcelona, van venir atletes **de** tot el món.

1 Fa tres mesos que van arribar _a_ Catalunya. Ara s'estan _a_ Reus, a prop _de_ Tarragona, a
casa d'uns amics.

2 Vaig venir _de_ Romania fa dues setmanes. Hi vam anar _de_ viatge de noces.

3 Tots dos són anglesos, _de_ Londres.

4 Som _a_ Berlín. Vam arribar-hi ahir. Estem molt bé.

5 Feia _de_ cambrer en un bar del centre _de_ la ciutat i em vaig enamorar _de_ la filla del propie-
tari.

6 Quan va néixer el nostre fill, treballàvem _a_ Lleida.

7 Les classes comencen _a_ les 9 del matí.

8 Vaig acabar _de_ dinar i me'n vaig anar _a_ passejar.

9 Trobeu _a_ faltar els vostres amics?

10 Els meus avis volen anar _a_ viure _a_ Extremadura.

11 Vaig començar _a_ treballar l'any passat.

12 Va néixer a París i va venir _a_ viure a Catalunya quan tenia 3 anys. Va venir _de_ París quan tenia tres anys.

13 La Mireia i jo som de Madrid, però ens vam traslladar _a_ Barcelona perquè és una ciutat que ens agrada molt. Al cap d'un any, però, ens vam traslladar _de_ Barcelona a València per la feina.

14 Va acabar _d'_ estudiar i va trobar feina.

15 Abans _de_ venir a Catalunya vaig viure a molts llocs.

16 Sempre faig la migdiada després _de_ dinar.

30 Què saps de la immigració a Catalunya? Marca a o b.

1	A Catalunya, abans no hi havia gaires immigrants	a	estrangers.
		b	de l'Estat espanyol.
2	Als anys 60 i 70, hi va haver moltes persones de l'Estat espanyol que	a	van tornar a l'estranger.
		b	van emigrar a l'estranger.
3	En aquesta època, una de les causes de les migracions va ser perquè	a	no hi havia democràcia.
		b	no hi havia feina.
4	La majoria dels avis de les persones que viuen ara a Catalunya	a	van néixer aquí.
		b	van néixer a fora d'aquí.

31 Completa l'article amb les frases del quadre. Després comprova si has fet bé l'exercici anterior.

a	que ja fa molt de temps que viuen entre nosaltres i
b	però que van néixer en un altre lloc,
c	Una de les principals causes d'aquestes migracions va ser la falta de feina,
d	hi va haver grans moviments de població
e	Catalunya va rebre una quantitat considerable d'immigrants.
f	de la immigració d'aquest segle,
g	Van marxar 3 milions de persones

La migració als anys 60 i 70
IMMIGRACIÓ A CATALUNYA

Podem agrupar les persones que actualment viuen a Catalunya, _però que van néixer en un altre lloc,_ (1) en dos tipus: els immigrants de la resta de l'Estat espanyol, _que ja fa molt de temps que viuen entre nosaltres i ..._ (2) els immigrants estrangers que fa relativament poc que viuen al nostre país.

Als anys 60 i 70 hi va haver migracions exteriors i interiors de la població de l'Estat espanyol força considerables. _Van marxar 3 milions de persones_ (3) i només 1,5 milions van tornar.

(4) _Una de les principals causes d'aquestes migracions va ser la falta de feina,_ els pocs recursos econòmics de les classes baixes que buscaven una vida millor.

A la dècada dels 60, a l'Estat espanyol, _hi va haver grans moviments de població_ (5) cap a les àrees industrialitzades.

Catalunya va rebre una quantitat considerable d'immigrants (6) L'any 1970, el 37,69% de la població de Catalunya havia nascut en un altre lloc: un 16,45% a Andalusia, un 6,08% a Castella i Lleó, un 3,44% a l'Aragó, un 2,85% a Extremadura, un 2,73% a Múrcia, un 2,15% al País Valencià, un 1,52% a Galícia i un 1,16% a fora de l'Estat.

En l'actualitat, dels més de set milions de catalans i catalanes, aproximadament un 50% procedim, directament o indirectament, _de la immigració d'aquest segle_ (7) cosa que confirma el fet que Catalunya va ser i és una terra d'acollida.

 32 **Escolta els textos de l'exercici 17 del llibre de l'alumne i després llegeix-los en veu alta.**

Completa el text amb les formes adequades dels verbs, entre parèntesis, en imperfet d'indicatiu, en passat perifràstic d'indicatiu o en present d'indicatiu.

La setmana passada __va̶ tenir__ *vam* (1) (tenir) els nostres néts a casa. __Són__ (2) (ser) els fills de la nostra filla Cristina i del seu marit, l'Andrew.

L'any 1994, quan __tenia__ (3) (tenir) 20 anys, la Cristina __va anar-se'n__ (4) (anar-se'n) a estudiar història de l'art a Anglaterra amb una beca. Allà __va conèixer__ (5) (conèixer) l'Andrew, un noi de la seva mateixa edat que __estudiava__ (6) (estudiar) la mateixa carrera. Quan __va acabar__ (7) (acabar) la carrera, la Cristina __va tornar__ (8) (tornar) a Catalunya, però de seguida ens __va dir__ (9) (dir) que volia tornar a Anglaterra, perquè __enyorava__ (10) (enyorar) molt el seu xicot. Al cap d'un parell de mesos l'Andrew __va venir__ (11) (venir) a casa. El dia que __va arribar__ (12) (arribar), la Cristina __va̶ ser̶__ *era* (13) (ser) a fora, a casa d'una amiga, i nosaltres __vam tenir__ (14) (tenir) veritables problemes per entendre'ns amb ell, perquè ni la meva dona ni jo no __vam parlàvem__ *Parlàvem* (15) (parlar) anglès (ara ja el parlem una mica millor). La meva filla __va tenir__ (16) (tenir) una sorpresa extraordinària quan va veure l'Andrew a casa. Ell __va quedar-se__ (17) (quedar-se) a sopar i a dormir. L'endemà també, a esmorzar, a dinar, a sopar... i així fins que tots dos __van decidir__ (18) (decidir) que no podien viure l'un sense l'altre. Al cap de tres mesos __van anar-se'n__ (19) (anar-se'n) a viure a Teddington en un pis amb altres amics d'ell.

De tot això ja __fa__ (20) (fer) més de 10 anys. Ara __tenen__ (21) (tenir) dos fills: un de 8 i l'altre de 4 i __viuen__ (22) (viure) aquí a Catalunya. Sovint __es queden__ (23) (quedar-se) a casa nostra, quan els seus pares han de marxar a Anglaterra per feina o per veure la família de l'Andrew.

Quan els nens __són__ (24) (ser) a casa, la nostra vida __canvia__ (25) (canviar) totalment. __En llevem__ (26) (llevar-se) tots més d'hora, perquè el gran __comença__ (27) (començar) les classes a les 8. A la meva dona no li __agradan -EN__ (28) (agradar) gens dutxar-se la primera, per això __fa__ (29) (fer) l'esmorzar mentre jo i el gran __ens dutxem__ (30) (dutxar-se). Ella tranquil·lament s'ocupa del petit, que encara __té__ (31) (tenir) una hora per preparar-se, perquè les seves classes no __comencen__ (32) (començar) fins a dos quarts de deu.

La meva filla ens deixa un full completíssim dels horaris dels nens. Els dilluns i dimecres tots dos __juguen__ (33) (jugar) a bàsquet i __pleguen__ (34) (plegar) a dos quarts de vuit. El gran els dimarts i els dijous __surt__ (35) (sortir) de l'escola abans perquè...

34 **Continua el text de l'exercici anterior.**

1

Text 1
1. el 20 d'abril de 1893
2. el 25 de desembre de 1983
3. El 2 d'octubre de 1929
4. el 1930
5. el 26 de desembre de 2004

Text 2
1. el 31 de març
2. el 31 de març del 1947
3. el 31 de març de 1937
4. el 1991

Text 3
1. el 16 d'agost de 1954
2. l'1 de juny de 1956

2

1. on va néixer
2. Quin dia / Quan va néixer?
3. on va morir?
4. Quin dia / Quan es va casar?
5. Quan / Quin any va néixer la seva filla?
6. Quin dia / Quan va morir la seva filla?
7. on va morir la seva filla?

5

1. amable
2. cregut - creguda
3. nerviós - nerviosa
4. optimista
5. pessimista
6. tímid - tímida
7. tranquil - tranquil·la

7 Solucions orientatives

Woody Allen: optimista, tranquil
Cleopatra: tranquil·la, amable
Blancaneus: creguda, tossuda
Pinotxo: sincer, responsable

8

amable, amable, amables, amables
nerviós, nerviosa, nerviosos, nervioses
tranquil, tranquil·la, tranquils, tranquil·les
tossut, tossuda, tossuts, tossudes
cregut, creguda, creguts, cregudes
constant, constant, constants, constants
tímid, tímida, tímids, tímides
sincer, sincera, sincers, sinceres
idealista, idealista, idealistes, idealistes
pessimista, pessimista, pessimistes, pessimistes
intel·ligent, intel·ligent, intel·ligents, intel·ligents
independent, independent, independents, independents

9

1. Som amables, sensibles, més aviat tranquils, tossuts i sincers.
2. Sóc idealista, independent, tímid, de vegades optimista i d'altres, pessimista.
3. Sóc constant, responsable, de vegades irritable, però en canvi no sóc gens cregut.
4. Diuen que som intel·ligents i responsables, però també som tossudes i bastant nervioses.

10 Solucions orientatives

1. L'Ester i jo vam estudiar a l'escola de música.
2. Vau viure a Estocolm del 1983 al 1985? / Del 1983 al 1985 vau viure a Estocolm?
3. Quan vas decidir anar a treballar a l'Equador? / Quan vas decidir anar a l'Equador a treballar?
4. L'any passat vaig anar a Tunísia de vacances. / L'any passat vaig anar de vacances a Tunísia.
5. L'Enric i la Paula van anar a viure a Eivissa l'any 1977. / L'any 1977 l'Enric i la Paula van anar a viure a Eivissa.
6. L'any 1999 en Ferran va començar a anar a l'escola. / En Ferran va començar a anar a l'escola l'any 1999.
7. En Marc i jo vam anar a dormir tard perquè vam mirar una pel·lícula a la tele.

11

1. ...vam traslladar-nos...
2. ...vau separar-vos?
3. Vaig casar-me...
4. ...va morir-se...
5. ...van quedar-se...
6. ...vaig sentir-me....
7. ...vas estar-te...
8. Vas traslladar-te...
9. ...vau llevar-vos...
10. Vam casar-nos...

12

1. es van comprar / van comprar-se
2. va viure
3. ens vam casar / vam casar-nos
4. vau plegar
5. va conèixer
6. vaig viure
7. et vas llevar / vas llevar-te
8. vas començar
9. us vau rentar / vau rentar-vos
10. me'n vaig anar / vaig anar-me'n

14

1. b, a; 2. b, a; 3. a, b; 4. b, a, 5. a, b

15

1. el 1977
2. del 77 al 80
3. Als tres anys
4. al cap de dos mesos
5. Quan tenia 10 anys
6. Dels 15 als 18 anys
7. l'any 2001

17

Text 1
1. va néixer
2. va venir
3. va arribar
4. ens vam conèixer / vam conèixer-nos
5. ens vam casar / vam casar-nos
6. vam llogar
7. va néixer
8. es va quedar / va quedar-se
9. es va traslladar / va traslladar-se
10. vam tornar / va tornar / vaig tornar

Text 2
1. va estudiar / va anar
2. va començar
3. va anar / se'n va anar / va anar-se'n
4. Va llogar / Va trobar
5. va conèixer
6. van acabar
7. van anar / se'n van anar / van anar-se'n
8. Van comprar
9. va trobar
10. van vendre / va vendre / es van vendre / es va vendre / van vendre's / va vendre's
11. se'n van anar / van anar-se'n / van anar
12. vam anar
13. van venir

Text 3
1. vaig néixer
2. vam venir / vam anar
3. Vaig estudiar
4. vaig aprendre
5. van obrir
6. vaig acabar
7. vaig començar

Text 4
1. vam arribar / vam venir
2. Vam venir
3. vam arribar
4. vam viure
5. vam llogar
6. va tornar
7. es va morir / va morir-se
8. va obrir

18

1. quant, Per què, Perquè
2. quan, Per què, Perquè
3. quant, Per què, Perquè
4. quan, Per què, Perquè.

5

19

1. nosaltres
2. ells, elles, vostès
3. vosaltres
4. ells, elles, vostès
5. vosaltres
6. nosaltres
7. nosaltres
8. vosaltres
9. ells, elles, vostès
10. ells, elles, vostès
11. vosaltres
12. nosaltres

20

4. Van marxar perquè no hi havia llibertat.
5. Vau marxar perquè no hi havia llibertat.
6. Vam marxar perquè no hi havia llibertat.
7. Ens vam conèixer quan érem petits.
8. Us vau conèixer quan éreu petits.
9. Es van conèixer quan eren petits.
10. Es van fer amigues quan feien català.
11. Us vau fer amigues quan fèieu català.
12. Ens vam fer amigues quan fèiem català.

21

1. Els meus germans van començar a anar a l'escola quan tenien tres anys. Vivien a Manresa. Eren uns nens molt intel·ligents.
2. (Vosaltres) vau aprendre a llegir quan teníeu cinc anys. Vivíeu a Ciutadella. Éreu unes nenes molt tranquil·les.
3. (Nosaltres) vam canviar d'escola quan teníem catorze anys. Vivíem a València. Érem uns nois bastant tímids.
4. Quan fèieu secundària, vau anar a Roma de viatge de final de curs? Sí que éreu responsables!
5. Quan van declarar Barcelona seu dels Jocs Olímpics del 1992, (nosaltres) treballàvem de periodistes. Érem unes idealistes.
6. Quan (nosaltres) vam arribar a Barcelona, fèiem moltes festes. A casa nostra sempre hi havia molta gent.
7. Quan (nosaltres) vam venir a viure aquí, els meus pares treballaven en un restaurant i nosaltres estudiàvem en una escola del barri.

22

jo: tenia, vivia, era, treballava, feia, estudiava
tu: tenies, vivies, eres, feies
ell / ella: tenia, vivia, era, treballava
nosaltres: teníem, vivíem, érem, treballàvem, fèiem, estudiàvem
vosaltres: teníeu, vivíeu, éreu, fèieu
ells / elles: tenien, vivien, eren, treballaven

23

1. imperfet d'indicatiu
2. passat perifràstic d'indicatiu
3. passat perifràstic d'indicatiu
4. imperfet d'indicatiu
5. passat perifràstic d'indicatiu
6. passat perifràstic d'indicatiu
7. passat perifràstic d'indicatiu
8. imperfet d'indicatiu
9. imperfet d'indicatiu
10. passat perifràstic d'indicatiu

24

1. estava estudiant
2. vaig acabar
3. vaig decidir
4. ens volíem
5. va ser
6. Vam tenir
7. vam anar
8. es pensaven
9. era
10. em va impactar

25

1. vam marxar, hi havia, hi havia
2. va caure, vivies, vivia, treballava
3. hi va haver / va haver-hi, vivien, treballaven, estudiàvem, vivíem
4. vau tenir, vivíeu, Vivíem
5. va néixer, feia, tenia, estudiava

26

1. vas venir
2. se'n va anar
3. me'n vaig anar
4. ens en vam anar / vam anar-nos-en
5. venir
6. se'n van anar
7. vaig venir

28

1. li, una mica
2. els, gaire
3. us vau, força, es
4. ens, malament
5. Et, Una mica
6. li, molt, va a nedar.
7. van anar a, els, es, força.

29

1. a, a, de
2. de, de
3. de
4. a
5. de, de, de
6. a
7. a
8. de, a
9. a

10. a, a
11. a
12. a, de
13. a, de
14. d'
15. de
16. de

30

1. a; 2. b; 3. b; 4. b

31

1. b
2. a
3. g
4. c
5. d
6. e
7. f

33

1. vam tenir
2. Són
3. tenia
4. se'n va anar / va anar-se'n
5. va conèixer
6. estudiava
7. va acabar / van acabar
8. va tornar
9. va dir
10. enyorava
11. va venir
12. va arribar
13. era
14. vam tenir
15. parlàvem
16. va tenir
17. es va quedar / va quedar-se
18. van decidir
19. se'n van anar / van anar-se'n
20. fa
21. tenen
22. viuen
23. es queden
24. són
25. canvia
26. Ens llevem
27. comença
28. agrada
29. fa
30. ens dutxem
31. té
32. comencen
33. juguen
34. pleguen
35. surt

100
CENT

Unitat 6

QUINA GANA!

QUINA GANA!

1 **Escriu d'on són típics aquests plats.**

	la pizza	*La pizza és italiana.*
1	el pa amb tomàquet	
2	l'escudella	
3	el cuscús	
4	la xucrut	
5	el rosbif	
6	la tira asada	
7	el guacamole	
8	la fondue	
9	els espaguetis	
10	la paella	

2 **Relaciona els plats amb els ingredients bàsics. Hi pot haver més d'un ingredient per plat i un ingredient pot ser en més d'un plat.**

1	xucrut		llenties
2	fondue		albergínia
3	guacamole		verdures diverses
4	espaguetis		arròs
5	*kefta de xai*		tomàquet
6	paella	5	carn de xai
7	moros y cristianos		peix
8	mussaca		farina
9	pizza		carn de vedella
10	rosbif		col
11	sashimi		alvocat
12	chop suey		carn de bou
13	tilapia amb verdures		formatge
14	tira asada		

3 **Escolta la conversa i marca quins plats agraden a les persones que parlen. Després escriu els ingredients que s'han dit en aquesta conversa.**

	Enviat	Entrevistat 1	Entrevistat 2	Entrevistat 3
lasanya d'albergínia				
pa amb tomàquet i pernil				
sashimi				
paella				
xucrut				
mongetes amb botifarra				

4   Completa els diàlegs amb la forma adequada del verb **preferir**.

1   Nosaltres _____ menjar peix. I vosaltres, què _____?

Jo també _____ peix.

Doncs, jo _____ carn.

2   I vostè, què _____: espaguetis o arròs?

_____ els espaguetis.

Molt bé.

3   Quina carn _____ els teus pares? Vedella o xai?

No ho sé, perquè normalment mengen peix.

4   I tu, què _____: el menjar xinès o el menjar japonès?

Depèn del restaurant.

5   Transforma els diàlegs anteriors canviant el verb **preferir** per **estimar-se més**.

1   Nosaltres _____ menjar peix. I vosaltres, què _____?

Jo també _____ menjar peix.

Doncs, jo _____ menjar carn.

2   I vostè, què _____: espaguetis o arròs?

_____ els espaguetis.

Molt bé.

3   Quina carn _____ els teus pares? Vedella o xai?

No ho sé, perquè normalment mengen peix.

4   I tu, què _____: el menjar xinès o el menjar japonès?

Depèn del restaurant.

6   Completa els diàlegs amb **estimar-se més** o **agradar** i els pronoms necessaris.

1   I vostès què _____: escudella o cuscús?

Jo _____ el cuscús perquè l'escudella no_____.

A mi tampoc no _____.

Doncs, dos cuscussos.

2   A ella, _____ el pa amb tomàquet?

Sí, sí que _____, però a la nit, per sopar, _____

prendre una mica de formatge.

3   _____ el formatge a vosaltres? Sí, molt. I a tu, _____?

Sí, també, molt, sobretot _____ el formatge francès.

Doncs, jo _____ el formatge manxego.

4   Als teus germans _____ les llenties?

Sí, sí que _____, però _____ menjar pasta.

5   I vosaltres què _____: carn de vedella o carn de bou?

_____ el bou. La vedella d'aquí no _____ gaire.

7 **En cada frase hi ha un error. Busca'l i corregeix-lo.**

1 Jo, m'agrada més l'escudella que el cuscús.

2 M'estimo el formatge francès.

3 Prefereixo més els espaguetis.

4 L'agrada el menjar xinès.

5 Li estima més menjar a casa que al restaurant.

6 La verdura? A mi no m'agrado.

7 M'encanto la paella.

8 A en Josep l'encanta el menjar japonès.

9 T'agrada el peix? Sí, m'encanta més.

10 A mi m'estimo més la fondue de carn.

11 A vosaltres us agrada les llenties?

12 A ells s'agraden molt els menjars catalans.

13 Tu t'agrada l'arròs?

14 Els nens els encanta la pizza.

15 Les meves germanes els estimen més el llegum que la verdura.

8 **Escolta i repeteix.**

1 Quin plat t'agrada més?
El gaspatxo.
Per què?
Perquè hi ha moltes verdures i a mi les verdures m'agraden molt.
Doncs, jo odio les verdures. No m'agraden gens.
I a vosaltres us agraden les verdures?
A mi, no gaire.
Jo m'estimo més els llegums.

2 Quin plat prefereixes?
Prefereixo la xucrut.
Què hi ha?
Col...
Uix! Quin fàstic. No suporto la col.
Doncs, a mi m'encanta.

9 **Escolta i marca les preferències.**

	M'agrada molt	No m'agrada gaire	No m'agrada gens
Persona 1			
Persona 2			
Persona 3			
Persona 4			
Persona 5			
Persona 6			

10 **Escolta el text de l'exercici 3 del llibre de l'alumne i després llegeix-lo en veu alta.**

11 **En parelles A i B. (A tapa el quadre de B, B tapa el quadre de A.) Demana i dóna la informació a la teva parella, per completar el quadre.**

A

Sr. Michelin
Pes: 150 kg
Alçada: 1,70 m

dilluns	carn vermella	dolços	pa	ous
dimarts	carn vermella	dolços	pa	
dimecres	carn vermella	dolços	pa	ous
dijous	carn vermella	dolços	pa	
divendres	peix blau	dolços	pa	fruita
dissabte	carn vermella	dolços	pa	
diumenge	carn vermella	dolços	pa	

Sra. Olívia

pes	
alçada	

hàbits alimentaris	
sempre	
gairebé sempre	
de tant en tant	
gairebé mai	
mai	

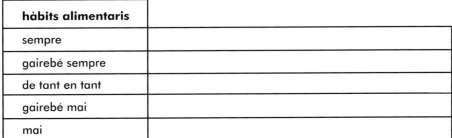

De carn, en menja?   Quanta en menja?   Cada quant?

B

Sra. Olívia
Pes: 55 kg
Alçada: 1,90 m

dilluns	verdura	pa	fruita
dimarts	verdura	iogurt	fruita
dimecres	verdura	pa	fruita
dijous	verdura	iogurt	fruita
divendres	pasta	iogurt	fruita
dissabte	verdura		fruita
diumenge	verdura	llegum	fruita

Sr. Michelin

pes	
alçada	

hàbits alimentaris	
sempre	
gairebé sempre	
de tant en tant	
gairebé mai	
mai	

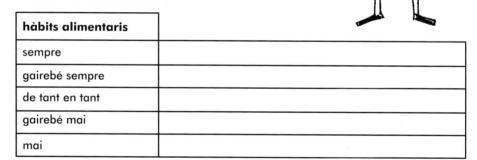

De carn, en menja?   *Quanta en menja?*   *Cada quant?*

 12 **Escolta i repeteix.**

1 Quant peses?
60 quilos.
Quant fas d'alçada?
Un metre seixanta-set.

2 Quant peseu?
Jo peso 70 quilos.
Jo, 80.
Quant feu d'alçada?
Jo faig un metre setanta-set.
Jo, un metre vuitanta-sis.

 13 **Escolta i repeteix.**

1 De fruita, en menges?
Sí, havent dinat i havent sopat.
Quan? Cada dia?
No, els diumenges menjo dolços.
I els gelats, t'agraden?
Sí, però engreixen molt.

2 Cada quant menges peix?
Un o dos cops per setmana menjo peix blau.
I de peix blanc, no en menges?
No gaire, perquè és molt car.

3 Prefereixes carn o peix?
Carn. En menjo molt sovint, cada dia per dinar.
No ets vegetarià, oi?

14 **En parelles A i B. (A tapa el quadre de B, B tapa el quadre de A.) Demana i dóna la informació a la teva parella, per completar el quadre.**

> *Què recomanen per esmorzar / berenar...?*

> *I a mig matí / a mitja tarda / abans d'anar a dormir...?*

> *Què s'ha de menjar per dinar / sopar...?*

A

ALS 20 ANYS	ALS 30 ANYS
És una etapa de gran activitat física que es caracteritza per un considerable consum calòric i en el qual encara s'està en fase de creixement.	Treball, maternitat i una vida més sedentària: perdre pes durant aquesta dècada és més difícil, i per a algunes persones es converteix en un veritable malson.

ALS 20 ANYS

Esmorzar

Llet descremada o dos iogurts desnatats.
Dues llesques de pa integral o cereals tipus musli o galetes integrals. 50 g de formatge fresc.

Mig matí

Dues peces de fruita i quatre nous.

Dinar

Amanida o verdura: espinacs, enciam, endívies, mongeta tendra, etc. amb algun hidrat de carboni complex: arròs, patates o llegum.
Peix o pollastre a la planxa.

Berenar

Un iogurt desnatat amb cereals i una peça de fruita.

Sopar

Es pot escollir:
Amanida amb tonyina, ou dur i pasta.
Pasta amb verdures: tomàquet, carbassó i formatge.
Entrepà de pa integral amb enciam, pollastre, pastanaga i tomàquet.
Arròs amb pollastre, bolets (xampinyons).

ALS 30 ANYS

Esmorzar

_____ o te. Una peça de _____: taronja, kiwi...

Pernil dolç i _____.

Mig matí

Una llesca de _____ o dues galetes integrals.

Dinar

_____ o verdures de fulla verda.

Es pot escollir:

_____.

Arròs integral o pasta amb verdures:

_____, _____, _____, _____.

Patates cuinades amb verdures: pebrots i julivert.

A mitja tarda

Dos dàtils amb _____.

Sopar

Només proteïna. Es pot escollir:

_____, pernil...

_____, pollastre o conill.

_____, formatge fresc, sense acompanyaments.

Abans d'anar a dormir

_____.

Què recomanen per esmorzar / berenar...?

I a mig matí / a mitja tarda / abans d'anar a dormir...?

Què s'ha de menjar per dinar / sopar...?

B

ALS 30 ANYS	ALS 20 ANYS
Treball, maternitat i una vida més sedentària: perdre pes durant aquesta dècada és més difícil, i per a algunes persones es converteix en un veritable malson.	És una etapa de gran activitat física que es caracteritza per un considerable consum calòric i en el qual encara s'està en fase de creixement.
Esmorzar Cafè o te. Una peça de fruita: taronja, kiwi... Pernil dolç i formatge fresc.	**Esmorzar** Llet descremada o _____. Dues llesques de _____ o cereals tipus musli o galetes integrals. 50 g de _____.
Mig matí Una llesca de pa amb oli d'oliva o dues galetes integrals.	**Mig matí** Dues peces de fruita i _____.
Dinar Amanida o verdures de fulla verda. Es pot escollir: Llegums amb verdures. Arròs integral o pasta amb verdures: tomàquet, bròquil, carbassó, bolets. Patates cuinades amb verdures: pebrots i julivert.	**Dinar** Amanida o verdura: espinacs, _____, _____, _____, etc. amb algun hidrat de carboni complex: arròs, _____ o llegum. Peix o _____ a la planxa.
A mitja tarda Dos dàtils amb quatre ametlles.	**Berenar** Un iogurt desnatat amb _____ i una peça de fruita.
Sopar Només proteïna. Es pot escollir: Vedella, pernil... Peix, pollastre o conill. Ous, formatge fresc, sense acompanyaments.	**Sopar** Es pot escollir: Amanida amb _____, _____ i _____. Pasta amb verdures: _____, _____ i formatge. Entrepà de pa integral amb enciam, _____, _____ i tomàquet. _____ amb pollastre, bolets (xampinyons).
Abans d'anar a dormir Un kiwi.	

---

15 Llegeix els textos i escriu els consells que et sembla que poden anar bé a aquests dos grups de persones.

Mals hàbits de dieta entre els nens

L'estudi Com mengen el nostres fills?, que es va presentar ahir, insisteix que un 20 % dedica menys de cinc minuts a l'esmorzar –molts només prenen un got de llet–, un de cada quatre veu la televisió mentre sopa i en general s'abusa dels embotits, els refrescos, la brioixeria, les pizzes o les hamburgueses. La majoria dels nens no mengen gairebé mai ni fruita ni verdura. Mengen moltes coses fregides, com el peix, la carn, les patates, i molt poques a la planxa o bullides.

No s'ha de menjar de pressa.
S'ha de fer un bon esmorzar, amb fruita, làctics i algun derivat de cereals.
S'ha de beure aigua i evitar sucs de fruita industrials.

MENJAR VERD

L'estudi És sana la dieta vegetariana? demostra que una dieta basada únicament en productes d'origen vegetal no és aconsellable per als adults i no és recomanable per als nens. El 70 % dels vegetarians entrevistats diuen que la seva dieta també inclou altres aliments com llegums, peix i ous; encara que no n'abusen. Un 20 % diu que menja verdures, cereals, llegums, fruita i productes làctics. I un 10 % assegura que la seva dieta es basa només en aliments d'origen vegetal.

16 **Escriu al quadre els noms dels productes segons com s'acostumen a menjar.**

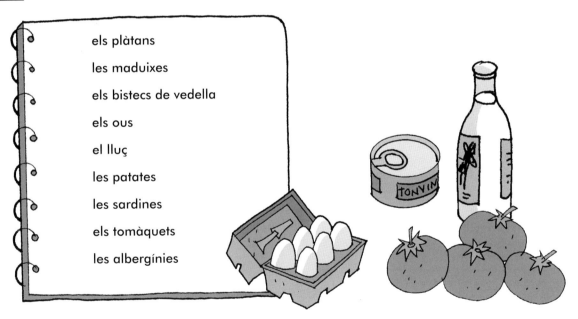

els plàtans

les maduixes

els bistecs de vedella

els ous

el lluç

les patates

les sardines

els tomàquets

les albergínies

a la planxa	a la brasa	fregit	bullit	cru

17 Completa el quadre amb els aliments.

Categoria	Aliment	Valor	Categoria	Aliment	Valor
Carns		100	Fruites seques		620
		172			670
		230			610
		110			690
Peixos		90	Verdures i hortalisses		20
		70			30
		90			15
		140			40
Ous i derivats		80	Fruites		40
					60
Llegums		310			60
		330			30
		300	Sucres i productes dolços		400
		80			300
Cereals i derivats		350			710
		250	Greixos		770
		210			750
		360	Làctics		70, 40
Fècules		70			
Olis		930			70, 40
		930			
		930			350, 370, 400
		930			
			Begudes alcohòliques		80
					70

ametlles	de soja	mel	poma
arròs	enciam	mongetes	porc
avellanes	formatge	nous	rap
cacauets	iogurt	ous de gallina	sardina
cava	llenguado	pa	sucre
ceba	llenties	pa integral	taronja
cigrons	llet	pasta	tomàquet
cireres	lluç	pastanaga	vedella
d'oliva	maduixes	patates	vi
de blat de moro	mantega	pèsols	xai
de gira-sol	margarina	pollastre	xocolata

18 Escolta el text de l'exercici 8 del llibre de l'alumne i després llegeix-lo en veu alta.

19 Llegeix el text i completa el quadre.

Mercat de la Llibertat

El Mercat de la Llibertat és al barri de Gràcia de Barcelona. El 1831 es va presentar un projecte d'urbanització dels camps de la vila de Gràcia on més endavant es va edificar el mercat. El nou espai va quedar envoltat de cases i es va dir plaça del Rei. Al principi, els pagesos hi van anar a vendre verdura i aviram. El 1836 la plaça va passar a dir-se plaça de la Constitució fins que, el 1840, va agafar el nom que encara manté ara: plaça de la Llibertat. Hi ha parades d'aviram, caça i ous, cansalada i embotits, fruita i verdura, llegums i cereals, peix fresc i marisc, pesca salada i conserves, queviures...

L'horari del mercat d'alimentació és: dilluns de 7 a 14; dimarts, dimecres i dijous de 7 a 14 i de 17 a 20; divendres de 7 a 20 i dissabtes de 7 a 15.

L'horari de les parades especials és: dilluns, dimarts i dimecres de 9.30 a 14; dijous de 9.30 a 14 i de 17 a 20; divendres de 9.30 a 20 i dissabtes de 9.30 a 15.

El Mercat de Sant Antoni

Es va inaugurar el setembre del 1882. El mercat respon a la idea d'Ildefons Cerdà de construir un mercat al voltant de la porta de Sant Antoni, just quan es traçava el Pla de l'Eixample de Barcelona i davant la necessitat de dotar aquesta zona d'un centre de proveïment.

Es compon de tres mercats en un: a l'interior hi ha el d'alimentació; a l'exterior, els encants d'objectes no comestibles, obert quatre dies a la setmana; i també a l'exterior, el mercat dedicat al llibre vell, obert els diumenges.

L'horari del mercat d'alimentació és: dilluns, dimarts, dimecres, dijous i dissabtes de 7 a 14.30 i de 17.30 a 20.30. Divendres de 7.00 a 20.30.

Mercat de Felip II

El Mercat de Felip II va néixer el 1966 a Barcelona, entre els carrers de Felip II, Olesa, Juan de Garay i Garcilaso. Va coincidir amb l'època d'un gran increment del nombre de mercats municipals a la ciutat, des de l'any 1957 fins al 1974. Hi destaca l'original sistema de celoberts en forma de barrets que són a la coberta i que il·luminen tot el mercat.

L'horari del mercat d'alimentació és: de dilluns a dijous i dissabtes de 7 a 14. Divendres de 7 a 20. Les parades especials fan un horari diferent: de dilluns a dijous i dissabtes de 10 a 14 i divendres de 10 a 20.

	Mercat de la Llibertat	Mercat de Sant Antoni	Mercat de Felip II
Situació			
Any d'inauguració o del projecte			
Horari del mercat d'alimentació			

20 **Escolta i marca al quadre les opinions de les persones respecte als seus hàbits d'anar a comprar.**

		Persona 1	Persona 2	Persona 3	Persona 4
a	Al mercat, hi compra només els productes frescos.				
b	Al mercat, hi compra verdura i fruita.				
c	Compra al supermercat.				
d	Compra tots el productes al supermercat.				
e	La carn, la compra en una botiga.				
f	No va gairebé mai al mercat.				
g	No va mai al supermercat ni al mercat.				
h	Va a comprar al mercat els dissabtes.				
i	Va al mercat i al supermercat un cop per setmana.				
j	Va al supermercat més de dues vegades a la setmana.				

21 **Escriu frases utilitzant els elements de tots dos quadres.**

peixateria

formatgeria

carnisseria

parada de fruita i verdura

parada d'embotits

cebes

formatge

lluç

maduixes

mongetes

patates

pernil

rap

sardines

vedella

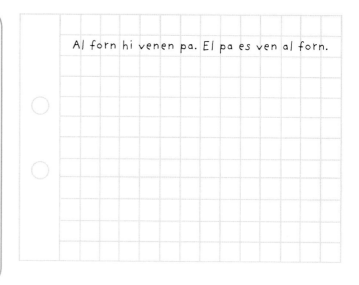

Al forn hi venen pa. El pa es ven al forn.

22 **Marca la casella que correspongui segons com s'acostumen a comprar aquests productes.**

	patates	olives	vedella	tonyina	espàrrecs	pernil dolç	ous	llet	arròs	cebes
quilo / grams										
llauna										
tall										
paquet										
tros										
bossa										
ampolla										
pot										
dotzena										

23 Corregeix la llista de la compra, reordenant les paraules ressaltades, sense repetir-ne cap i fent els canvis de nombre necessaris.

2 **paquets** de llet.
1 **ampolla** de sucre.
1 **bossa** de tonyina.
1 **quilo** d'ous.
250 **llaunes** de formatge.
2 **talls** de pomes.
3 **grams** de vedella.
1 **pot** de patates.
2 **talls** d'olives.
12 **dotzenes** de pernil dolç.

24 Ordena el diàleg entre el venedor i el client i escriu-lo.

Venedor

9 euros amb 30.

A 10 euros el quilo.

Dos quilos de madurs, molt bé. Què més?

És que no és temporada!

Gràcies!

Hola, bon dia!

No, ho sento. No me'n queda!

Passi-ho bé i gràcies.

Què vol?

Res més?

Sí, quants en vol?

Client

A quant van les maduixes?

Doncs res més. Quant és?

Doncs un quilo de peres.

En vull dos quilos, però que siguin madurs.

Hola, bon dia!

Passi-ho bé.

Que té julivert?

Que té préssecs?

Tingui.

Ui, que cares!

Hola, bon dia!
Hola, bon dia!

25 **Amb totes aquestes frases fes quatre diàlegs sense repetir cap frase.**

Més aviat prims.

Com els vol?

Més aviat madurs.

Com els vol?

Posi'm pernil dolç.

Dos quilos.

Quants en vol?

Posi'm patates.

Quant en vol?

Tres talls.

Quanta en vol?

Posi'm préssecs.

Que siguin grosses.

Posi'm vedella.

Sis.

Com les vol?

Com la vol?

Quantes en vol?

Que sigui tendra.

Cinc talls.

Diàleg 1

Diàleg 2

Diàleg 3

Diàleg 4

26 **Busca parelles de contraris.**

blanca

petita

grossa

barats

seca

prims

amargs

cars

madures

petit

cara

seques

verdes

gruixuts

verds

rodona

allargada

madurs

dolça

barata

gros

tendra

tendres

dolços

negra

amarga

27 **Completa les frases amb la forma adequada de l'adjectiu que hi ha entre parèntesis.**

1 Les maduixes són _____ (dolç) i _____ (vermell).

2 El formatge és _____ (tendre) i la carn també és _____ (tendre).

3 Les sardines són _____ (fresc) i _____ (gros).

4 La llet és _____ (blanc), _____ (fresc) i _____ (descremat).

5 Els plàtans són _____ (allargat) i de color _____ (groc).

6 Les cireres són _____ (petit) i _____ (rodó).

7 Aquestes pomes no m'agraden perquè són massa _____ (verd), i a mi m'agraden més _____ (madur).

8 Com vol els iogurts? _____ (desnatat)?

9 Els talls, com els vol? _____ (prim) o _____ (gruixut)?

10 Aquestes avellanes són _____ (barat) perquè són _____ (sec).

11 Quins pots vols? Els _____ (gris)?

12 Aquestes llenties són _____ (marró) i aquelles, més aviat _____ (groc).

13 Quina és la cervesa txeca? La de les llaunes _____ (blau)?

14 Les albergínies són _____ (allargat) i _____ (fosc).

15 Quina bossa vols? La _____ (verd) o la _____ (groc)?

16 El carbassó és una verdura _____ (allargat) i _____ (rodó), _____ (verd) per fora i _____ (blanc) per dins.

28 **Escolta el diàleg i completa la llista.**

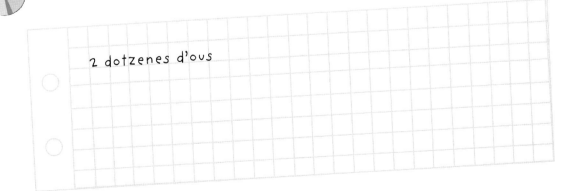

2 dotzenes d'ous

29 **Escolta i repeteix.**

1 Que hi ha pomes?
  Només n'hi ha dues.

2 Doncs compra'n mig quilo.
  Com les compro?
  Que siguin verdes.

3 Que queden iogurts?
  No en queda cap.
  Doncs compra'n sis.

4 De pernil, que n'hi ha?
  No, no en queda gens.

30 **Completa les frases amb el pronom en (n', 'n), quan sigui necessari.**

1 Quants àpats _____ fas al dia?
  _____ faig 3.

2 Teniu gana?
  No, no _____ tenim.
  I vosaltres, _____ teniu?
  No, tampoc.

3 Quantes taronges _____ compro?
  Compra _____ tres quilos.

4 _____ hi ha aigua?
  No, no _____ hi ha, només _____ hi ha vi.

5 Compro tomàquets?
  Sí, compra _____ mig quilo.

6 De formatge, _____ hi ha?
  Sí, sí que _____ queda.

7 Quants iogurts _____ hi ha a la nevera?
  No _____ hi ha cap.

8 Quantes ampolles d'aigua _____ queden?
  Només _____ queden tres.

9 De pernil, quant _____ vols?
  _____ vull tres talls.

10 No _____ hi ha taronges. Només _____ queda una.

11 De llaunes de cervesa, _____ queden?
  No, no _____ hi ha cap.

12 De cigrons, _____ hi ha?
  Sí, sí que _____ hi ha cigrons.

31 Completa les frases amb els articles **el, la, els i les** i els pronoms **el, la, els i les.**

1 Com vols _____ tomàquets?

   _____ vull més aviat madurs.

2 Com voleu _____ formatge?

   _____ volem tendre.

3 Tens _____ patates?

   Sí, ja _____ tinc.

4 _____ peix, _____ compres tu o _____ compro jo?

   Ja _____ compro jo.

5 Teniu _____ enciams?

   No, ara _____ comprem.

6 Vols _____ préssecs grossos o petits?

   _____ vull més aviat grossos.

7 _____ carn, _____ vols crua, oi?

   No, no, _____ vull molt cuita.

8 _____ maduixes, _____ vols amb suc de taronja?

   No, _____ vull amb sucre.

9 _____ llet, _____ vols en un vas o en una tassa?

   _____ vull en una tassa.

10 _____ pernil, _____ vols prim o gruixut?

    _____ vull més aviat prim.

32 En cada diàleg hi ha un error. Busca'l i corregeix-lo.

1 Hi ha patates?
   Sí que n'hi ha patates.

2 Com vols les pomes?
   En vull madures.

3 Quants cogombres vols?
   Els vull dos.

4 Quant vols?
   Tres quilos.

5 Com en vol?
   Que siguin fresques.

6 N'hi ha ous?
   No, no n'hi ha.

7 Que hi ha llet?
   Sí que la queda.

8 Queda vi blanc?
   No, però en queda vi negre.

9 Teniu cebes?
   No, no les tenim.

10 Quanta en volen?
    Volem mig quilo.

11 Compro cireres?
    Sí, però que sigui madures.

33 **Completa les frases amb cap, gens o gens de (gens d').**

1 Que queden tomàquets?

No, no en queda _____.

2 Has de comprar carn perquè no en queda _____.

3 Has de comprar aigua perquè no en queda _____ ampolla.

4 No hi ha _____ oli.
Segur que no queda _____ ampolla d'oli?
Segur.

5 Queda julivert?

No, no en queda _____.

6 Vols un suc de taronja?

No gràcies, no tinc _____ set.

7 Hi ha pernil a la nevera?

No, no en queda _____.

8 Vols menjar ara?

Ara no tinc _____ gana, potser més tard.

9 Hi ha patates?

No, no hi ha _____ patata, ni una.

10 Has de comprar iogurts, perquè no en queda _____.

11 D'aquestes pizzes, no me n'agrada _____: ni la de formatge, ni la de pernil...

12 I de cafè, en tenim?

No, no en queda _____.

13 No hi ha _____ arròs!
De veritat que no queda _____ paquet d'arròs?

14 Ho sento però no tinc _____ sucre.

15 Aquesta sopa no m'agrada _____.

16 Podem menjar una pizza avui.
Una pizza? Les pizzes no m'agraden _____.

34 Marca a, b o c.

1 Què _____?
Posi'm pernil dolç.
a) vull
b) vol
c) volem

2 Queden cigrons?
No, no _____.
a) en queden
b) en queda
c) els queden

3 Que hi ha iogurts a la nevera?
No en queda _____.
a) gens
b) cap
c) gaire

4 No hi ha _____ julivert per fer els xampinyons.
a) gens
b) gens de
c) cap

5 Bon dia, senyor Ramon. _____ pastanagues.
a) Posa'm
b) Posi'n
c) Posi'm

6 A quant _____ el rap?
A 80 euros el quilo.
a) costa
b) és
c) va

7 Com vols els talls de pernil?
a) Gruixuts.
b) Grossos.
c) Grans.

8 Vol alguna cosa més?
No, _____ més.
a) cap
b) res
c) gens

9 Fem una escalivada?
No, perquè no queda cap _____.
a) pebrot
b) pebrots
c) de pebrot

10 D'espàrrecs, _____?
a) n'hi ha
b) hi ha
c) hi han

35 Completa el quadre.

	Haver de + infinitiu	Imperatiu	Poder + infinitiu
	Has de comprar un pot d'olives.	*Compra un pot d'olives.*	*Pots comprar un pot d'olives?*
1		Apunti això a la llista.	
2	Ha de posar-me tomàquets.		
3			Pots comprar pomes?
4		Compra mig quilo de maduixes.	
5	Ha d'escoltar.		
6			Pot comprar formatge?
7		Passi'm la sal.	
8			Pots deixar-me la carta?
9	Has de dir-me què vols.		
10		Escolta.	
11			Pot esperar un moment?

36 Escolta els diàlegs de l'exercici 16 del llibre de l'alumne i després llegeix-los en veu alta.

37 Fes un menú amb els plats següents.

Arròs a la cassola   Músic   Bacallà amb samfaina   Mel i mató

Bistec a la planxa   Empedrat   Amanida   Escalivada   Faves a la catalana

Pollastre rostit   Fruita del temps   Flam

Menú	Primer plat	Segon plat	Postres
	_____	_____	_____
	_____	_____	_____
	_____	_____	_____
	_____	_____	_____

38 Relaciona les preguntes amb les respostes.

1	Què volen de primer?		a	Doncs jo, peix a la planxa.
2	I de segon?		b	Vi i aigua.
3	Com el vol, cuit, cru o al punt?		c	Sí, negre està bé.
4	I vostè?		d	Bistec amb patates.
5	Per beure?		e	Una amanida i espàrrecs amb pernil.
6	Negre?		f	Més aviat cru.

39 Relaciona les frases de la columna de l'esquerra amb totes les frases possibles de la columna de la dreta.

1	Deixa'm la carta.		a	Té.
2	Em pot portar una copa, sisplau?		b	Tingui.
3	Escolti, sisplau!		c	Ara mateix.
4	Passa'm la sal.		d	De seguida.
5	Per favor, el compte!		e	Oh, i tant.
6	Per postres?		f	Digui.
7	Què és això?		g	Jo no vull res.
8	Que poden abaixar l'aire condicionat?		h	Una sopa típica catalana.
9	Què volen de segon?		i	Un bistec i lluç a la planxa.
10	Per beure?		j	Jo prefereixo aigua.

40 **Marca els ingredients que es poden trobar en una paella.**

	pebrots		ous		musclos
	sardines		arròs		pernil
	pèsols		formatge		gambes
	avellanes		carxofes		ceba
	tomàquets		llenties		nous
	olives		mantega		mel

41 **En parelles A i B. (A tapa el quadre de B, B tapa el quadre de A). Demana i dóna la informació a la teva parella, per completar el quadre.**

A

Saps què hi ha a l'escalivada?   *Què és l'esqueixada?*

escalivada	
escudella	Arròs o pasta amb brou.
rostit amb prunes	
suquet de rap	Plat de peix cuinat amb all, tomàquet, julivert, farina i aigua.
mel i mató	
un músic	Postres de fruites seques: avellanes, ametlles, figues...
esqueixada	
flam	Dolç fet amb llet, sucre i ous.
empedrat	
samfaina	Verdures cuites: albergínia, pebrot, tomàquet, ceba, carbassó...
braç de gitano	
mandonguilles	Boles de carn fregides.

B

Saps què hi ha a l'escalivada?   *Què és l'esqueixada?*

escalivada	Albergínies, pebrots, tomàquets i ceba a la brasa, amb oli i sal.
escudella	
rostit amb prunes	Carn (pollastre, vedella...) cuinada amb tomàquet, ceba...
suquet de rap	
mel i mató	Formatge fresc, típic de Montserrat, amb mel.
un músic	
esqueixada	Amanida de bacallà o tonyina, enciam, tomàquet, olives...
flam	
empedrat	Amanida de mongetes, tomàquet, cebes i olives.
samfaina	
braç de gitano	Pastís de pa de pessic amb nata, crema o xocolata.
mandonguilles	

42 **Completa l'entrevista a la ràdio sobre dietes.**

Locutor: Avui parlem de la dieta dels catalans. Els catalans segueixen una dieta equilibrada? Tenim amb nosaltres la doctora Miralpeix, especialista en dietètica. Bona tarda, doctora Miralpeix.

Dra. Miralpeix: Bona tarda!

Locutor: Vostè creu que els catalans mengem adequadament?

Dra. Miralpeix: Crec que sí. Molts catalans pensen que el primer _____ (1) del dia, l'esmorzar, és molt important. I això ja és un signe que anem pel bon camí. Nosaltres, els especialistes, sempre diem que hem de menjar més _____ (2) matí que _____ (3) vespre, perquè menjar molt _____ (4) d'anar-se'n a dormir no és gens sa.

Locutor: Però nosaltres _____ (5) saber què mengen en realitat els catalans _____ (6) esmorzar. Mengen poc o molt? Amb nosaltres tenim en Josep Miravet que fa _____ (7) venedor al mercat central d'alimentació de la ciutat. Sr. Miravet, _____ (8) menja vostè a primera hora _____ (9) matí?

Sr. Miravet: Ui! Jo menjo molt. Esmorzo molt _____ (10), a les quatre de la _____ (11). _____ (12) un cafè i una o dues llesques de pa sucat amb _____ (13) amb pernil. Després, a les vuit _____ (14) matí, esmorzo un altre _____ (15). Aleshores _____ (16) una cervesa o un got de vi i un bon plat de botifarra amb mongetes. Ah! I també, un cafè i una copa.

Locutor: I _____ (17) cafès pren, en un dia?

Sr. Miravet: Només _____ (18) prenc tres. Un cafè _____ (19) em llevo, un altre _____ (20) d'esmorzar i l'últim _____ (21) sopat.

Locutor: Doctora, creu que tothom _____ (22) esmorzar com el senyor Miravet?

Dra. Miralpeix: Home... Depèn del pes, de la feina... Potser no ha de prendre tants cafès. I _____ (23) verdura, no en menja mai? Perquè en una dieta equilibrada _____ (24) menjar verdura, fruita...

Sr. Miravet: Verdura! Uix, _____ (25) fàstic! El meu pare mai no _____ (26) verdura i va viure fins als cent anys!

Locutor: Bé, ara parlem amb el Guillem Esteve, un noi de 16 anys, que estudia _____ (27) institut de Lleida.

Guillem: _____ (28) matí, sempre esmorzo amb _____ (29) pares i _____ (30) germanes: un bol de cereals amb llet i un _____ (31) de taronja. És boníssim i diuen que és molt sa. A _____ (32) matí, menjo un entrepà.

Locutor: Creus que menges d'una manera equilibrada? Menges verdura, per exemple?

Guillem: Sí, sí _____ (33) en menjo, però no _____ (34) gaire. Però _____ (35) casa meva hem de menjar de tot: verdura, peix, carn, fruita... Això sí, _____ (36) una cosa que no _____ (37): les sardines! _____ (38) odio!

Locutor: Vols dir que no _____ (39) més una pizza que un plat de verdura?

Guillem: Oh, i tant! És clar que _____ (40) una pizza! Però que _____ (41) grossa, _____ (42) i amb molt formatge. No m'agraden les pizzes primes.

Locutor: Doctora, menja bé el Guillem?

Dra. Miralpeix: En principi sí. Sembla que fa una bona dieta i això s'aprèn de petit. Els pares _____ (43) ensenyar uns bons hàbits alimentaris.

Locutor: Així tots els joves han de menjar com el Guillem?

Dra. Miralpeix: No... Depèn de la constitució: el pes i l'alçada. Per exemple: tu, Guillem, quant _____ (44)?

Guillem: 65 quilos.

Dra. Miralpeix: I quant _____ (45) d'alçada?

Guillem: Un metre noranta.

Dra. Miralpeix: Estàs bé, però pots menjar una mica més, perquè estàs més aviat prim.

Locutor: Bé, el temps s'acaba i és l'hora de berenar. M'hi volen acompanyar?

1 Solucions orientatives

1. El pa amb tomàquet és català.
2. L'escudella és catalana.
3. El cuscús és marroquí.
4. La xucrut és alemanya.
5. El rosbif és anglès.
6. La tira asada és argentina.
7. El guacamole és mexicà.
8. La fondue és suïssa.
9. Els espaguetis són italians.
10. La paella és valenciana.

2 Solucions orientatives

llenties: 7. albergínia: 8. verdures diverses: 13, 12. arròs: 6, 7. tomàquet: 3, 4, 6, 9. peix: 6, 11. farina: 4, 9. carn de vedella: 8, 10, 12, 14. col: 1. alvocat: 3. carn de bou: 10, 14. formatge: 2, 9

3

lasanya d'albergínia: entrevistat 1, enviat
pa amb tomàquet i pernil: entrevistat 2
sashimi: entrevistat 3
paella: entrevistat 2
xucrut: enviat
mongetes amb botifarra: entrevistat 2

Ingredients: albergínia, tomàquet, formatge, pa, pernil, peix cru, col, salsitxes, mongetes, botifarra...

4

1. preferim, preferiu, prefereixo, prefereixo
2. prefereix, Prefereixo
3. prefereixen
4. prefereixes

5

1. ens estimem més, us estimeu més, m'estimo més, m'estimo més
2. s'estima més, M'estimo més
3. s'estimen més
4. t'estimes més

6

1. s'estimen més, m'estimo més, m'agrada, m'agrada
2. li agrada, li agrada, li agrada / s'estima més
3. Us agrada, t'agrada, m'agrada, m'estimo més
4. els agraden, els agraden, s'estimen més
5. us estimeu més, Ens estimem més, ens agrada

7

1. A mi m'agrada... / Jo m'estimo...
2. M'estimo més... / M'agrada
3. Prefereixo els espaguetis.
4. Li agrada...

5. S'estima... / Li agrada...
6. ...no m'agrada.
7. M'encanta...
8. ...li encanta...
9. ...m'encanta.
10. A mi m'agrada més... / Jo m'estimo més...
11. ...us agraden...
12. A ells els agraden...
13. (A tu) t'agrada...
14. Als nens...
15. ...s'estimen més... / els agrada més...

9

Persona 1: M'agrada molt.
Persona 2: No m'agrada gens.
Persona 3: No m'agrada gaire.
Persona 4: No m'agrada gens.
Persona 5: M'agrada molt.
Persona 6: No m'agrada gaire.

16 Solucions orientatives

a la planxa: els bistecs de vedella, el lluç, les sardines, les albergínies

a la brasa: els bistecs de vedella, les sardines, les albergínies

fregit: els bistecs de vedella, els ous, el lluç, les patates, les sardines, els tomàquets, les albergínies

bullit: els ous, el lluç, les patates

cru: els plàtans, les maduixes, els tomàquets

17 Solucions al llibre de l'alumne

19

Mercat de la Llibertat
Situació: barri de Gràcia (plaça de la Llibertat).
Any d'inauguració o del projecte: 1831.
Horari del mercat: dilluns de 7 a 14; dimarts, dimecres i dijous de 7 a 14 i de 17 a 20; divendres de 7 a 20 i dissabtes de 7 a 15.

Mercat de Sant Antoni
Situació: barri de l'Eixample de Barcelona.
Any d'inauguració o del projecte: 1882.
Horari del mercat d'alimentació: dilluns, dimarts, dimecres, dijous i dissabtes de 7 a 14.30 i de 17.30 a 20.30. Divendres de 7 a 20.30.

Mercat de Felip II
Situació: entre els carrers de Felip II, Olesa, Juan de Garay i Garcilaso.
Any d'inauguració o del projecte: 1966.
Horari del mercat d'alimentació: de dilluns a dijous i dissabtes de 7 a 14. Divendres de 7 a 20.

20

Persona 1: b, e, h
Persona 2: c, d, f, j
Persona 3: a, c, i
Persona 4: g

21

A la peixateria hi venen lluç, rap i sardines. / El lluç, el rap i les sardines es venen a la peixateria.
A la formatgeria hi venen formatge. / El formatge es ven a la formatgeria.
A la carnisseria hi venen la vedella. / La vedella es ven a la carnisseria.
A la parada de fruita i verdura hi venen cebes, maduixes, mongetes i patates. / Les cebes, les maduixes, les mongetes i les patates es venen a la parada de fruita i verdura.
A la parada d'embotits hi venen pernil. / El pernil es ven a la parada d'embotits.

22 Solucions orientatives

quilo / grams: patates, olives, vedella, tonyina, pernil dolç, arròs, cebes
llauna: olives, tonyina, espàrrecs
tall: vedella, tonyina, pernil dolç
paquet: arròs
tros: vedella, tonyina
bossa: patates, cebes
ampolla: llet
pot: olives, espàrrecs
dotzena: ous

23

2 ampolles de llet
1 paquet de sucre
1 llauna de tonyina
1 dotzena d'ous
250 grams de formatge
2 quilos de pomes
3 talls de vedella
1 bossa de patates
2 pots d'olives
12 talls de pernil dolç

24 Solucions orientatives

V: Hola, bon dia!
C: Hola, bon dia!
V: Què vol?
C: Que té préssecs?
V: Sí, quants en vol?
C: En vull dos quilos, però que siguin madurs.
V: Dos quilos de madurs, molt bé. Què més?
C: A quant van les maduixes?
V: A 10 euros el quilo.
C: Ui, que cares!
V: És que no és la temporada!
C: Doncs un quilo de peres.
V: Res més?
C: Que té julivert?

6

V: No, ho sento. No me'n queda.
C: Doncs res més. Quant és?
V: 9 euros amb 30.
C: Tingui.
V: Gràcies.
C: Passi-ho bé.
V: Passi-ho bé i gràcies.

25

Diàleg 1
Posi'm pernil dolç.
Quant en vol?
3 / 5 talls.
Com els vol?
Més aviat prims.

Diàleg 2
Posi'm vedella.
Quanta en vol?
3 / 5 talls.
Com la vol?
Que sigui tendra.

Diàleg 3
Posi'm préssecs.
Quants en vol?
Sis.
Com els vol?
Més aviat madurs.

Diàleg 4
Posi'm patates.
Quantes en vol?
Dos quilos.
Com les vol?
Que siguin grosses.

26

grossa - petita
madurs - verds
prims - gruixuts
seca - tendra
cars - barats
dolços - amargs
rodona - allargada
blanca - negra
barata - cara
dolça - amarga
seques - tendres
gros - petit
madures - verdes

27

1. dolces, vermelles
2. tendre, tendra
3. fresques, grosses
4. blanca, fresca, descremada
5. allargats, groc
6. petites, rodones
7. verdes, madures
8. Desnatats
9. Prims, gruixuts
10. barates, seques
11. grisos
12. marrons, grogues
13. blaves
14. allargades, fosques
15. verda, groga
16. allargada, rodona, verda, blanca

28

2 dotzenes d'ous
1 paquet de farina
un tros de 250 grams de formatge tendre
1 quilo de pomes verdes
1 ampolla d'oli
1 ampolla de vi negre

30

1. ø, en; 2. en, en; 3. ø, 'n;
4. ø, n', ø; 5. 'n; 6. n', en;
7. ø, n'; 8. ø, en; 9. en, En;
10. ø, en; 11. en, n'; 12. n', ø

31

1. els, Els
2. el, El
3. les, les
4. El, el, el, el
5. els, els
6. els, Els
7. La, la, la
8. Les, les, les
9. La, la, La
10.El, el, El

32

1. Sí que n'hi ha.
2. Les vull madures.
3. En vull dos.
4. Quant en vols?
5. Com les vol?
6. Hi ha ous?
7. Sí que en queda.
8. No, però queda vi negre.
9. No, no en tenim.
10. En volem mig quilo.
11. Sí, però que siguin madures.

33

1. cap; 2. gens; 3. cap; 4. gens d', cap; 5. gens; 6. gens de; 7. gens; 8. gens de; 9. cap; 10. cap; 11. cap; 12. gens; 13. gens d', cap; 14. gens de; 15. gens; 16. gens

34

1. b; 2. a; 3. b; 4. b; 5. c; 6. c; 7. a; 8. b; 9. a;10. a

35

1. Ha d'apuntar això a la llista.
   Pot apuntar això a la llista?
2. Posi'm tomàquets.
   Pot posar-me tomàquets?
3. Has de comprar pomes.
   Compra pomes.
4. Has de comprar mig quilo de maduixes.
   Pots comprar mig quilo de maduixes?
5. Escolti.
   Pot escoltar?
6. Ha de comprar formatge.
   Compri formatge.
7. Ha de passar-me la sal.
   Pot passar-me la sal?
8. Has de deixar-me la carta.
   Deixa'm la carta.
9. Digue'm què vols.
   Pots dir-me què vols?
10. Has d'escoltar.
    Pots escoltar?
11. Ha d'esperar un moment.
    Esperi un moment.

37 Solucions orientatives

primer plat: amanida, empedrat, escalivada, faves a la catalana
segon plat: arròs a la cassola, bacallà amb samfaina, bistec a la planxa, pollastre rostit
postres: flam, fruita del temps, mel i mató, músic

38

1. e; 2. d; 3. f; 4. a; 5. b; 6. c

39 Solucions orientatives

1. a, b, c, d, e; 2. c, d, e; 3. f; 4. a, b, c, d; 5. b, c, d, e; 6. g; 7. h; 8. c, d, e; 9. i; 10. j

40 Solucions orientatives

pebrots, pèsols, tomàquets, arròs, carxofes, musclos, gambes, ceba

42

1. àpat; 2. al; 3. al; 4. abans; 5. volem; 6. per; 7. de; 8. què; 9. del; 10. d'hora / aviat; 11. matinada; 12. Prenc; 13. tomàquet; 14. del; 15. cop; 16. prenc; 17. quants; 18. en; 19. quan; 20. després; 21. havent; 22. ha d'; 23. de; 24. s'ha de; 25. quin; 26. va menjar; 27. en un / a un; 28. Al; 29. els meus; 30. les meves; 31. suc, 32. mig; 33. que; 34. m'agrada; 35. a; 36. hi ha; 37. m'agrada (gens) / suporto; 38. Les; 39. t'estimes / t'agrada; 40. prefereixo / m'estimo més; 41. sigui; 42. gruixuda; 43. han d'; 44. peses; 45. fas

Gramàtica

UNITAT 1 — JO SÓC AIXÍ

Verb ser

Present d'indicatiu

	SER
(jo)	sóc
(tu)	ets
(ell, ella, vostè)	és

Forma i ús dels pronoms personals forts (singular)

	masculí	femení
1a persona	jo	
2a persona	tu / vostè	
3a persona	ell	ella

- **Jo** és el pronom de primera persona. És la persona que parla. **Tu / vostè** és l'interlocutor.
- **Ell, ella** no són interlocutors.

Tractament informal i tractament i formal (singular)

	masculí	femení
tractament informal	tu	
tractament formal	vostè	

- Normalment **tu** s'utilitza entre amics o persones de la mateixa edat. Acostuma a utilitzar-se en la relació professor-alumne. Si utilitzem **tu,** el verb va en segona persona del singular.

  > I tu, qui **ets?**
  > Perdon**a**, qui **ets?**
  > Hola, **ets** la Maria Rosa?

- Normalment **vostè** s'utilitza en relacions professionals, amb persones desconegudes o amb persones grans o en relacions jeràrquiques. Si utilitzem **vostè,** el verb va en tercera persona del singular.

  > I vostè, qui **és?**
  > Perdon**i,** qui **és?**
  > Perdon**i, és** la senyora Comelles?

Presència / absència dels pronoms jo, tu, ell, ella, vostè

- En català no sempre és necessari dir ni escriure els pronoms forts **jo, tu, ell, ella, vostè**...
- Generalment en les respostes utilitzem **jo, ell** i **ella** en els casos següents:

	jo	ell / ella
Quan confirmem o neguem el que diu l'interlocutor.	Nadia? * Sí, sóc **jo.** No, **jo** sóc la Sofia.	Ella és la Nadia? * No, no és **ella.** No, **ella** és la Sofia.
Quan responem a una pregunta que es fa a diverses persones.	Com us dieu? **Jo,** Nadia. **Jo,** Sofia. Qui és la Sofia? * (Sóc) **jo.**	Com es diuen aquestes noies? **Ella,** Nadia i **ella,** Sofia. Qui és la Sofia? * (És) **ella.**
Quan es vol subratllar un contrast amb l'interlocutor. Sovint introduïm la frase amb **Doncs...**	Quin telèfon té (vostè)? No, **jo** no tinc telèfon. * Doncs **jo** sí que en tinc.	Quin telèfon té ell? No, **ell** no té telèfon. * Doncs **ella** sí que en té.
Quan l'interlocutor no sap si s'adrecen a ell.	Com et dius? * Qui? **Jo?** Qui ets? **Jo?** En Maurice.	Qui és? * Qui? **Ell?**

Generalment en les preguntes utilitzem **tu, vostè, ell** i **ella** en els casos següents:

	tu	vostè	ell / ella
Quan demanem una informació o una opinió i comencem la pregunta amb **I...**	* **I tu,** qui ets?	* **I vostè,** com es diu?	* **I ell,** quantes llengües parla? I **ella,** té telèfon?
Quan mostrem estranyesa.	**Tu,** ets en Maurice? Ets en Maurice, **tu?**	**Vostè,** és el senyor Rossinyol?	**Ell,** és en Maurice?

* En aquests casos els pronoms forts hi han de ser obligatòriament.

Ordre de la frase interrogativa

Normalment l'ordre de les frases interrogatives és: verb + subjecte.

*Com es diu (, **vostè**)?*
*Tens telèfon(, **tu**)?*

~~Com vostè es diu?~~

~~Tens tu telèfon?~~

El subjecte, però, pot començar la frase.

(Vostè,) com es diu?
(Tu) tens telèfon?

Articles personals

Ens identifiquem amb el verb **ser** + l'article personal + el nom (i cognoms).

	el nom comença per consonant	*el nom comença per vocal o **h**
noms d'home	**el / en**	**l'**
	Sóc **el** Samuel. = Sóc **en** Samuel.	Sóc **l'**Antoni. (home)
noms de dona	**la**	Sóc **l'**Hèctor. (home)
	Sóc **la** Jane.	Sóc **l'**Anna. (dona)
		Sóc **l'**Hermínia. (dona)

* Hi ha alguna excepció (el Hans, la Isabel...).

Interrogatiu qui

Serveix per demanar «quina persona». Només representa persones. És invariable.

SINGULAR		PLURAL	
masculí	femení	masculí	femení
qui			

Qui és aquest noi?
Qui és aquella noia?

Verb dir-se

Present d'indicatiu	
	DIR-SE
(jo)	em dic
(tu)	et dius
(ell, ella, vostè)	es diu

Presència / absència dels articles personals

▦ Amb el verb **ser** hi posem l'article personal, amb el verb **dir-se,** no.

ser + article + nom (i cognoms)	**dir-se** + nom (i cognoms)
Sóc **el** / **en** Samuel.	Em dic Samuel.
Sóc **la** Jane.	Em dic Jane.
És **l'**Aristide.	Es diu Aristide.

▦ Els vocatius no porten article personal.

> *Rita, com es diu aquella noia?*
> *Pep, qui és aquest noi?*

▦ Entre la paraula **senyor** / **senyora** i el nom no s'hi posa article personal.

> *És el senyor Gregori Sants.*
> *És la senyora ~~la~~ Lorena Mates.*

Ús dels verbs ser i dir-se

▦ Ens identifiquem amb el verb **ser** o amb el verb **dir-se,** indistintament.

> *Sóc la Teresa.*
> *Em dic Teresa.*

▦ Normalment demanem la identificació a una persona amb el verb **dir-se:** Com et dius? i no amb el verb **ser:** Qui ets?

▦ Quan demanem la identificació de terceres persones podem fer-ho amb tots dos verbs.

> *Com es diu aquest noi?*
> *Pere.*
> *Qui és aquest noi?*
> *En Pere.*

▦ Amb el verb **ser** podem donar altres informacions i amb el verb **dir-se,** només el nom.

> *Qui és aquell noi?*
> *És el professor.*

Interrogatiu com

▦ Amb el verb **dir-se** serveix per demanar el nom a algú. És invariable. Pot servir també per demanar una repetició.

> *Com et dius?*
> *Laia.*

> *Com?*
> *Laia.*

Forma i ús dels demostratius

SINGULAR	
masculí	femení
aquest	**aquesta**
aquell	**aquella**

▦ Per preguntar la identitat d'una tercera persona utilitzem els pronoms o els noms noi, noia, senyor, senyora... precedits de demostratius i el verb en tercera persona.

> *Qui és ella / aquesta?*
> *És la Carol.*

> *Qui és aquesta noia?*
> *És l'Anja.*

> *Qui és aquell noi?*
> *És en Martin.*

- **Aquell / aquella** s'utilitza per indicar algú que és lluny de jo i de tu.

- **Aquest / aquesta** s'utilitza per indicar algú que és a prop de jo i de tu.

aquell / aquella

aquest / aquesta

Forma i ús dels numerals cardinals

- Els números són masculins.
- Davant d'un nom, el número 1 (u) i els compostos es converteixen en **un / una** segons el gènere del nom.
- Davant d'un nom, el número 2 (dos) i els compostos es converteixen en **dos / dues** segons el gènere del nom.

	nom dels números	masculí	femení
1	u	un noi	una noia
2	dos	dos nois	dues noies
3	tres	tres nois, tres noies	
21	vint-i-u	vint-i-un nois	vint-i-una noies
32	trenta-dos	trenta-dos nois	trenta-dues noies

- Entre la desena i la unitat hi ha un guionet (-): trenta-u, quaranta-dos, cinquanta-tres...
- Només del 21 al 29 hi ha **i** entre els guionets.

21	vint-i-u	22	vint-i-dos	23	vint-i-tres
24	vint-i-quatre	25	vint-i-cinc	26	vint-i-sis
27	vint-i-set	28	vint-i-vuit	29	vint-i-nou

Verb tenir

Present d'indicatiu	
	TENIR
(jo)	tinc
(tu)	tens
(ell, ella, vostè)	té

- Per indicar l'edat utilitzem el verb **tenir** i no, el verb **ser**.

*Quants anys **tens?***
***Tinc** divuit anys.*

Interrogatiu quant

- Serveix per preguntar una quantitat i concorda en gènere i nombre amb el substantiu que acompanya.

SINGULAR		PLURAL	
masculí	femení	masculí	femení
quant	**quanta**	**quants**	**quantes**

***Quants** anys tens?*
***Quantes** llengües parles?*

Ús del pronom en

El pronom **en** es pot fer servir per substituir un substantiu indeterminat. Només substitueix el substantiu. El pronom sempre va davant del verb, en el present d'indicatiu. En les respostes, si diem el verb, també hem de dir el complement: el nom o el pronom **en.**

> Quants anys tens?
> Tinc 27 **anys.** = **En** tinc 27. = 27.   ~~Tinc 27.~~
>
> Tens telèfon?
> No tinc **telèfon.** = No **en** tinc. = No.   ~~No, no tinc.~~

No podem posar a la mateixa frase el nom i el pronom **en.**

> ~~En~~ tinc 27 anys.
>
> No ~~en~~ tinc telèfon.

Forma i ús de l'article definit amb ciutats i països

	masculí	femení
SINGULAR	el (l')	la (l')
PLURAL	els	les

Les ciutats van sense article: *París, Barcelona, Lima;* excepte si l'article forma part del nom de la ciutat: *L'Havana, el Caire.*

Els països d'Europa van sense article: *França, Itàlia, Holanda…*

Alguns països d'Àsia, d'Àfrica i d'Amèrica es poden dir amb article: *la Xina, el Japó, l'Índia, les Filipines, el Marroc, els Estats Units, el Canadà, el Perú, l'Equador, el Brasil, l'Argentina…*

Normalment posem l'article quan el nom del país és plural: *els Països Baixos, els Estats Units, les Filipines, els Països Catalans…*

Posem l'article quan hi ha la paraula país: *el País Basc…*

Forma i ús de la preposició de. Contracció

Per demanar el lloc de procedència utilitzem la preposició **de** i l'interrogatiu **on: d'on = de + on.**

> **D'on** ets?

Per indicar el lloc de procedència utilitzem la preposició **de** i el nom del lloc.

> Sóc **de** Barcelona.

La preposició **de** s'apostrofa sempre davant d'un nom que comença per vocal o per **h.**

> **d'**Atenes, **d'**Estònia, **d'**Itàlia, **d'**Oslo, **d'**Ucraïna
>
> **d'**Hamburg, **d'**Hercegovina, **d'**Hiroshima, **d'**Hondures

La preposició **de** es contrau amb l'article definit masculí, singular i plural.

de + el	del	**del** Japó
de + els	dels	**dels** Estats Units

La preposició **de** no es contrau si l'article definit és femení, singular i plural, o si l'article s'apostrofa amb el nom perquè comença per vocal o per **h.**

de la	**de la** Xina
de les	**de les** Filipines
de l'	**de l'**Equador / **de l'**Argentina

Els gentilicis

Per indicar el lloc de procedència podem utilitzar la forma **Sóc de...** o el gentilici corresponent.

> Sóc de **Catalunya.** = Sóc **català.** / Sóc **catalana.**

Tots els gentilicis s'escriuen amb minúscula.

Si el país de procedència ens és molt pròxim o familiar, acostumem a dir el gentilici; si no, diem el nom del país.

PAÍS	masculí acabat en consonants diverses	femení: **-a**
Suècia	suec	suec**a**
Brasil	brasiler	brasiler**a**
Canadà	canadenc	canadenc**a**
Turquia	turc	turc**a**
Noruega	*noruec	*noruec**a**
Espanya	espanyol	espanyol**a**
	masculí acabat en vocal tònica: **-à / -è / -í / -ó**	femení: **-ana / -ena / -ina / -ona**
Mèxic	mexic**à**	mexic**ana**
Eslovènia	eslov**è**	eslov**ena**
Marroc	marroqu**í**	marroqu**ina**
Letònia	let**ó**	let**ona**
	masculí acabat en **-ès**	femení: **-esa**
Dinamarca	dan**ès**	dan**esa**
Japó	japon**ès**	japon**esa**

*Alguns masculins acabats en -c, fan el femení en -g-. noruec, noruega.

Els femenins acabats en **-ana / -ena / -ina / -ona** i **-esa** no porten accent: italiana, xilena, argentina, bretona, portuguesa...

Sovint els noms de les llengües acostumen a ser iguals que els de les nacionalitats.

> Sóc català, parlo català.

Per indicar la llengua que es parla podem posar o no posar l'article.

> Parlo català. = Parlo el català.

Verb parlar

Present d'indicatiu	
	PARLAR
(jo)	parlo
(tu)	parles
(ell, ella, vostè)	parla

Quan no interessa qui és el subjecte d'una acció, es poden utilitzar les formes impersonals, que es fan amb el pronom **es** i el verb en tercera persona del singular o del plural.

Quines llengües **es parla**.../ **es parlen**...?	**Es parla** català.
	Es parla català i espanyol.
	Es parlen dues llengües: català i espanyol.

Interrogatiu quin

▨ Serveix per preguntar per la persona o la cosa individualitzada dins d'un grup. Concorda en gènere i nombre amb el substantiu que acompanya.

SINGULAR		PLURAL	
masculí	femení	masculí	femení
quin	**quina**	**quins**	**quines**

▨ Cal no confondre l'interrogatiu **quin** amb **qui** o **què**. **Quin** pregunta sobre un nom i **qui** i **què** pregunten sobre un verb.

Quina llengua parles?   ~~Qui~~ llengua parles?

~~Què~~ llengua parles?

Verb agradar

▨ Per expressar preferències d'activitats podem utilitzar el verb **agradar** + infinitiu. El verb **agradar** es conjuga en tercera persona perquè el subjecte és l'acció «agradada».

		AGRADAR
(a mi)	**m'**	
(a tu)	**t'**	agrada (fer esport...)
(a ell, ella, vostè)	**li**	

T'agrada fer esport?
M'agrada fer esport. / ~~Jo agrado fer esport.~~

▨ El verb **agradar** es conjuga amb els pronoms d'objecte indirecte **m'**, **t'** i **li**. Els pronoms **em** i **et** s'apostrofen perquè el verb comença amb vocal. El pronom **li** no s'apostrofa mai. Amb aquest verb, el pronom de tercera persona és **li** i no, **es**.

Li agrada fer esport?   ~~L' agrada escoltar música~~

~~S'agrada fer esport?~~

Presència / absència dels pronoms a mi, a tu, a vostè, a ell, a ella

▨ En català no sempre és necessari dir ni escriure les formes **a mi, a tu, a ell, a ella, a vostè...** quan fan d'objecte (directe o indirecte).

▨ Generalment en les respostes utilitzem **a mi, a ell, a ella** en els casos següents:

	a mi	a ell / a ella
Quan confirmem o neguem el que diu l'interlocutor.	T'agrada fer esport, oi? Sí, **a mi**, sí. No, **a mi,** no.	A ell, li agrada fer esport, oi? No, **a ell,** no.
Quan responem a una pregunta que es fa a diverses persones.	Us agrada ballar? **A mi,** sí. **A mi,** no.	Els agrada ballar? Sí. / No. * **A ella,** sí i **a ella,** no.
Quan es vol subratllar un contrast amb l'interlocutor. En aquest cas **a mi, a ell, a ella** acostumen a anar introduïts per **Doncs...**	M'agrada fer esport. * Doncs, **a mi,** no.	M'agrada fer esport. * Doncs, **a ella,** no.
Quan l'interlocutor no sap si s'adrecen a ell.	T'agrada escoltar música? * (A qui?) **A mi?**	Li agrada escoltar música? * (A qui?) **A ell?**

▨ Generalment en les preguntes utilitzem **a tu, a vostè, a ell, a ella** en els casos següents:

	a tu	a vostè	a ell / a ella
Quan demanem una informació o una opinió i comencem la pregunta amb I...	* **I a tu**, què t'agrada fer?	* **I a vostè**, què li agrada fer?	* **I a ell,** què li agrada fer?
Quan mostrem estranyesa.	**A tu,** t'agrada ballar?	**A vostè,** li agrada mirar la televisió?	**A ella,** li agrada mirar la televisió?

* En aquests casos els pronoms forts hi han de ser obligatòriament.

Interrogatiu **què**

▨ Serveix per demanar «quina cosa» i no «quina persona». És invariable. Pregunta sobre un verb.

Què t'agrada fer en el temps lliure?
Navegar per internet.

Respostes amb sí / no

▨ Per respondre la pregunta: T'agrada...?, afirmativament o negativament, utilitzem **sí** o **no,** o l'estructura:

Sí	que	
No (, no)	ø	m'agrada.

T'agrada fer esport?
Sí (que m'agrada). / No (, no m'agrada).

Respostes llargues i respostes curtes

▨ Quan responem podem utilitzar o no utilitzar el verb de la pregunta.

Qui ets?
Sóc la Bàrbara. = La Bàrbara.

Com es diu?
Em dic Anna Roca. = Anna Roca.

Quants anys tens?
Tinc 27 anys. = 27.

Tens telèfon?
No, no en tinc. = No.

D'on és?
Sóc de l'Uruguai. = De l'Uruguai.

T'agrada mirar la televisió?
Sí que m'agrada. = Sí.

Ús del connector doncs

▨ Pot introduir una opinió diferent de la d'una altra persona.

A mi m'agrada estudiar.
Doncs a mi, no.

Verbs estudiar, treballar i fer

	Present d'indicatiu		
	FER	ESTUDIAR	TREBALLAR
(jo)	faig	estudio	treballo
(tu)	fas	estudies	treballes
(ell, ella, vostè)	fa	estudia	treballa

Ús dels verbs ser i fer / treballar per indicar la professió i l'activitat laboral

▨ Per indicar la professió utilitzem: **ser** + nom de la professió.

> **Sóc** *informàtic.*

▨ Entre el verb **ser** i el nom de la professió no hi va cap determinant.

> ~~Sóc una advocada.~~
>
> ~~És el traductor.~~

▨ Per preguntar quina feina fa algú utilitzem: **de** + **què** + **fer** / **treballar.**
(És més usual **fer** que **treballar.**)

> **De què fas / treballes?**
> **Faig d'**informàtic.

▨ De què fas? es pot respondre de dues maneres: dient l'activitat laboral: *Faig d'informàtic.*

dient la professió: *Sóc advocada.*

▨ Si no coincideixen la professió i l'activitat laboral diem: *Sóc advocat, però faig d'informàtic.*

Ús dels verbs estudiar / fer per indicar els estudis

▨ Per preguntar quins estudis fa algú utilitzem: **què** + **estudiar** / **fer.** (**Fer** ha de tenir context, ja se sap que es parla dels estudis.)

> *Què estudies? / Què fas?*
> *Estudio Formació professional. / Faig Formació professional.*

Adjectius que indiquen professions. Flexió de gènere

▨ Moltes professions femenines es fan afegint **-a** al masculí.

▨ Hi ha altres formes de fer el femení: *metge – metgessa, actor – actriu, psicòleg – psicòloga...* i n'hi ha que tenen la mateixa forma en masculí i en femení: *intèrpret, artista...*

masculí	femení
cambrer	cambrer**a**
traductor	traductor**a**
caixer	caixer**a**
professor	professor**a**
dissenyador	dissenyador**a**
pintor	pintor**a**

Vocals. Síl·laba tònica i síl·laba àtona. Tipus d'accents

▨ En català hi ha cinc vocals, que representen vuit sons vocàlics. Hi ha algunes zones on no fan tots els sons.

▨ Normalment les paraules només tenen una síl·laba tònica, que es pronuncia amb més força; totes les altres són àtones.

▨ Les vocals **i** i **u** tenen sempre el mateix so [i], [u].

▨ Les vocals **a, e** i **o** tenen un so diferent si són en una síl·laba tònica o àtona.

▨ Les vocals **a** i **e** en síl·laba àtona tenen el mateix so: vocal neutra [ə] (so entre la **e** i la **a**).

▨ La vocal **o** en síl·laba àtona es pronuncia [u].

▨ Les vocals **e** i **o** en síl·laba tònica poden tenir dos sons: obert [ɛ] , [ɔ] (amb la boca més oberta) i tancat [e], [o] (amb la boca més tancada).

▨ Si les paraules porten accent gràfic, aquest sempre va sobre la vocal tònica.

▨ No totes les vocals de síl·labes tòniques porten accent gràfic.

▨ L'accent pot ser agut o tancat (´) i greu o obert (`).

▨ Si la vocal **a** porta accent, és obert: **à.**

▨ Si les vocals **i** i **u** porten accent, és tancat: **í, ú.**

▨ Les vocals **e** i **o** poden portar accent obert: **è, ò** (pronunciació més oberta) o accent tancat **é, ó** (pronunciació més tancada).

	a	e	i	o	u
síl·laba tònica	[a] **A**nna	[ɛ] T**e**resa [e] P**e**re	[i] Dav**i**d	[ɔ] P**o**l [o] Isid**o**r	[u] J**ú**lia
síl·laba àtona	[ə] M**a**ri**a**, Ger**a**rd		[i] Dan**i**el	[u] J**o**an, Pa**u**la	

2 CIUTATS I GENT

Verb conèixer

Present d'indicatiu	
	CONÈIXER
(jo)	conec
(tu)	coneixes
(ell, ella, vostè)	coneix
(nosaltres)	coneixem
(vosaltres)	coneixeu
(ells, elles, vostès)	coneixen

Forma i ús dels pronoms personals forts (plural)

	masculí	femení
1a persona	nosaltres	
2a persona	vosaltres / vostès	
3a persona	ells	elles

■ **Nosaltres** és el pronom de primera persona del plural. Representa les persones que parlen. **Vosaltres / vostès** són els interlocutors. **Ells, elles** no són interlocutors.

■ En català no sempre és necessari dir ni escriure els pronoms forts **nosaltres, vosaltres, ells, elles, vostès** davant de la forma verbal. Aquests pronoms tenen el mateix comportament que els seus respectius singulars (unitat 1).

Tractament informal i tractament formal (plural)

	masculí	femení
tractament informal	vosaltres	
tractament formal	vostès	

Normalment **vosaltres** s'utilitza entre amics o persones de la mateixa edat. Acostuma a utilitzar-se en la relació professor-alumnes. Si utilitzem **vosaltres,** el verb va en segona persona del plural.

> **Us coneixeu (vosaltres)?**
> I **vosaltres,** qui **sou?**

Normalment **vostès** s'utilitza en relacions professionals, amb persones desconegudes, amb persones grans o en relacions jeràrquiques. Si utilitzem **vostès,** el verb va en tercera persona del plural.

> **Es coneixen (vostès)?**
> Perdon**in,** com **es diuen (vostès)?**

Forma i ús dels pronoms d'objecte directe es, ens, us, el, la, els i les

Coneixes (tu)	**el** Pere			**el**	conec. (jo)
Coneix (vostè)	**la** Sra. Mas	?	Sí, ja No, no	**la**	
Coneixeu (vosaltres)	**els** professors de català			**els**	coneixem. (nosaltres)
Coneixen (vostès)	**les** traductores d'anglès			**les**	

- Els pronoms d'objecte directe **el, la, els** i **les** coincideixen en la forma amb els articles definits.

- Sempre van davant del verb, en el present d'indicatiu. Si les persones conegudes són de diferent sexe, el pronom que les substitueix és el masculí plural.

> Coneixes **el Pere** i **la Maria?**
> Sí, ja **els** conec.

- Per demanar i dir si dues o més persones es coneixen entre elles podem utilitzar:

Ens coneixem (entre nosaltres)				
Us coneixeu (entre vosaltres)	?	Sí, ja No, no	**ens**	coneixem. (entre nosaltres)
Es coneixen (entre vostès)				

Forma i ús dels pronoms d'objecte indirecte et, li, us i els en les presentacions

a tu	**et**
a vostè	**li**
a vosaltres	**us**
a vostès	**els**

- Tractament informal

et (jo a tu)	presento + nom / relació o vincle
us (jo a vosaltres)	

- Tractament formal

li (jo a vostè)	presento + nom / relació o vincle
els (jo a vostès)	

- Normalment abans de presentar algú diem el nom de la persona a qui presentem. Quan volem donar més informació, diem la relació o el vincle que tenim amb la persona (director, professor...).

> Joan, **et** presento l'Anna.
> Sr. Rigol, **li** presento la Sra. Romà, la directora.

Ús de l'article definit en les presentacions

- Utilitzem l'article definit **el, la, els** i **les** davant de la relació o del vincle, quan la persona és determinada.

> Et presento la Sra. Romà, **la** directora de l'empresa.
> Us presento **els** companys de classe: el Pere i l'Enric.

Forma i ús de l'article indefinit en les presentacions

	masculí	femení
SINGULAR	**un**	**una**
PLURAL	**uns**	**unes**

- Quan la persona que presentem no és l'única en el càrrec o parentiu, podem utilitzar l'article indefinit.

> Et presento la Sra. Romà, **una** professora de l'escola. (No és única, n'hi ha més.)
> Us presento **uns** companys de classe: el Pere i l'Enric. (No són únics, n'hi ha més.)

Interjecció oi

Oi és una partícula que serveix per demanar la confirmació del que diem.

> Coneixes la Maria, **oi?**

Forma i ús dels demostratius

SINGULAR		PLURAL		
masculí	femení	masculí	femení	
aquest	**aquesta**	**aquests**	**aquestes**	Es considera que és a prop dels parlants.
aquell	**aquella**	**aquells**	**aquelles**	Es considera que és lluny dels parlants.

Utilitzem els demostratius per indicar persones que assenyalem i per preguntar la identitat d'algú desconegut. Concorden en gènere i nombre amb el nom de la persona o les persones que assenyalem.

> **Aquest** és el Pau i **aquella** és la Rosa.
> **Aquests** són els meus pares.
> **Aquelles** noies són les meves germanes.

Adverbis aquí i allà

Aquí i **allà** són adverbis de lloc que situen persones o coses respecte de la persona que parla. Tenen relació amb els demostratius **aquest...** i **aquell...**

AQUÍ

aquest, aquesta, aquests, aquestes

ALLÀ

aquell, aquella, aquells, aquelles

Verb viure

Present d'indicatiu	
	VIURE
(jo)	visc
(tu)	vius
(ell, ella, vostè)	viu
(nosaltres)	vivim
(vosaltres)	viviu
(ells, elles, vostès)	viuen

Interrogatiu on

▪ Serveix per demanar un lloc. És invariable.

> **On** vius? A Barcelona.
> **On** és Tolosa de Llenguadoc?
> Al sud de França.

▪ Procedència: **d'on** (de + on)

> **D'on** ets?
> De Tolosa de Llenguadoc.
> ~~D'on vius?~~
> ~~D'on és Tolosa de Llenguadoc?~~

Ús de l'expressió fa + quantitat de temps

▪ Per preguntar el temps transcorregut des de l'inici d'un fet fins al moment actual podem utilitzar: Quant (temps) fa que...?

> **Quant** temps **fa que** vius a Tortosa?

▪ Per indicar el temps transcorregut podem utilitzar: Fa + quantitat de temps

> **Fa** 3 anys **que** visc a Tortosa.
> Visc a Tortosa (des de) **fa** 3 anys.
> **Fa** 3 anys.

▪ **Fa** sempre és invariable (**fa un** any / **dos** anys...).

Forma i ús de la preposició a. Contracció

▪ La preposició **a** indica direcció i localització. En aquests casos no s'utilitza mai la preposició **en** davant d'un nom propi de país, ciutat, poble, nació...

> Visc **a** França, **a** París, **a** Tolosa de Llenguadoc...
>
> ~~Visc en França.~~

▪ La preposició **a** es contrau amb l'article definit masculí, singular i plural:

▪ La preposició **a** no es contrau si l'article definit és femení, singular i plural, o si l'article s'apostrofa amb el nom perquè comença per vocal o per **h.**

a + el	al	**al** Japó
a + els	als	**als** Estats Units

a la	**a la** Xina
a les	**a les** Filipines
a l'	**a l'**Equador / **a l'**Argentina

Forma i ús del verb saber

Present d'indicatiu	
	SABER
(jo)	sé
(tu)	saps
(ell, ella, vostè)	sap
(nosaltres)	sabem
(vosaltres)	sabeu
(ells, elles, vostès)	saben

▪ Utilitzem el verb **saber** per informar-nos si algú coneix una informació.

> **Saps** com es diu?
> **Sabeu** on viu?

▪ Responem negativament aquestes preguntes amb la forma: No. / No (,no) ho sé.

▪ També podem utilitzar el verb **saber** per confirmar si es coneix una informació donada. En aquest cas el verb **saber** s'uneix a la frase amb la conjunció **si.**

> **Saps si** té telèfon?
> Sí. / No.

▪ No s'han de confondre els verbs **saber,** en el sentit de demanar una informació, i **conèixer,** en el sentit de tenir una relació amb persones o llocs.

> **Saps** com es diu?
> ~~Coneixes com es diu?~~

Ús de la partícula que

▨ És una partícula per introduir preguntes de resposta **sí** o **no.** És un element no necessari, però molt habitual en la llengua oral.

> **(Que)** saps com es diuen?
> Sí. / No.

Verbs dir-se, ser, tenir i parlar

Present d'indicatiu				
	DIR-SE	SER	TENIR	PARLAR
(jo)	em dic	sóc	tinc	parlo
(tu)	et dius	ets	tens	parles
(ell, ella, vostè)	es diu	és	té	parla
(nosaltres)	ens diem	som	tenim	parlem
(vosaltres)	us dieu	sou	teniu	parleu
(ells, elles, vostès)	es diuen	són	tenen	parlen

Interrogatiu com

▨ Serveix per demanar característiques de persones, llocs...: **Com + ser...?**

> **Com** és el Toni?
> **Com** és Dinamarca?

Adjectius per descriure persones. Flexió de gènere i nombre

SINGULAR		PLURAL	
masculí	femení: **-a**	masculí: **-s / -os**	femení: **-es**
prim	prim**a**	prim**s**	prim**es**
alt	alt**a**	alt**s**	alt**es**
moreno	moren**a**	moreno**s**	moren**es**
maco	mac**a**	maco**s**	maqu**es**
gras	gras**sa**	gras**sos**	gras**ses**
ros	ros**sa**	ros**sos**	ros**ses**
baix	baix**a**	baix**os**	baix**es**
lleig	lle**tja**	lle**tjos**	lle**tges**

▨ Normalment l'adjectiu va darrere del nom. També pot anar darrere de verbs com **ser,** per indicar característiques del subjecte. Concorda en gènere i nombre amb el nom al qual fa referència.

> El nen és ros i la nena, rossa.
> El Pere és alt.
> Els teus fills són baixos.
> Les noies són altes, rosses i primes.

> Les noies altes i rosses són sueques.
> Els nois morenos i prims són marroquins.

▨ Per qüestions fonètiques o ortogràfiques alguns femenins singulars i / o alguns masculins i femenins plurals fan alguns canvis en les consonants anteriors a les terminacions: *gras, grassa, grassos, grasses; ros, rossa, rossos, rosses; maca, maques; lleig, lletja, lletjos, lletges.*

▨ Tots els adjectius femenins que en singular acaben en **a** o **e** àtona fan el plural en **-es.**

Substantius que indiquen relacions familiars. Flexió de gènere i nombre

SINGULAR		PLURAL	
masculí	femení: **-a**	masculí: **-s / -ns**	femení: **-es**
nen	nen**a**	nen**s**	nen**es**
avi	àvi**a**	avi**s**	àvi**es**
germà	germ**ana**	germ**ans**	germ**anes**
cunyat	cunya**da**	cunyat**s**	cunya**des**
fill	fill**a**	fill**s**	fill**es**
*tiet	*tiet**a**	*tiet**s**	*tiet**es**
cosí	cos**ina**	cos**ins**	cos**ines**
nebot	nebo**da**	nebot**s**	nebo**des**
nét	nét**a**	nét**s**	nét**es**
sogre	sogr**a**	sogr**es**	

* Forma col·loquial i d'àmbit familiar.

▪ Hi ha noms de parentiu que tenen formes diferents per al masculí i per al femení.

SINGULAR		PLURAL	
masculí	femení	masculí: **-s**	femení: **-es**
pare	mare	pare**s**	mar**es**
marit / home	dona	marit**s** / home**s**	don**es**
oncle	tia	oncle**s**	ti**es**
gendre	jove / nora	gendre**s**	jov**es** / nor**es**

▪ Tots els substantius femenins que en singular acaben en **a** o **e** àtones fan el plural acabat en **-es**.

▪ Normalment fem servir el plural masculí (els pares, els tiets, els avis...) com a forma genèrica que inclou el masculí i el femení.

Ús del pronom en

▪ El pronom **en** es pot fer servir per substituir un substantiu indeterminat. Només substitueix el substantiu. El pronom sempre va davant del verb, en el present d'indicatiu. En les respostes, si diem el verb, també hem de dir el complement: el nom o el pronom **en.** No podem posar a la mateixa frase el nom i el pronom **en.**

> Quants **germans** tens?
> **En** tinc tres. / Tres.
> ~~Tinc tres.~~
> ~~En tinc tres germans.~~

Quantificador cap

▪ **Cap** és una forma invariable. Serveix per dir la quantitat zero d'elements comptables. Si acompanya un substantiu, aquest sempre va en singular.

> Tens germans?
> No, no tinc **cap** germà. / No, no en tinc cap. = 0
>
> Quants **germans** tens?
> No en tinc **cap.** / **Cap.** = 0

Adjectius relacionats amb la quantitat de fills i l'ordre de naixement. Flexió de gènere i nombre

SINGULAR		PLURAL	
masculí	femení	masculí	femení
gran		grans	
mitjà	mitjana	mitjans	mitjanes
petit	petita	petits	petites
únic	única	únics	úniques

Forma i ús dels possessius

		SINGULAR		PLURAL	
		masculí	femení	masculí	femení
un posseïdor	(jo)	el meu	la meva	els meus	les meves
	(tu)	el teu	la teva	els teus	les teves
	(ell, ella, vostè)	el seu	la seva	els seus	les seves
més d'un posseïdor	(nosaltres)	el nostre	la nostra	els nostres	les nostres
	(vosaltres)	el vostre	la vostra	els vostres	les vostres
	(ells, elles, vostès)	el seu	la seva	els seus	les seves

▓ El possessiu concorda en gènere i nombre amb el nom del darrere (objecte posseït), i no amb la persona que posseeix.

la seva mare	(d'en Xavier o de la Maria)
el seu pare	

▓ Normalment utilitzem els possessius davant d'un nom i precedits d'article.

El meu pare i **els** meus germans.   ~~Meu pare es diu Pere.~~
La meva tieta i **les** meves germanes.   ~~El pare meu es diu Pere.~~

Forma i ús dels numerals cardinals

100	cent	**Cent** és invariable.	**cent** homes / **cent** dones
200	dos-cents	**Dos** i **cents** concorden en gènere amb el substantiu que acompanyen.	**dos-cents** idiomes / **dues-centes** llengües
300	tres-cents	**Cents** concorda en gènere amb el nom que acompanya.	**sis-cents** habitants / **sis-centes** persones
400	quatre-cents		
500	cinc-cents		
600	sis-cents		
700	set-cents		
800	vuit-cents		
900	nou-cents		
1000 3000 4000...	mil tres mil quatre mil...	**Mil** és invariable.	**mil** habitants / **mil** persones
2000	dos mil	**Dos** concorda en gènere amb el substantiu que acompanya i **mil** és invariable.	**dos mil** habitants / **dues mil** persones

100.000	cent mil	**Cent mil** és invariable.	*cent mil* homes / *cent mil* dones
200.000	dos-cents mil	**Dos** i **cents** concorden en gènere amb el substantiu que acompanyen.	*dos-cents mil* homes / *dues-centes mil* dones
500.000	cinc-cents mil = mig milió	**Cents** concorda en gènere amb el substantiu que acompanya i **mil** és invariable.	*cinc-cents mil* homes / *cinc-centes mil* dones
1.000.000	un milió	**Milió** és invariable. Si acompanya un nom, va amb la preposició **de**.	*un milió d'*habitants / *un milió de* persones
2.000.000	dos milions	**Dos** i **milions** són invariables.	*dos milions d'*habitants / *dos milions de* persones

▪ Entre la desena (D), la unitat (U) i la centena (C) sempre hi va guionet: D-U-C.

Les formes hi ha, és i té per descriure llocs

Lloc + **és** + adjectiu :

Lloc + **té** + substantiu:

A + lloc + **hi ha** + substantiu:

*Barcelona **és** turística.*

*Barcelona **té** platja.*

*A Barcelona **hi ha** platja.*

▪ Si descrivim amb la forma **hi ha,** el lloc va introduït per la preposició **a** i normalment es col·loca al començament de la frase.

Ús del pronom hi

▪ **Hi** és un pronom que normalment indica un lloc. El pronom **hi** substitueix el lloc, però, sovint, per fer èmfasi, diem primer el nom del lloc i després el pronom **hi.** Es pot posar coma o no, darrere del lloc.

*A Barcelona (,) **hi** fa calor / fred / bon temps...*

▪ El pronom **hi** s'uneix amb el pronom **es,** en frases impersonals: **s'hi.**

*A Barcelona **s'hi** parla català.*

Fa + fred / calor / bon temps / mal temps

▪ Per dir el clima podem utilitzar el verb **fer** amb els noms **fred, calor** o l'expressió **bon / mal temps.**

*A Barcelona hi **fa bon temps.***

***Fa calor** a l'Equador?*

*Hi **fa fred,** al Japó?*

Adjectius per descriure un país, una ciutat o un poble. Flexió de gènere

SINGULAR	
masculí	femení: **-a**
modern	modern**a**
maco	mac**a**
turístic	turístic**a**
barat	barat**a**
petit	petit**a**
contaminat	contamina**da**
poblat	pobla**da**
perillós	perill**osa**
sorollós	soroll**osa**
tranquil	tranquil**·la**
lleig	lle**tja**
gran	

▪ Per qüestions fonètiques o ortogràfiques alguns femenins singulars fan alguns canvis respecte dels masculins: *contaminat, contaminada; poblat, poblada; perillós, perillosa; sorollós, sorollosa; tranquil, tranquil·la; lleig, lletja.*

Superlatiu

▨ Quan comparem un terme respecte d'un grup podem utilitzar el superlatiu de superioritat: **el / la / els / les** (nom) + **més** + adjectiu + **de...**

*Praga és **la** ciutat **més** gran **del** país.*

Expressions de quantitat gairebé, quasi, uns, aproximadament i més o menys

▨ Són expressions per indicar una quantitat aproximada.

gairebé = **quasi** (No arriba a una quantitat exacta.)

*Barcelona té **gairebé / quasi** 3 milions d'habitants (2.900.000).*

uns = **aproximadament** = **més o menys**

*Barcelona té **uns / aproximadament / més o menys** 3 milions d'habitants.*

Ús de també, a més (a més), perquè i però

també	Aporta més informació. Normalment, després del connector no hi va coma.	*És la capital del país. **També** és la ciutat més poblada.*
	S'acostuma a utilitzar quan fem una enumeració i volem remarcar que afegim un altre element de l'enumeració.	*Parla francès, anglès i **també** parla danès.*
	Introdueix un element que ja s'ha dit anteriorment.	*El meu oncle és australià i els meus cosins, **també**.*
a més (a més)	Aporta més informació. Normalment, després del connector, hi va una coma. Utilitzem **a més** en situacions més formals.	*És la capital del país. **A més,** és la ciutat més poblada.*
perquè	Introdueix una causa.	*A Barcelona hi ha molts turistes **perquè** és meravellosa.*
però	Introdueix una idea que s'oposa a una altra que s'acaba d'enunciar o hi contrasta. Normalment abans del connector hi va una coma.	*Austràlia és l'illa més gran del món, **però** és el continent més petit.*

3 DE SOL A SOL

Les parts del dia

El matí	**El migdia**	**La tarda**	**El vespre**	**La nit**	**La matinada**
de 6 h o 7 h a 12 h	de 12 h a 15 h	de 15 h a 19 h	de 19 h o 20 h a 21 h o 22 h	de 21 h o 22 h a 24 h	de 24 h a 6 o 7 h

▪ Les hores de començament i final de les parts del dia no són exactes i estan relacionades amb les activitats quotidianes, l'època de l'any, els costums de cada persona... Normalment parlem del migdia fins després de dinar (entre les 13.00 h i les 15.00 h). Després de dinar, parlem de la tarda. Parlem del vespre fins després de sopar (entre les 20.00 h i les 22.00 h). Després de sopar parlem de la nit.

> A casa dinem a les dues del **migdia** i sopem a les nou del **vespre**.

Hores

▪ Per demanar l'hora podem utilitzar: **Quina hora és?**

▪ Per dir les hores en punt, fem servir el verb **ser** i l'hora precedida d'article. Totes les hores són en femení i, excepte **la una,** totes les altres es diuen en plural.

És	**la**	**una**
Són	**les**	dues, tres... dotze

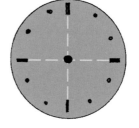

▪ Una hora té quatre quarts i cada quart té quinze minuts.

▪ En català, quan diem l'hora, fem referència a l'hora pròxima i no a l'anterior. Per això diem els quarts de l'hora següent.

És	un	quart		
Són	dos	quarts	de	hora següent
	tres			

12.00 h =	*Són les dotze.*
12.15 h =	*És un quart d'una.*
12.30 h =	*Són dos quarts d'una.*
12.45 h =	*Són tres quarts d'una.*
13.00 h =	*És la una.*

▪ Quan ni l'hora ni els quarts són en punt, es diuen els minuts que passen o falten per a l'hora o els quarts. Quan es diuen els minuts que passen, s'utilitza **i**, i no és necessari dir la paraula **minuts;** quan es diuen els minuts que falten, s'utilitza **falten** + minuts + **per a...**

13.05 h =	*És la una **i** cinc (minuts).*
13.10 h =	*És la una **i** deu (minuts).*
13.20 h =	*És un quart **i** cinc (minuts) de dues.*
13.35 h =	*Són dos quarts **i** cinc (minuts) de dues.*
13.50 h =	*Són tres quarts **i** cinc (minuts) de dues.*

13.25 h =	**Falten** cinc **minuts** **per a** dos quarts de dues.
13.40 h =	**Falten** cinc **minuts** **per a** tres quarts de dues.
13.50 h =	**Falten** deu **minuts** **per a** les dues.
13.55 h =	**Falten** cinc **minuts** **per a** les dues.

▪ Quan parlem dels quarts (en punt o no) no utilitzem els articles davant de l'hora.

És un quart de quatre.

És un quart de les quatre.

▪ Normalment quan parlem d'horaris de transport utilitzem les hores digitals, és a dir, les hores i els minuts sense **i.**

A quina hora surt l'avió?

A les **set trenta-set.**

Preposicions a i de en les expressions temporals

▪ Quan ens referim a les parts del dia com a temporals, les introduïm amb la preposició **a,** si no fem referència a cap hora.

al matí
al migdia
a la tarda
al vespre
a la nit
a la matinada

Al matí em llevo molt d'hora.

▪ Quan la part del dia va darrere de l'hora, utilitzem la preposició **de.**

del matí
del migdia
de la tarda
del vespre
de la nit
de la matinada

Em llevo a les set **de**l matí.

▪ Quan fem referència a l'hora en què es fa una acció utilitzem la preposició **a** en la pregunta i la resposta: **A** quina hora...? **A**...

A quina hora et lleves?

A les nou.

A quina hora obren?

A les deu.

Forma del Present d'indicatiu

▪ Els verbs de la primera conjugació acaben en **–ar.**
▪ Model regular

Present d'indicatiu
ESMORZ**AR**
esmorz**o**
esmorz**es**
esmorz**a**
esmorz**em**
esmorz**eu**
esmorz**en**

▪ Formes regulars amb alteracions ortogràfiques

ç / c	g / gu	j / g	c / qu
COMEN**Ç**AR	PLE**G**AR	PASSE**J**AR	TAN**C**AR
comen**ç**o	ple**g**o	passe**j**o	tan**c**o
comen**c**es	ple**gu**es	passe**g**es	tan**qu**es
comen**ç**a	ple**g**a	passe**j**a	tan**c**a
comen**c**em	ple**gu**em	passe**g**em	tan**qu**em
comen**c**eu	ple**gu**eu	passe**g**eu	tan**qu**eu
comen**c**en	ple**gu**en	passe**g**en	tan**qu**en

▪ Per qüestions fonètiques o ortogràfiques les terminacions del present dels verbs de la primera conjugació acabats en **-çar, -gar, -jar** i **-car** canvien les consonants per **-c-, -gu-, -g-** i **-qu-** quan darrere hi ha una **e.**

▣ Formes irregulars

Present d'indicatiu		
	ANAR	ESTAR
(jo)	vaig	estic
(tu)	vas	estàs
(ell, ella, vostè)	va	està
(nosaltres)	anem	estem
(vosaltres)	aneu	esteu
(ells, elles, vostès)	van	estan

▣ Els verbs de la segona conjugació acaben en **-er, -re.**

▣ La majoria dels verbs de la segona conjugació són irregulars en present d'indicatiu.

CONÈIX**ER**	BEU**RE**	ESCRIU**RE**	PREN**DRE**	F**ER**
cone**c**	be**c**	escri**c**	pren**c**	faig
coneix**es**	beu**s**	escriu**s**	pren**s**	fas
coneix	beu	escriu	pren	fa
coneix**em**	bev**em**	escriv**im**	pren**em**	fem
coneix**eu**	bev**eu**	escriv**iu**	pren**eu**	feu
coneix**en**	beu**en**	escriu**en**	pren**en**	fan

▣ Els verbs de la tercera conjugació acaben en **-ir.**

▣ Models regulars

sense increment **-eix**	amb increment **-eix**
DORM**IR**	LLEG**IR**
dorm**o**	lleg**eixo**
dorm**s**	lleg**eixes**
dorm	lleg**eix**
dorm**im**	lleg**im**
dorm**iu**	lleg**iu**
dorm**en**	lleg**eixen**

▣ La majoria de verbs de la 3a conjugació es formen amb l'increment **-eix.**

Formes irregulars

SORT**IR**	VEN**IR**	OBR**IR**
surto	vinc	obro
surts	véns	obres
surt	ve	obre
sortim	venim	obrim
sortiu	veniu	obriu
surten	vénen	obren

Verbs en present d'indicatiu que es conjuguen amb em, et, es, ens, us, es

LLEVAR-**SE**	ARREGLAR-**SE**
em llevo	**m'**arreglo
et lleves	**t'**arregles
es lleva	**s'**arregla
ens llevem	**ens** arreglem
us lleveu	**us** arregleu
es lleven	**s'**arreglen

▣ Els verbs: *llevar-se, arreglar-se, dutxar-se, rentar-se, afaitar-se, pintar-se, pentinar-se, vestir-se, banyar-se, maquillar-se, tenyir-se...* es conjuguen amb pronoms si la persona fa l'acció per a ella mateixa; però, sense, si la fa per a una altra persona.

(Jo) em pentino.

(Jo) pentino els nens.

El verb **anar-se'n** sempre es conjuga amb els pronoms **em, et, es, ens, us, es** i el pronom **en**.

Present d'indicatiu
ANAR-SE'N
me'n vaig
te'n vas
se'n va
ens en anem
us en aneu
se'n van

Ús del Present d'indicatiu

El present d'indicatiu pot expressar:

Accions habituals o que passen amb freqüència.

*Cada dia **em llevo** d'hora.*
*Sovint **vaig** al gimnàs.*

Accions puntuals del present.

*Què **fas** ara?*
***Acabo** un exercici.*

Presència / absència dels pronoms forts

Quan s'expressen diverses accions amb el mateix subjecte no s'ha de repetir el pronom fort, perquè la desinència del verb ja marca la persona verbal que fa de subjecte.

*Em llev**o**, em dutx**o**, esmorz**o**...*

~~Ella~~ es lleva, ~~ella~~ es dutxa...

Ús d'anar, venir i anar-se'n

anar a	+ lloc	Indica un moviment o desplaçament en direcció a un lloc on no hi ha ni la persona que parla ni la que escolta, especificant el lloc.	***Vaig a l'escola**, i tu?* *Doncs jo **vaig a la platja**.*
	+ infinitiu	Expressa un desplaçament per fer una activitat en algun lloc.	***Vaig a comprar** al mercat.*
anar-se'n	ø	Significa marxar d'un lloc sense dir on es va.	*Adéu! **Me'n vaig**.*
	a + lloc	Indica marxar d'un lloc i anar a un altre on no hi ha ni la persona que parla ni la que escolta, especificant el lloc.	***Te'n vas** a classe?* *No, **me'n vaig a la platja**.*
	a + infinitiu	Expressa marxar d'un lloc i anar a un altre per fer-hi una activitat.	***Me'n vaig a comprar** al mercat.*
venir	amb	Significa acompanyar una persona que va a un lloc.	*Vaig al cine.* ***Vinc amb** tu.*

Ús de també, tampoc, doncs i normalment

doncs	Pot introduir una resposta diferent del que diu l'interlocutor.	*Cada dia em llevo molt d'hora, a les 6.* ***Doncs** jo em llevo tard, a les 10.*
també i **tampoc**	Pot indicar coincidència, positiva o negativa, amb el que diu l'interlocutor.	*Sempre miro la tele després de sopar. Jo, **també**.* *Al matí no esmorzo mai. Jo, **tampoc**.*
normalment	Introdueix una activitat que es fa habitualment. Gairebé sempre va al principi de la frase.	***Normalment** em llevo d'hora.*

Ús dels verbs fer, començar, acabar, plegar, obrir i tancar per indicar horaris

▪ Per preguntar els horaris (laborals, escolars...) que fan les persones podem utilitzar el verb **fer**, d'una manera genèrica, que inclou començar i acabar o plegar.

▪ Si volem demanar només l'hora de començament o d'acabament podem utilitzar **començar, acabar / plegar.**

> *Quin horari **fas** a la feina?*
> *A quina hora **comences** al matí?*
> *A quina hora **plegues** / **acabes** al vespre?*

▪ Quan es tracta d'una botiga o d'un establiment podem utilitzar: Quin horari fa / fan?, d'una manera genèrica, que inclou obrir i tancar.

▪ Si volem demanar només l'hora d'obertura o de tancament, podem utilitzar: A quina hora obre / obren? A quina hora tanca / tanquen?

> *Quin horari **fa** el supermercat?*
> *A quina hora **obre** el supermercat?*
> *A quina hora **tanca** el supermercat?*

▪ Si parlem d'un establiment, el verb va en singular; si parlem de més d'un establiment, en plural.

> *Quin horari **fa el** supermercat?*
> *Quin horari **fan els** supermercats?*
> *A quina hora **obre** / **tanca** el supermercat?*
> *A quina hora **obren** / **tanquen** els supermercats?*

▪ Utilitzem **fan a...** / **obren a...** / **tanquen a...** per expressar horaris de forma impersonal.

> *Quin horari **fan al** supermercat?*
> *A quina hora **obren** / **tanquen al** supermercat?*

Preposicions de... a..., des de... fins a...

▪ Quan expliquem els horaris (laborals, escolars...) que fan les persones i els establiments utilitzem les preposicions: **de... a...** o **des de... fins a...**

> *Quin horari fas a la feina?*
> ***De** vuit **a** tres.*
> ***Des de** les vuit **fins a** les tres.*
>
> ~~*Des de les vuit a les tres.*~~
>
> *Quin horari fa el supermercat?*
> ***De** dos quarts de nou del matí **a** dos quarts de nou del vespre.*
> ***Des de** dos quarts de nou del matí **fins a** dos quarts de nou del vespre.*

▪ Quan utilitzem **des de... fins a...** i una hora darrere (no expressada en quarts), aquesta va introduïda per l'article.

> ***Des de les** vuit **fins a les** tres.*

Ús de l'article amb els dies de la setmana

SINGULAR		PLURAL	
el	dilluns	els	dilluns
	dimarts		dimarts
	dimecres		dimecres
	dijous		dijous
	divendres		divendres
	dissabte		dissabtes
	diumenge		diumenges

Quan utilitzem l'article definit (**el** o **els**) davant del dia de la setmana, indiquem freqüència; quan no l'utilitzem, ens referim al dia passat o al pròxim

El / Els dilluns tinc classe de català.

= Cada dilluns tinc classe de català.

Dijous tinc un sopar amb uns amics.

= Aquest dijous tinc un sopar amb uns amics.

Forma i ús de la perífrasi estar + gerundi

Gerundis

infinitiu acabat en:	gerundi acabat en:
-ar (dinar)	**-ant** (dinant)
-er, -re (fer)	**-ent** (fent)
-ir (dormir)	**-int** (dormint)

- Alguns gerundis presenten alteracions ortogràfiques en el radical: *prenent (prendre), bevent (beure), escrivint (escriure), vivint (viure), dient (dir)...*

- Perífrasi d'acció continuada: **estar** + gerundi

Verbs sense pronoms

Present d'indicatiu	
ESTAR	
estic	
estàs	
està	+ gerundi
estem	
esteu	
estan	

Verbs amb pronoms

Present d'indicatiu	
ESTAR-SE	
m'estic	
t'estàs	
s'està	+ gerundi
ens estem	
us esteu	
s'estan	

*Què **estàs fent?***

M'estic dutxant.

- Utilitzem la perífrasi **estar** (en present d'indicatiu) + gerundi per explicar què fa una persona en un moment concret (moment en què parla o moment de la seva vida). En aquest cas també es pot expressar en present d'indicatiu.

Joan, què fas?

***Estic fent** el sopar.*

*Encara **estàs treballant** al banc?*

*Ui, no! Ara no treballo. **Estic estudiant.***

- No es pot utilitzar la perífrasi quan parlem d'accions quotidianes o habituals.

*Cada dia em **llevo** a les vuit i **començo** a treballar a les nou.*

Cada dia m'estic llevant a les vuit i estic començant a treballar a les nou.

Ús de la gent, molta gent, la majoria, algunes persones i ningú

- Per parlar d'un conjunt de persones, sense especificar-les, utilitzem els col·lectius **la gent, molta gent, la majoria, algunes persones.** Si no hi ha cap persona, diem **ningú.**

Concordança amb el verb

verb en singular	verb en plural
molta gent ningú (no)	algunes persones
la majoria (de + col·lectiu) la gent	

Al meu país, **la gent dina / dinen** a les 12 del migdia.
La majoria (de catalans) parlen / parla dues llengües.
Molta gent no **treballa** els caps de setmana.
Algunes persones treballen a casa.
Ningú (no) **treballa** més de 12 hores.

Forma i ús d'algunes expressions de temps

Per indicar en quin moment es fa o passa una acció respecte d'un altre moment podem utilitzar:

abans de (+ infinitiu) ≠ després de (+ infinitiu)
havent dinat = després de dinar
havent sopat = després de sopar
d'hora = aviat ≠ tard

Per expressar la freqüència en què es fa o passa una acció podem utilitzar, de més a menys freqüència:

+	sempre
	cada dia, nit...
	sovint
	de / a vegades , de tant en tant
	alguna vegada = algun cop
	gairebé mai (no)
−	mai (no)

un cop / una vegada dos cops / dues vegades...	**al**	dia	**Una vegada al** dia vaig a caminar.
	(a) la	setmana	**Un cop a la** setmana vaig a ballar.
	per		**Dues vegades per** setmana faig esport.
	al	mes	**Tres cops al** mes vaig al cine.
	(a) l'	any	**Un cop a l'**any vaig al meu país.

cada + període de temps	matí, tarda, dia, setmana, mes, any ...	**Cada** matí em llevo a les vuit. **Cada** dia vaig a caminar. Vaig a ballar **cada** setmana. **Cada** mes vaig al cine. **Cada** any vaig al meu país.

■ Les expressions de temps es poden utilitzar en diferents llocs de la frase. Normalment, es col·loquen al principi, però també es poden utilitzar després del verb o al final de la frase.

> ***Sovint*** *vaig al cine.*
> *Vaig* ***sovint*** *al cine.*
> *Vaig al cine* ***sovint.***

■ Si la frase comença per **gairebé mai** o **mai,** es pot negar o no negar el verb.

> ***Gairebé mai / mai (no)*** *vaig al teatre.*

■ Si **gairebé mai** o **mai** van darrere del verb, hem de negar obligatòriament el verb.

> ***No*** *vaig* ***gairebé mai / mai*** *al teatre.*

■ Presència / absència de la preposició **a** en algunes expressions de temps.

a	hores	*a* les nou, *a* les deu, *a* un quart d'onze...
	parts del dia	*al* matí, *a* la tarda, *a* la nit...
	estacions de l'any	*a* la primavera, *a* l'estiu, *a* la tardor, *a* l'hivern.
	quina hora...?	*A* quina hora obren?

Ø	dies de la setmana: **el / els** dilluns, **el / els** dimarts, **el / els** dimecres...
	El cap / Els caps de setmana
	Els dies de cada dia
	Quina hora és?
	Quin horari fa / fan...?

Ús dels verbs: esmorzar, dinar, berenar, sopar, beure, menjar i prendre

■ **Esmorzar, dinar, berenar** i **sopar** poden fer de verbs o de substantius.

substantius	verbs
l'esmorzar	esmorzar
el dinar	dinar
el berenar	berenar
el sopar	sopar

> ***Esmorzo*** *a les deu.*
> ***L'esmorzar*** *és el primer àpat del dia.*

■ Els verbs **esmorzar, dinar, berenar** i **sopar** no serveixen per indicar què es menja.

> *No* ***esmorzo*** *mai.*
> *Normalment* ***dino*** *en un restaurant.*
> *Cada dia dino una paella.*

■ Per indicar en quin moment del dia es menja, fem servir: **per** *esmorzar...,* **per** *dinar...,* **per** *berenar...,* **per** *sopar...*

> *Cada dia* ***per*** *esmorzar menjo un entrepà.*

■ **Menjar** s'utilitza quan es consumeix un aliment sòlid.

> *Per esmorzar* ***menjo*** *un entrepà.*

■ **Beure** s'utilitza quan es consumeix un aliment líquid.

> *Cada matí* **bec** *un cafè.*

■ **Prendre** es pot utilitzar quan es consumeix un aliment líquid (substitueix: **beure**) i també quan es consumeix un aliment sòlid en petita quantitat (substitueix: **menjar**).

> *Per esmorzar* **prenc** *un entrepà.*
> *Cada matí* **prenc** *un cafè.*
> *Per esmorzar* **prenc** *un entrepà i un cafè.*
>
> *Per dinar* ~~prenc~~ *una paella.*

4 A CASA TEVA O A CASA MEVA

Ús dels interrogatius quin, quina, quins, quines en contrast amb què

 Fem servir **quin, quina, quins, quines** per preguntar per un determinat objecte, persona o lloc entre diversos de la mateixa categoria. Per tant, es fa servir davant d'un substantiu o sol si aquest substantiu s'acaba de dir o és implícit.

> *Quina adreça tens?*
> *Quina (adreça) és la teva adreça?*
>
> *Aquella noia és marroquina.*
> *Quina (noia)?*
> *Aquella.*

Fem servir **què** per preguntar **quina cosa**. No pot anar mai davant d'un substantiu i el trobarem directament davant del verb.

> *Què és això? (= Quina cosa és això?)*   *Què hi ha a casa teva?*
> *És la cuina.*   *Dues habitacions, una cuina, un menjador i un bany.*
>
> ~~*Què habitació és la teva?*~~

Ús de les preposicions a i en per indicar lloc

Per indicar lloc gairebé sempre utilitzem la preposició **a,** però davant de l'article indefinit **un, una, uns, unes** i davant dels demostratius **aquest, aquesta, aquests, aquestes** i **aquell, aquella, aquells, aquelles** és més freqüent la preposició **en.**

El verb **anar** sol anar seguit de la preposició **a,** encara que la indicació de lloc comenci per un article indefinit o un demostratiu.

> *Visc **a** Anglaterra.*   ***Vaig a un** restaurant japonès.*
> *Visc **al** barri de Sant Miquel.*   ***Vaig a aquell** restaurant de Girona.*
> *Visc **en un** poble a prop de Girona.*
> *Visc **en aquesta** casa.*

Forma i ús del verb estar-se i contrast amb el verb ser

El verb **estar-se** vol dir **viure** o passar una temporada en un lloc.

> *Ara **m'estic / visc** a Granollers amb la meva germana.*

Present d'indicatiu	
ESTAR-SE	VIURE
m'estic	visc
t'estàs	vius
s'està	viu
ens estem	vivim
us esteu	viviu
s'estan	viuen

Per situar una persona, objecte o espai fem servir el verb **ser** i no el verb **estar.**

> *La Lourdes **s'està / viu** aquí però ara no hi **és**. **És** a la feina.*
> *La cuina **és** al costat del menjador.*
> *La plaça del Diamant **és** al barri de Gràcia.*

Forma dels numerals ordinals

numerals cardinals	numerals ordinals	
	masculí	femení: **-a**
u	primer	prime**ra**
dos	segon	sego**na**
tres	tercer	terce**ra**
quatre	quart	quar**ta**

	masculí: **-è**	femení: **-ena**
cinc	cinqu**è**	cinqu**ena**
sis	sis**è**	sis**ena**
set	set**è**	set**ena**
vuit	vuit**è**	vuit**ena**
nou	nov**è**	nov**ena**
deu	des**è**	des**ena**
onze	onz**è**	onz**ena**
dotze	dotz**è**	dotz**ena**
tretze	tretz**è**	tretz**ena**
catorze	catorz**è**	catorz**ena**
quinze...	quinz**è...**	quinz**ena...**
vint	vint**è**	vint**ena**
vint-i-u...	vint-i-un**è...**	vint-i-un**ena...**
trenta	trent**è**	trent**ena**
quaranta...	quarant**è**	quarant**ena...**

▪ A partir del **cinc** (**cinquè**) tots els ordinals masculins es formen afegint la terminació **-è** al numeral cardinal amb algunes modificacions ortogràfiques. Quan els números acaben en **-e** o **-a** passen a ser **-è.**

▪ La formació del femení es fa amb la terminació **-a** en els quatre primers números i amb **-ena** a partir del **cinc** (**cinquena**). L'accent del masculí desapareix.

▪ Les abreviatures dels números ordinals es formen amb el número cardinal en xifres més l'última lletra de l'ordinal en lletra minúscula, col·locada a la part de baix. Es poden escriure amb punt al final o sense punt.

▪ Les abreviatures de les formes femenines dels numerals ordinals sempre es fan amb la **-a.**

prime**r**	**1r**	~~1º~~
sego**n**	**2n**	
terce**r**	**3r**	
quar**t**	**4t**	
cinqu**è**	**5è**	
sis**è**	**6è...**	

prime**ra**	**1a**	~~1ª~~
sego**na**	**2a**	
terce**ra**	**3a**	
quar**ta**	**4a**	
cinqu**ena**	**5a**	
sis**ena**	**6a...**	

> c/ Lluçà, 5, **1r. 3a.**
>
> c/ Lluçà, 5, **1r 3a**

Ús de les formes verbals hi ha, té / tenen i fa / fan per descriure espais

▪ La forma verbal **hi ha** no té subjecte, però necessita un objecte directe (OD). A més, ha d'anar acompanyada d'un complement de lloc (CL) explícit o implícit.

▪ Les estructures de la frase per descriure espais amb **hi ha** són les següents:

Hi ha + OD + CL = CL(,) + hi ha + OD

Hi ha una cuina molt maca en aquest pis. = *En aquest pis hi ha una cuina molt maca.*

▪ L'estructura de l'oració per descriure espais amb les formes verbals **té / tenen** és la següent:

Subjecte (S) + **té / tenen** + OD

*Aquest pis **té** una cuina molt maca.*

▪ Normalment, en les preguntes, l'OD va sense determinant.

***Té** ascensor / piscina / jardí?*

~~*Té una piscina / Té l'ascensor?*~~

▪ Fem servir les formes verbals **fa / fan** per indicar les mides de longitud i superfície d'una persona, objecte o espai.

*El meu pis **fa** 40m².*

▪ Per demanar sobre la mida de longitud o superfície d'una persona, objecte o espai fem servir l'interrogatiu **quant.**

***Quant** fa el teu pis?*

Ús de ser i estar per descriure coses o espais

ser	Per descriure coses o espais fem servir el verb **ser** amb adjectius.	***És** fosc. **És** maco. **És** gran.*
estar	Normalment per descriure coses o espais fem servir el ver **estar** amb participis.	***Està** ben distribuït. **Està** ben comunicat. **Està** orientat al sud.*

Ús del demostratiu això en contrast amb aquest, aquesta, aquests, aquestes

▪ S'utilitza **això** quan assenyalem o mostrem objectes o llocs que tenim al davant, que no hem esmentat abans i que no volem o no podem especificar en forma de substantiu.

***Això** és el menjador i **això** és la cuina.* (Mentre estem ensenyant un pis.)

▪ S'utilitza **aquest, aquesta, aquests** o **aquestes** quan assenyalem persones o bé assenyalem un objecte o un espai per diferenciar-lo d'un altre de la mateixa categoria que prèviament hem esmentat o que és implícit.

▪ No podem fer servir **aquest** en comptes d'**això.**

~~*Què és aquest?*~~
~~*Aquest és l'habitació de l'Ernest.*~~

▪ No podem fer servir **això** quan parlem de persones.

***Aquest** és el meu germà.*
~~*Això és el meu germà.*~~

***Aquesta** (habitació) és la meva habitació i **aquesta** (habitació) és la teva.*
Quina és la teva habitació?
Aquesta.

Possessius. Col·locació

▪ Es fa servir el possessiu darrere del substantiu **casa.** En aquest cas, no es posa l'article davant del substantiu **casa.**

casa	meva
	teva
	seva
	nostra
	vostra
	seva

Anem a **casa teva?**
~~Anem a la teva casa? / la casa teva.~~

▪ Amb els locatius, també poden anar darrere. En aquest cas es fa servir la forma masculina dels possessius.

davant / darrere / al costat	meu
	teu
	seu
	nostre
	vostre
	seu

Davant meu hi viu un noi molt simpàtic.
Al costat nostre hi ha un matrimoni gran.

Ús de les formes verbals hi ha en contrast amb és i són per situar

▪ Per indicar la situació de coses, persones o espais determinats podem fer servir indistintament la forma **hi ha** o les formes **és** o **són,** encara que en estructures diferents. Per indicar la situació de coses, persones o espais indeterminats només podem fer servir la forma **hi ha.**

▪ On **és / són** + subjecte?

el la	objecte, persona o espai	és	complement de lloc
els les		**són**	

▪ Què **hi ha** + complement de lloc?

complement de lloc	**hi ha**	el / un la / una els / uns les / unes	objecte, persona o espai

On és el safareig?
El safareig és al costat de la cuina.
~~Un safareig és al costat de la cuina.~~

Què hi ha al costat de la cuina?
Al costat de la cuina hi ha el safareig.
Al costat de la cuina **hi ha** un safareig.
Hi ha **un safareig al costat de la cuina.**

▪ La forma **hi ha** no té plural.

Hi ha un bany.
Hi ha dos lavabos.

Forma i ús de l'indefinit altre, altra, altres

SINGULAR		PLURAL	
masculí	femení	masculí	femení
altre	**altra**	**altres**	

▪ Normalment les formes **altre** i **altra** en singular van precedides d'articles definits o indefinits.

▪ Fem servir **altre** o **altra** amb l'article definit (**l'altre** o **l'altra**) quan parlem de l'últim objecte, persona o espai d'una sèrie que enumerem.

> *Això és un bany, aquí n'hi ha un altre i aquest és **l'altre** (bany). (Ja no n'hi ha més.)*

▪ Fem servir l'article indefinit (**un altre** o **una altra**) quan parlem d'un objecte, persona o espai més d'una sèrie que enumerem (no necessàriament l'últim).

> *Hi ha un bany aquí i **un altre** aquí, al costat de l'habitació. (N'hi pot haver més.)*

▪ La forma plural **altres** pot anar sense article.

> *Aquí hi ha l'habitació dels pares i aquí hi ha **les altres**.*
> *Aquí hi ha una habitació i aquí n'hi ha (d'/unes) **altres**. (N'hi ha més.)*

▪ Si substituïm el nom d'un objecte directe determinat amb: **un altre, una altra, uns / unes altres**, caldrà posar el pronom **en**. Això no passa si el determinant és **l'altre, l'altra, els / les altres**.

> *Aquí hi ha un bany i aquí **n'**hi ha **un altre** (un altre bany).*
> *Aquí hi ha el bany petit i aquí hi ha **l'altre** (l'altre bany).*

Expressions de lloc

Adverbis o locucions adverbials de lloc	aquí ≠ allà a prop ≠ lluny a la dreta ≠ a l'esquerra a mà dreta ≠ a mà esquerra al mig (a / al) davant ≠ (a / al) darrere a dalt ≠ a baix a sobre ≠ a sota al costat (a) dins / dintre ≠ (a) fora	*El dormitori és a la **dreta**.* ***A sobre** hi viuen uns xinesos.*
Aquestes expressions es poden fer servir darrere de la preposició **de / d'** per determinar un substantiu.		*Els veïns **d'aquí / d'allà / de la dreta / de l'esquerra / del mig / de(l) davant / de(l) darrere / de dalt / de baix / de sobre / de sota / del costat**.*
Adverbis o locucions adverbials de direcció	entrant ≠ sortint pujant ≠ baixant	*El lavabo és **entrant** a l'esquerra.*
Preposicions o locucions prepositives de lloc	entre... i.... al costat de lluny de ≠ (a) prop de = a la vora de a la dreta de ≠ a l'esquerra de a l'entrada de ≠ a la sortida de al final de al fons de al voltant de	*El bany és **entre** l'habitació **i** la cuina.* ***Al costat del** bany hi ha la cuina.*
Les locucions prepositives poden anar amb la preposició **a (al)** o sense, al davant i amb la preposició **de** o sense, al darrere.	(a) dins (de) = (a) dintre (de) ≠ (a) fora (de) (a / al) davant (de) ≠ (a / al) darrere (de) (a) sota (de) ≠ (a) sobre (de)	*La cuina és **davant del** menjador.* ***Al fons del** passadís hi ha una galeria.* ***Darrere** la casa hi ha un jardí.*

■ Contrast entre **(a / de) dalt** i **(a / de) sobre**, i **(a / de) baix** i **(a / de) sota**

dalt / baix	sobre / sota
Es fa servir **a dalt** i **a baix** sempre que volem indicar que una cosa, persona o espai estan situats a qualsevol lloc en una situació superior (**a dalt**) o inferior (**a baix**) a la nostra, sense precisar.	Es fa servir **sobre** i **sota** sempre que volem indicar que una cosa, persona o espai estan situats en una posició immediatament superior (**sobre**) o immediatament inferior (**sota**) d'una altra cosa, persona o lloc.
*La recepció i el bar són **a baix** i el restaurant és **a dalt**.*	*Nosaltres vivim al **5è**. Els veïns del pis de **sobre** (del nostre pis) (els del **6è**) són molt trempats, però els de **sota** (del nostre pis) (els del **4t**) són molt estranys.*
No serveix per posar en relació un objecte o espai amb un altre.	
~~A baix del menjador hi ha el garatge.~~	
També es fa servir en un lloc que només té dos nivells. Pot anar darrere de la preposició **de** per determinar un substantiu.	
*Les habitacions i els banys són **a dalt** i la cuina, el menjador i la sala són **a baix**.*	
*Les habitacions i els banys són al pis **de dalt** i la cuina, el menjador i la sala són al pis **de baix**.*	
Pot anar seguit de l'expressió **de tot** i vol dir a l'extrem superior o inferior.	
***A dalt de tot** hi viuen les meves cosines.*	

Formes i ús dels verbs pagar, compartir, valer, costar

■ **Pagar** (per a una cosa o un servei) sol anar acompanyat de la preposició **per** o **de**.

> *Quant **pagues pel** teu pis?*
> *Quant **pagues de** lloguer?*

Present d'indicatiu	
PAGAR	COMPARTIR
pago	comparteixo
pagues	comparteixes
paga	comparteix
paguem	compartim
pagueu	compartiu
paguen	comparteixen

■ **Compartir** (en el sentit d'usar conjuntament) va acompanyat d'un objecte directe. Sovint també va amb un complement preposicional introduït per la preposició **amb**.

> *Comparteixo pis **amb** uns amics del meu poble.*
> *Comparteixes pis? (amb algú)*

■ **Valer** i **costar** es poden fer servir indistintament per demanar o per dir el preu d'una cosa.

> *Quant **val** / Quant **costa** aquest pis?*

Present d'indicatiu	VALER	COSTAR
3a persona del singular	val	costa
3a persona del plural	valen	costen

Estructures comparatives

Superioritat	Igualtat	Inferioritat
més + substantiu + **que**	**tant, tanta, tants, tantes** + substantiu + **com**	**no... tant, no... tanta, no... tants, no... tantes** + substantiu + **com**
*Al meu país hi ha **més beques** per als joves **que** aquí.*	*Al meu país el govern dóna **tantes ajudes** als joves **com** aquí.*	*Al meu país el govern **no** dóna **tantes ajudes** als joves **com** aquí.*
més + adjectiu / adverbi + **que**	**tan** + adjectiu / adverbi + **com**	**no... tan** + adjectiu / adverbi + **com**
*Els pisos del meu país són **més cars que** els pisos d'aquí.* *Els joves del meu país marxen **més aviat** de casa dels seus pares **que** aquí.*	*Els pisos del meu país són **tan cars com** els pisos d'aquí.* *Els joves del meu país marxen **tan aviat** de casa dels seus pares **com** aquí.*	*Els pisos del meu país **no** són **tan cars com** els pisos d'aquí.* *Els joves del meu país **no** marxen **tan aviat** de casa dels seus pares **com** aquí.*
verb...+ **més** + **que**	verb... + **tant** + **com**	**no** + verb... + **tant com**
*Al meu país els pares **ajuden** els seus fills **més que** aquí.*	*Al meu país els pares **ajuden** els seus fills **tant com** aquí.*	*Al meu país els pares **no ajuden** els seus fills **tant com** aquí.*

Ús de tothom, cap dels..., ningú, tots, alguns dels..., molts dels..., la majoria dels..., la meitat dels..., el x% dels..., la gent...

▪ Concordança amb el verb

verb en singular	verb en plural
tothom cap dels entrevistats (no) = cap entrevistat (no) ningú (no) la majoria de la gent	tots els entrevistats alguns entrevistats molts dels entrevistats vint-i-quatre persones
la majoria dels entrevistats (gairebé) la meitat dels entrevistats el 90% dels joves la gent	

***Tothom viu** en pisos de compra.*

***Ningú (no) comparteix** el pis amb altres persones.*

***La gent compra / compren** un pis quant **té / tenen** més o menys quaranta anys.*

***Tots els** entrevistats viuen a casa dels seus pares.*

***La majoria dels** joves **viu / viuen** amb els seus pares.*

Ús del pronom en

▪ El pronom **en** es pot fer servir per substituir un substantiu indeterminat.

Substantiu sense cap determinant	*No **n'**hi ha.* = *No hi ha safareig /...*
Substantiu precedit d'un número	***N'**hi ha **set**.* = *Hi ha **set** habitacions /...*
Substantiu precedit d'un quantificador (**cap, molt...**)	*No **en** té **cap**.* = *No té **cap** terrassa /...*

- El pronom **en** només substitueix el substantiu, però no, el número ni el quantificador.
- El pronom **en** (i la seva forma **n'** davant de vocal o **h**) no té res a veure amb la partícula negativa **no**.
- La partícula negativa **no** no s'apostrofa mai.

> **N'**hi ha dues. = Hi ha dues **terrasses.**
> **No** hi ha terrasses.
>
> ~~N'hi ha terrasses.~~

Ús del pronom ho

- El pronom **ho** es pot fer servir per substituir un adjectiu que fa d'atribut dels verbs **ser** i **estar.**

> **És tranquil** el barri? Sí, sí que **ho és.**
> **Està ben distribuït** el pis? Sí, sí que **ho està.**

Ús de bé / ben i malament / mal

- Per explicar l'estat (bo o dolent) de les coses fem servir amb els adverbis **bé / ben** i **malament / mal** el verb **estar** i no, el verb **ser. Bé** i **malament** no porten cap participi darrere seu.

> El pis nou **està** molt **bé / malament.**
> ~~El pis és molt bé / malament.~~
> ~~El pis està malament comunicat.~~

- Es fa servir **ben** i **mal** davant del participi.

> El pis de la Teresa està **ben comunicat,** però està molt **mal distribuït,** oi?

Ús de que i quin, quina, quins, quines en frases exclamatives

que	Es fa servir davant d'adverbis i d'adjectius. És invariable.	**Que** maco! **Que** cars! **Que** maca! **Que** bé!
quin, quina, quins, quines	Es fan servir davant de substantius. Concorden en gènere i nombre amb el substantiu.	**Quin** pis! **Quina** sort! **Quins** preus! **Quines** terrasses!

Ús i posició del pronom hi com a expressió de lloc

- El pronom **hi** substitueix una expressió de lloc dita anteriorment.

> La Pepa viu **al tercer pis.** = La Pepa **hi** viu.

- Si l'expressió de lloc apareix darrere el verb, no s'hi ha de posar el pronom.

> ~~La Pepa hi viu al tercer pis.~~

- Però si l'expressió de lloc va al davant de tot de la frase, s'ha de posar el pronom **hi** amb una coma, opcional, entre l'expressió de lloc i la resta de la frase.

> Al tercer pis(,) **hi** viu la Pepa.

- En la forma verbal **hi ha**, el pronom **hi** forma part del verb i no es pot treure (n'és inseparable), encara que hi hagi l'expressió de lloc a la mateixa frase en qualsevol posició.

> **Hi ha** un lavabo **al costat de l'habitació.** = **Al costat de l'habitació hi ha** el lavabo.

Adjectius per descriure el caràcter de les persones. Flexió de gènere i nombre

SINGULAR		PLURAL	
masculí	femení: **-a**	masculí: **-s / -os**	femení: **-es**
simpàtic	simpàtic**a**	simpàtic**s**	simpàti**ques**
antipàtic	antipàtic**a**	antipàtic**s**	antipàti**ques**
trempat	trempa**da**	trempat**s**	trempa**des**
educat	educa**da**	educat**s**	educa**des**
estrany	estrany**a**	estrany**s**	estrany**es**
tancat	tanca**da**	tancat**s**	tanca**des**
obert	obert**a**	obert**s**	obert**es**
discret	distret**a**	discret**s**	discret**es**
problemàtic	problemàtic**a**	problemàtic**s**	problemàti**ques**
seriós	seriosa	serios**os**	serios**es**
rondinaire		rondinaire**s**	
agradable		agradable**s**	

▨ Normalment els adjectius acabats en **-aire** i **-ble** tenen una mateixa forma en masculí i en femení.

Quantificadors

En frases positives		ser	+	**molt**	adjectius
				força = bastant	
		estar	–	**més aviat**	participis
				una mica	
En frases negatives	**no**	ser	+	**gaire**	adjectius
		estar	–	**gens**	participis

▨ Els quantificadors adverbials no canvien mai ni de gènere ni de nombre; en canvi, els adjectius i els participis als quals modifiquen sí que canvien, segons el nom o el pronom al qual es refereixen.

*El **pis** està **força endreçat**.*

*Els **pisos** són **força cars**.*

Verbs endreçar, netejar, fregar. Alternances ortogràfiques

▨ Aquests verbs tenen alternances ortogràfiques (**ç / c, j / g, g / gu**) segons la vocal que els segueix: **-ça, -ço, -ce-; -ja, -jo, -ge-; -ga, -go, -gue-.**

Present d'indicatiu		
ENDREÇAR	NETEJAR	FREGAR
endre**ço**	nete**jo**	fre**go**
endre**ces**	nete**ges**	fre**gues**
endre**ça**	nete**ja**	fre**ga**
endre**cem**	nete**gem**	fre**guem**
endre**ceu**	nete**geu**	fre**gueu**
endre**cen**	nete**gen**	fre**guen**

UNITAT
5 **LA NOSTRA HISTÒRIA**

Dates

▨ Una data sencera s'expressa: **el** + dia + **de** + mes + **de / del** any.

> **El** 9 **de** març **de / del** 1954.
> ~~El 9 del març de / del 1954.~~

▨ Davant dels números 1 i 11 escrivim **l'.**

> **l'**1, **l'**11

▨ Els mesos s'escriuen sempre en minúscula.

> El 9 de ~~Març~~.

▨ Davant de l'any es pot escriure **de** o **del**. Si només es diu la desena s'ha de dir **del.**

> L'1 de novembre **de / del** 2005.
> L'1 de novembre **del** 99.

▨ També podem dir: **el** + mes + **de / del** + any.

> **El** novembre **de / del** 1999.

▨ Un any concret va sense preposició i amb article.

> **L'any** 1992. / **El** 1992.
> ~~A l'any 1992. / Al 1992. En 1992.~~

Forma i ús del Passat perifràstic d'indicatiu

Passat perifràstic d'indicatiu	
vaig	
vas	
va	+ infinitiu
vam (vàrem)	
vau (vàreu)	
van (varen)	

PASSAT   FUTUR

		AVUI
	ABANS-D'AHIR	AHIR
LA SETMANA PASSADA		

▨ El passat perifràstic d'indicatiu es forma amb un auxiliar més l'infinitiu del verb que expressa l'acció o el fet. Cal destacar que les formes **vaig, vas, va** i **van** coincideixen amb les persones respectives del verb **anar,** però que **vam** i **vau** tenen formes diferents del verb anar: **anem** i **aneu.** (Les formes **vàrem, vàreu** i **varen** es fan servir només en algunes zones.)

▨ Utilitzem el passat perifràstic d'indicatiu per parlar d'algun fet, puntual i acabat, que va tenir lloc en el passat.

> **Vaig estudiar** a Girona.
> **Va néixer** a Ciutadella l'any 1990.
> Al principi, no **va ser** gens fàcil.

▨ En el passat perifràstic d'indicatiu no es pot posar mai la preposició **a** entre l'auxiliar i l'infinitiu. Cal no confondre el passat perifràstic d'indicatiu amb **anar a** + infinitiu, que indica un desplaçament per fer una activitat en present.

> **Vaig comprar** al supermercat. (passat)
> **Vaig a comprar** al supermercat. (present)

> ~~Vaig a néixer a l'Equador fa 30 anys.~~
> ~~La setmana passada vaig a anar a Girona.~~

Ús del verb fer per indicar l'edat

▨ Per indicar els anys respecte de l'aniversari, usualment utilitzem el verb **fer.** També es pot fer servir el verb **complir,** però és menys freqüent.

> Quants anys **fas / compleixes?**
> En **faig** 19.

> El dia 20 va ser el meu aniversari.
> Quants anys **vas fer?**

Interrogatiu quan

Pot servir per preguntar una data (dia, mes o any). És invariable.

Quan vas néixer?
El 12 d'octubre del 2006.

Adjectius per descriure el caràcter de les persones. Flexió de gènere i nombre

SINGULAR		PLURAL	
masculí	femení: **-a**	masculí: **-s / -os**	femení: **-es**
sincer	sincer**a**	sincer**s**	sincer**es**
tímid	tímid**a**	tímid**s**	tímid**es**
tranquil	tranqui**l·la**	tranquil**s**	tranqui**l·les**
cregut	cregu**da**	cregu**ts**	cregu**des**
tossut	tossu**da**	tossu**ts**	tossu**des**
nerviós	nervi**osa**	nervi**osos**	nervi**oses**

SINGULAR: **-ble, -ista, -ant, -ent**		PLURAL: **-s**	
masculí	femení	masculí	femení
ama**ble**		ama**ble**s	
irrita**ble**		irrita**ble**s	
sensi**ble**		sensi**ble**s	
idea**lista**		idea**liste**s	
optim**ista**		optim**iste**s	
pessim**ista**		pessim**iste**s	
const**ant**		const**ant**s	
independ**ent**		independ**ent**s	
intel·lig**ent**		intel·lig**ent**s	

Normalment els adjectius acabats en **-ble, -ista, -ant** i **-ent** tenen una mateixa forma en masculí i en femení.

La Gemma / El Ferran és sensi**ble**, optim**ista**, const**ant** i intel·lig**ent**.
Els homes / Les dones sagitari són idea**liste**s i independ**ent**s.

Ús del pronom ho

En la resposta a preguntes amb el verb **ser,** per no repetir l'adjectiu en funció d'atribut, es fa servir el pronom **ho.**

La Laia és escorpí?
Sí, sí que **ho** és.
És tímida, oi?
No, no **ho** és.

Respostes amb sí / no

Per respondre preguntes amb el verb **ser**: És...?, afirmativament o negativament, utilitzem **sí** o **no,** o l'estructura:

Sí	**que**	
No, no	**ø**	ho és.

Forma i ús d'expressions temporals

als + edat	Per referir-se a una edat concreta.	*Als 13 anys em vaig enamorar d'un veí.*
del... al...	Per expressar un període de temps.	*Del 2005 al 2009 em vaig estar a Sevilla.*
el...	Per expressar un any, un mes...	*El 2003 ens vam casar a Rabat. El mes d'octubre vam arribar. L'any passat em vaig casar. La setmana passada van arribar els meus pares.*
quan	Per expressar un fet com a contemporani d'un altre.	*Quan l'home va arribar a la lluna, tenia 2 anys. Quan tenia 17 anys em vaig enamorar d'un veí.*
al cap de + quantitat de temps	Per informar sobre el temps que ha passat entre dos fets. Normalment es col·loca entre els dos fets als quals es refereix i acostuma a anar entre comes.	*En Jordi es va enamorar d'una noia australiana i, al cap de tres anys, va decidir anar-se'n a viure a Austràlia.*
fa + quantitat de temps + **que** + verb en passat perifràstic d'indicatiu = Verb en passat perifràstic d'indicatiu + **fa** + quantitat de temps	Per indicar el temps transcorregut des que va passar un fet o esdeveniment.	*Fa 2 anys que vaig arribar a Catalunya = Vaig arribar a Catalunya fa 2 anys.*

fa + quantitat de temps + **que** + verb en present d'indicatiu = Verb en present d'indicatiu + **fa** + quantitat de temps	Per indicar un fet des que es va iniciar i que encara dura	*Fa 2 anys que visc a Catalunya = Visc a Catalunya fa 2 anys.*
Verb en present d'indicatiu + **des de** + data		*Visc aquí des del 2009.*
Verb en present d'indicatiu + **des de fa** + expressió de quantitat de temps		*Visc aquí des de fa 2 anys.*

■ Normalment les expressions temporals poden anar al principi o al final de la frase.

Als 13 anys em vaig enamorar d'un veí. = Em vaig enamorar d'un veí als 13 anys.
Del 2005 al 2009 em vaig estar a Sevilla. = Em vaig estar a Sevilla del 2005 al 2009.
El 2008 ens vam casar a Rabat. = Ens vam casar a Rabat el 2008.

En canvi: *Vaig néixer el 2001.*
~~*El 2001 vaig néixer.*~~

Forma dels pronoms en el passat perifràstic d'indicatiu dels verbs amb em, et, es, ens, us, es (enamorar-se, separar-se...)

Passat perifràstic d'indicatiu	
ENAMORAR-SE	
em vaig enamorar	vaig enamorar-**me**
et vas enamorar	vas enamorar-**te**
es va enamorar	va enamorar-**se**
ens vam enamorar	vam enamorar-**nos**
us vau enamorar	vau enamorar-**vos**
es van enamorar	van enamorar-**se**

▓ En el passat perifràstic d'indicatiu els pronoms poden anar davant del verb (sense guionet) o darrere del verb (amb guionet, si el verb acaba en **-r**). El pronom no es pot posar davant i darrere del verb. En llenguatge oral els pronoms els diem normalment davant del verb.

*Quant temps **et** vas estar a París? = Quant temps vas estar-**te** a París?*

Em vaig casar amb la Josefina. = Vaig casar-me amb la Josefina.

~~Quant temps et vas estar-te a París?~~

Verb anar-se'n

Passat perifràstic d'indicatiu	
ANAR-SE'N	
me'n vaig	
te'n vas	
se'n va	anar
ens en vam (vàrem)	
us en vau (vàreu)	
se'n van (varen)	

▓ El verb **anar-se'n** sempre es conjuga amb tots dos pronoms.

*   **Me'n** *vaig anar a Mèxic.*
*   **Em** *~~vaig anar a Mèxic.~~*

Verb haver-hi

▓ El verb **haver-hi** només es conjuga en 3a persona del singular. El pronom **hi,** que no fa cap funció sintàctica, pot anar davant o darrere del verb: **hi** va haver = va haver-**hi.**

*L'11 de març del 2004 **hi va haver un** atemptat a Madrid. **Va haver-hi molts** morts i ferits.*

Ús de per què, perquè i per

▓ **Per què** és un interrogatiu que es pot fer servir per demanar la causa d'un fet o d'una actuació. S'escriu sempre separat i amb accent obert.

*   **Per què** *vas deixar el teu país?*

▓ Per respondre a una pregunta amb l'interrogatiu **per què,** podem fer servir:

Per + infinitiu. Expressa la finalitat.

*   *Vaig venir **per buscar** feina.*

Perquè + verb conjugat. Expressa la causa i s'escriu sempre junt i amb accent obert.

*   *Vaig venir **perquè tenia** una xicota catalana.*

Forma i ús de l'Imperfet d'indicatiu

▓ Models regulars

Imperfet d'indicatiu		
TREBALLAR	CONÈIXER	TENIR
treballava	coneixia	tenia
treballaves	coneixies	tenies
treballava	coneixia	tenia
treballàvem	coneixíem	teníem
treballàveu	coneixíeu	teníeu
treballaven	coneixien	tenien

■ Formes irregulars

SER	VIURE	FER	HAVER-HI
era	vivia	feia	
eres	vivies	feies	
era	vivia	feia	hi havia
érem	vivíem	fèiem	
éreu	vivíeu	fèieu	
eren	vivien	feien	

■ Fem servir l'imperfet d'indicatiu per expressar el context o la circumstància en què van passar uns fets. També és habitual per explicar els motius o les causes d'un fet.

> *Quan va néixer l'ovella Dolly, jo **tenia** tretze anys i **estudiava** a l'institut.*
>
> *Vam venir aquí perquè al nostre país no **teníem** feina.*

Ús d'anar, anar-se'n, venir i tornar

anar a	+ lloc	Indica un desplaçament en direcció a un lloc on no hi ha ni la persona que parla ni la que escolta, especificant el lloc.	*Quan era petit **vaig anar a Granada.***
	+ infinitiu	Expressa un desplaçament per fer una activitat en algun lloc.	***Vaig anar a treballar** a Granada.*
anar-se'n	ø	Indica marxar d'un lloc.	*Adéu! **Me'n vaig.***
	a + lloc	Indica marxar d'un lloc i anar a un altre on no hi ha ni la persona que parla ni la que escolta, especificant el lloc.	*Quan era petit **me'n vaig anar a Granada.***
	a + infinitiu	Expressa marxar d'un lloc i anar a un altre per fer-hi una activitat.	***Me'n vaig anar a treballar** a Granada.*
	de + lloc	Significa marxar d'un lloc, especificant-lo.	*Als divuit anys **se'n va anar de casa dels pares.*** ~~Als divuit anys va anar de casa dels pares.~~
venir	ø	Significa traslladar-se al lloc on es troba la persona que escolta o que parla, o al lloc habitual d'un dels dos parlants.	***Vaig venir** el 2002.*
	a + lloc	Significa traslladar-se al lloc on es troba la persona que escolta o que parla, o al lloc habitual d'un dels dos parlants, especificant el lloc.	***Vaig venir a Catalunya** el 2002.*
	a+ infinitiu	Significa traslladar-se al lloc on es troba la persona que escolta o que parla, o al lloc habitual d'un dels dos parlants, per fer-hi una activitat.	***Va venir a treballar** a Catalunya el 2002.*
	de + lloc	Significa traslladar-se al lloc on es troba la persona que escolta o que parla, o al lloc habitual d'un dels dos parlants, especificant el lloc de procedència.	***Vaig venir de Veneçuela** (a Catalunya) fa tres anys.*
tornar	ø	Significa anar a un lloc d'on s'havia marxat.	***Vaig tornar** el 2002.*
	a + lloc	Significa anar a un lloc d'on s'havia marxat, especificant el lloc on es va.	*Vaig viure a Menorca i després **vaig tornar al meu poble.***
	de + lloc	Significa traslladar-se del lloc on s'havia estat, especificant el lloc.	***Vaig tornar de Veneçuela** fa tres anys.*

Forma i ús dels quantificadors

	molt	El català em va costar **molt**. Aprendre català va ser **molt** difícil.
Frases afirmatives	**força / bastant**	El català em va costar **força / bastant**. Aprendre català va ser **força / bastant** difícil.
	una mica	El català em va costar **una mica**. Aprendre català va ser **una mica** difícil.
Frases negatives	**gaire**	El català **no** em va costar **gaire**. Aprendre català no va ser **gaire** difícil.
	gens	El català **no** em va costar **gens**. Aprendre català **no** va ser **gens** difícil.

▨ Quan els quantificadors modifiquen verbs o adjectius són invariables. Quan modifiquen un verb van darrere i quan modifiquen un adjectiu van davant.

▨ En frases no interrogatives, **gaire** sempre va acompanyat de **no**.

> *Et va costar aprendre català?*
> *(Sí,)* **molt / bastant / força / una mica**.
> *(No,)* **no gaire** / (no) **gens**.

Verbs en passat perifràstic d'indicatiu que es conjuguen amb els pronoms
em, et, es, ens, us, es

▨ Hi ha verbs que es conjuguen amb els pronoms **em, et, es, ens, us, es:** *sentir-se (bé / malament), enamorar-se (de), enyorar-se (de), separar-se (de), traslladar-se, casar-se (amb), divorciar-se, morir-se (=morir).*

CASAR-SE	
em	vaig casar
et	vas casar
es	va casar
ens	vam casar
us	vau casar
es	van casar

*Quan me'n vaig anar del meu país, **em vaig enyorar dels** meus pares.*
***Em vaig casar amb** el meu professor el 2004.*
***Es va separar de** la Dolors el 2005.*
***Em vaig enamorar d'**un noi francès i **em vaig traslladar** a París.*

Pronoms d'objecte indirecte em, et, li, ens, us, els amb els verbs costar i agradar

▨ Aquests dos verbs van amb els pronoms d'objecte indirecte.

	pronoms d'OI	COSTAR / AGRADAR
(a mi)	**em**	
(a tu)	**et**	
(a ell / a ella / a vostè)	**li**	va costar / va agradar
(a nosaltres)	**ens**	
(a vosaltres)	**us**	
(a ells / a elles / a vostès)	**els**	

A la Maria, li va costar aprendre català?
No, no **li** va costar gaire.

No, no es va costar gaire.

Als teus pares, els va agradar molt el pis nou?
No, no **els** va agradar gaire.

A les teves germanes, els va agradar molt el pis nou?
No, no **els** va agradar gaire.

No, no es va agradar gaire.

Ús del connector en canvi

Introdueix la idea oposada o contrària de la que s'acaba d'enunciar. Sovint va entre comes o amb una coma darrere.

> *Al principi, el català em va costar una mica. Ara,* **en canvi,** *penso que és molt fàcil.* =
> *Al principi, el català em va costar una mica.* **En canvi,** *ara, penso que és molt fàcil.*

Ús de bé i malament

Bé i **malament** són adverbis que complementen el significat del verb. Són invariables.

> *Com es van sentir al principi?*
> *La Maria,* **bé.** *En Robert,* **malament.**
> ~~*La Maria, ben. En Robert, mal.*~~

Bé i **malament** poden modificar el verb **anar.** En aquest cas **anar** no indica moviment.

Anar bé té un sentit positiu. Es fa servir quan les coses funcionen i no hi ha problemes.
Anar malament té un sentit negatiu. Es fa servir quan les coses no funcionen i hi ha problemes.
No anar gaire bé té un sentit negatiu. Es fa servir quan les coses no acaben de funcionar i hi ha alguns problemes. És més usual que **anar malament,** que té un valor molt negatiu.

> *Quan vam venir, el viatge va* **anar bé.** *No vam tenir cap problema.*
> *Quan vam venir, el viatge va* **anar malament.** *Vam tenir molts problemes.*
> *Quan vam venir, el viatge* **no** *va anar* **gaire bé.** *Vam tenir bastants problemes.*

Perífrasis amb els verbs començar, tornar i acabar

Són construccions compostes d'un verb auxiliar + una preposició + verb en infinitiu. Matisen el significat d'aquest infinitiu.

començar a	***Vaig començar a*** *estudiar a la universitat quan tenia vint anys.*
tornar a	***Vaig tornar a*** *viure al meu poble.*
acabar de	***Va acabar d****'estudiar als trenta anys.*

UNITAT
6 QUINA GANA!

Forma i ús dels verbs agradar, encantar, odiar, no suportar

▪ Són verbs que utilitzem per indicar gustos o donar opinions favorables o desfavorables sobre un menjar, una persona, una cosa... Utilitzem **agradar** i **encantar** per donar opinions favorables, i **odiar** i **no suportar** per donar opinions desfavorables.

	AGRADAR / ENCANTAR
m' t' li ens us els	agrada / agrad**en** encanta / encant**en**

▪ Quan indiquem gustos o opinions amb **agradar** i **encantar**, el subjecte sempre és una tercera persona, singular o plural (el menjar, les persones, les coses... agradades); per això els verbs van en tercera persona, del singular o del plural. Es conjuguen amb els pronoms d'objecte indirecte, que indiquen qui és la persona a la qual agrada o encanta el menjar, les persones, les coses... (subjecte de l'oració).

*T'agrad**a** el gaspatxo?*
*No, no m'agrad**a**.*
Doncs a mi m'encanta.

*T'agrad**en els gelats?***
*M'encant**en**.*

El subjecte és el **gaspatxo** i **els gelats. T'** i **m'** són els objectes indirectes.

~~*T'agrades el gaspatxo?*~~
~~*No, no m'agrado.*~~
~~*Doncs a mi m'encanto.*~~

▪ Quan indiquem gustos o opinions amb **odiar** i **no suportar**, el subjecte sempre és la persona que opina (jo, tu...), per això els verbs van en la mateixa persona que el subjecte i hi concorden. El menjar, la persona, la cosa... no agradada és l'objecte directe.

*Jo odi**o** el gaspatxo.*
*El nens no suport**en** la col.*

Present d'indicatiu	
ODIAR	SUPORTAR
odio	suporto
odies	suportes
odia	suporta
odiem	suportem
odieu	suporteu
odien	suporten

Forma i ús dels verbs o formes verbals estimar-se més, agradar més, preferir

▪ Són verbs o formes verbals que utilitzem per indicar preferències sobre un menjar, una persona, una cosa...

Present d'indicatiu		Present d'indicatiu	Present d'indicatiu		
ESTIMAR-SE		PREFERIR	AGRADAR		
m'estimo		prefereixo	m'		
t'estimes		prefereixes	t'		
s'estima	més	prefereix	li	agrada/agraden	més
ens estimem		preferim	ens		
us estimeu		preferiu	us		
s'estimen		prefereixen	els		

▪ Quan indiquem preferència amb **estimar-se més** i **preferir,** el subjecte és sempre la persona que pregunta o expressa preferències (jo, tu...), per això els verbs van en la mateixa persona que el subjecte i hi concorden. El menjar, la persona, la cosa... preferida és l'objecte directe.

▪ Cal no confondre el verb **estimar,** que indica amor, i la forma verbal **estimar-se més,** que indica preferència. En aquesta última el verb sempre es conjuga amb un pronom i l'adverbi **més.**

> Què **s'estimen més els nens,** espaguetis o paella?
> **En Pau prefereix** espaguetis i **l'Andreu s'estima més** paella.

> ~~Jo estimo la paella.~~
> ~~Jo m'estimo la paella.~~
> ~~Jo estimo més la paella.~~

▪ Quan indiquem preferència amb **agradar més,** el subjecte és sempre el menjar, la persona, la cosa... preferida; per això el verb va en tercera persona, del singular o del plural. Es conjuga amb els pronoms d'objecte indirecte, que indiquen qui és la persona que prefereix el menjar, la persona, la cosa... (subjecte de l'oració) i l'adverbi **més.**

> Què t'agrad**a més la mussaca o el rosbif?**
> M'agrad**a més el rosbif.**
> A en Pau li agrad**en més els espaguetis** i a l'Andreu **li** agrad**a més la paella.**

> ~~T'agrades més la mussaca?~~
> ~~No, m'agrado el rosbif.~~

Ús de tots, la majoria

▪ Quan parlem de fets, costums... de les persones del nostre entorn podem expressar que formem part d'aquest entorn o no. Si nosaltres en formem part, el verb va en primera persona del plural. Si nosaltres no en formem part, el verb va en tercera persona.

tots	(ells)	fan
	(ells + jo = nosaltres)	fem
la majoria de gent	(la majoria)	fa
	(la majoria + jo = nosaltres)	fem

Interrogatius quant, cada quant

▪ **Quant** pot servir per demanar «quina quantitat». Si no s'especifica la mesura, és invariable. Si s'especifica la mesura, concorda amb el gènere i el nombre del nom que expressa la mesura.

> **Quant** peses? / **Quant** fas d'alçada?
> **Quant** pesen? / **Quant** fan d'alçada?
> **Quant** val? / **Quant** és? / **Quant** és tot?

> **Quants quilos** peses?
> **Quantes calories** té?
> **Quants euros** val?

▪ Per demanar el preu d'un producte fem servir l'expressió: A quant va...?

> **A quant** va el rap?
> (Va) **A** ... euros el quilo.

> **A quant** van els ous?
> (Van) **A** ... euros la dotzena.

▪ **Quant,** amb l'indefinit **cada,** serveix per demanar freqüència.

> **Cada quant** mengeu peix?
> Cada setmana. / Un cop per setmana.

Expressions relatives de temps

▪ Per indicar un moment, no exacte, en què mengem o fem altres accions en un dia utilitzem expressions que no corresponen a una hora concreta, sinó a una hora relativa a una part del dia o als àpats.

a mig matí
a mitja tarda
abans de dinar / de sopar...
després de dinar / de sopar...

havent dinat / sopat
per esmorzar / per berenar...
a l'hora de dinar / d'esmorzar...

Què menges en un dia?
Per esmorzar *prenc un cafè amb llet i torrades;* **a mig matí** *menjo un entrepà;* **a l'hora de dinar** *menjo un menú al restaurant;* ***havent dinat*** *prenc un cafè;* **a mitja tarda** *bereno, menjo fruita;* ***abans de sopar*** *prenc una cervesa;* **per sopar** *menjo verdura i peix i* ***havent sopat*** *prenc una infusió.*

Ús del verb estar

Per fer apreciacions sobre el físic d'una persona en un moment concret utilitzem el verb **estar.**

Ara **està** prima.
Ara no **està** ni gras ni prim. **Està** bé.

Perífrasi d'obligació, en forma personal i impersonal

Per donar instruccions o consells es pot utilitzar la perífrasi d'obligació. Es pot conjugar de manera impersonal, sense referir-se a ningú en concret, o personal, fent referència a una persona determinada.

impersonal	s'ha	
personal	he / haig has ha hem heu han	de + infinitiu

Per tenir bona salut **s'ha de menjar** *equilibradament.*
Per tenir bona salut **hem de menjar** *equilibradament.*

Què **s'ha de consumir** *per fer una dieta equilibrada?*
Què **hem de consumir** *per fer una dieta equilibrada?*

La forma impersonal **s'ha** de + infinitiu es pot convertir en **s'han** de + infinitiu, si el substantiu va en plural.

S'ha de menjar verdures. = **Algú ha** de menjar verdures.
S'han de menjar verdures. = **Les verdures han** de ser menjades per algú.

Adjectius per descriure menjars. Flexió de gènere i nombre

SINGULAR		PLURAL	
masculí	femení	masculí	femení
petit	petit**a**	petit**s**	petit**es**
madur	madur**a**	madur**s**	madur**es**
verd	verd**a**	verd**s**	verd**es**
prim	prim**a**	prim**s**	prim**es**
car	car**a**	car**s**	car**es**
barat	barat**a**	barat**s**	barat**es**
vermell	vermell**a**	vermell**s**	vermell**es**
rodó	rod**ona**	rod**ons**	rod**ones**
gruixut	gruixu**da**	gruixu**ts**	gruixu**des**
allargat	allarga**da**	allarga**ts**	allarga**des**
amarg	amarg**a**	amarg**s**	amar**gues**
groc	gro**ga**	groc**s**	gro**gues**
sec	sec**a**	sec**s**	se**ques**
blanc	blanc**a**	blanc**s**	blan**ques**
fresc	fresc**a**	fresc**os** (fresc**s**)	fres**ques**
gris	gris**a**	gris**os**	gris**es**
gros	gros**sa**	gros**sos**	gros**ses**
dolç	dol**ça**	dol**ços**	dol**ces**
blau	bla**va**	blau**s**	bla**ves**
tendre	tendr**a**	tendr**es**	
negre	negr**a**	negr**es**	
marr**ó**		marr**ons**	
carbass**a**		carbass**es**	
taron**ja**		taron**ges**	

Els adjectius concorden en gènere i nombre amb el nom al qual fan referència.

> **Les cireres** són **vermelles.**
> Les cireres són de **color vermell.**
>
> ~~Les cireres són de color vermelles.~~

Forma i ús del verb voler

Present d'indicatiu
VOLER
vull
vols
vol
volem
voleu
volen

Podem utilitzar el verb **voler** per indicar una intenció determinada d'obtenir o d'oferir alguna cosa.

> **Vull** un pollastre.

> Com el **vol,** gros o petit?

També l'utilitzem per invitar algú a fer alguna cosa. Va seguit d'un verb en infinitiu que és el que dóna significació a la invitació. S'expressa en forma interrogativa. Normalment les respostes no es fan amb el verb **voler.**

> **Vols** prendre alguna cosa?
> No, gràcies.

> **Voleu** seure?
> Sí, gràcies.

Forma i ús de l'imperatiu dels verbs: posar, apuntar, comprar, passar, deixar, escoltar, esperar, dir, fer, seure i tenir. Segona persona del singular

Models regulars

	APUNTAR	COMPRAR	DEIXAR	ESCOLTAR	ESPERAR	PASSAR	POSAR
tu	apunt**a**	compr**a**	deix**a**	escolt**a**	esper**a**	pass**a**	pos**a**
vostè	apunt**i**	compr**i**	deix**i**	escolt**i**	esper**i**	pass**i**	pos**i**

Formes irregulars

	DIR	FER	SEURE	TENIR
tu	digues	fes	seu	té
vostè	digui	faci	segui	tingui

Utilitzem els imperatius per donar instruccions i ordres, per fer peticions o per cridar l'atenció. Quan utilitzem l'imperatiu per fer peticions o per cridar l'atenció, l'acompanyem de les formes de cortesia: **sisplau / si us plau** o **per favor** i variem l'entonació.

> **Compra** sis litres d'aigua.
> **Apunti:** tres quilos de taronges...
>
> Per favor, **porti'**m el compte!
> **Escolti,** sisplau!

Moltes vegades quan invitem a fer una acció repetim l'imperatiu.

> Puc passar?
> **Passa, passa!**
>
> Puc dir una cosa?
> **Digui, digui!**

Imperatius amb pronoms

Si els imperatius han d'anar amb pronom, es posen darrere del verb. Si l'imperatiu acaba en **-a** o **-i,** els pronoms **em** i **en** prenen la forma **'m** i **'n.**

> Pass**a'm** la sal.
> Deix**i'm** la carta.
> Digu**e'm** (forma usual, sobretot quan parlem, en lloc de digues-me).
> Compr**a'n** mitja dotzena.

Forma i ús del verb poder

Present d'indicatiu
PODER
puc
pots
pot
podem
podeu
poden

Utilitzem el verb **poder** per demanar permís o per fer una petició de manera més educada que fent servir un imperatiu, el qual sovint té un sentit autoritari o descortès. Va seguit d'un verb en infinitiu que és el que dóna significació al permís o a la petició. Normalment les respostes afirmatives no es fan amb el verb **poder.**

Puc prendre nota?
Sí, sí.

Em pot portar una copa?
Ara mateix.

Forma i ús dels pronoms febles de tercera persona en funció d'objecte directe

	SINGULAR		PLURAL	
	masculí	femení	masculí	femení
determinat	**el**	**la**	**els**	**les**
indeterminat	**en**			

Els noms determinats, és a dir, els que van precedits d'elements gramaticals que informen de quin element es tracta: **el** pastís, **aquest** pastís, són substituïts pels pronoms: **el, la, els** i **les.** Aquests pronoms, que tenen la mateixa forma que els articles definits, substitueixen el nom i el determinant.

*Posi'm **fuet**.*	*Com **el** vols? = Com vols **el fuet**?*
*Vols **la llet** sola?*	*No, **la** vull amb cafè. = No, vull **la llet** amb cafè.*
*Quins **tomàquets** més macos!*	***Els** compro? = Compro **aquests tomàquets**?*
*Com vols **les cebes**?*	***Les** vull grosses. = Vull **les cebes** grosses.*

Els noms indeterminats, és a dir, els que no porten cap determinant: **pastissos**, o porten un quantificador: **un** pastís, **tres** pastissos, **molts** pastissos, són substituïts pel pronom **en.** El pronom **en** normalment només substitueix el nom i no, els altres elements que acompanyen el nom.

*Posi'm **musclos**.*
*Quants **en** vols? = Quants **musclos** vols?*

Quantes ampolles de vi vols?
***En** vull sis. = Vull **sis ampolles de vi**.*

Queden cebes?
*Sí, **en** queden **moltes**. = Sí, queden **moltes cebes**.*

Els pronoms sempre substitueixen el nom de la frase en la qual apareixen.

Vull tomàquets.
*Quants **en** vol? = Quants **tomàquets** vol?*

*Com **els** vol? = Com vol **els tomàquets**?*

Formes del pronom en

davant del verb començat per consonant	**en**	***en** vol*
davant del verb començat per vocal o **h**	**n'**	***n'**hi ha, **n'**agafa*
darrere del verb acabat en **-a** o **-i**	**'n**	*compra**'n**, compri**'n***

Ús dels pronoms per expressar èmfasi

■ A vegades, per fer èmfasi, diem el nom abans del verb, i acompanyem el mateix verb amb el pronom. Es pot posar coma o no, darrere del nom.

> **A la carnisseria hi** venen carn.= Venen carn a la carnisseria.
>
> **El pa, el** compro al forn. = Compro el pa al forn.

■ No podem repetir el pronom **en** i el nom al qual fa referència. En aquest cas si volem fer èmfasi hem d'introduir el nom amb la preposició **de** i separar aquesta estructura amb una coma.

> **De fruita, en** menges? = Menges fruita?
>
> **D'aigua, n'**hi ha? = Hi ha aigua?

> ~~N'hi ha aigua?~~
>
> ~~Aigua, n'hi ha?~~

Quantificadors cap, gens (de)

■ **Cap** és un quantificador que expressa l'absència de noms comptables. **Gens** és un quantificador que expressa l'absència de noms incomptables. **Cap** i **gens** poden fer referència a un nom. En aquest cas **gens** va seguit de la preposició **de**: gens de...

> No queda **cap** iogurt.
>
> No queda **gens de** llet.

■ Quan **cap** va amb un nom, aquest va en singular.

> No hi ha **iogurts.** = No hi ha **cap iogurt.**

> ~~No hi ha cap iogurts.~~

■ Si en una frase negativa especifiquem la quantitat zero amb **cap** o **gens,** hi hem de posar el pronom **en,** si no diem el nom.

> Que hi ha iogurts?
>
> No **n'**hi ha **cap.**

> Que queda llet?
>
> No **en** queda **gens.**

> ~~No hi ha cap.~~
>
> ~~No hi ha gens.~~

■ A vegades hi ha aliments que considerem incomptables, perquè no els comptem per unitats: l'arròs, el sucre, la llet, el formatge, la vedella... Si fem referència a l'absència d'aquests aliments, utilitzem el quantificador **gens.**

■ A vegades, no fem referència als aliments sinó a les unitats en què estan envasats o empaquetats: un paquet, dues ampolles, tres talls, una bossa, una llauna... Si fem referència a l'absència dels envasos o paquets, utilitzem el quantificador **cap.**

> Queda **arròs?**
>
> No en queda **gens.**

> Quants **paquets d'arròs** hi ha?
>
> No n'hi ha **cap.**

> Que hi ha **formatge?**
>
> No, no en queda **gens.**

> Quants **talls de formatge** queden?
>
> No en queda **cap.**

Ús del verb quedar

■ El verb **quedar,** per indicar que una cosa no s'ha acabat, sol portar el subjecte darrere i hi concorda sempre. Quan va amb els quantificadors **cap** i **gens**, el verb va en singular, perquè el subjecte és singular.

> No qued**en taronges**.
>
> No qued**a cap** taronja.
>
> No qued**a aigua**.
>
> No qued**a gens** d'aigua.

El subjecte del verb **quedar** es pot substituir pel pronom **en,** que funciona de la mateixa manera que els objectes directes indeterminats.

> *Queden taronges?*
>
> **En** *queden quatre* = *Queden quatre* **taronges.**
>
> *No* **en** *queda cap.* = *No queda cap* **taronja.**
>
> *No* **en** *qued***en.**

Que sigui / siguin...

Per dir com es prefereix un producte, un aliment... podem utilitzar els adjectius precedits de les formes del present de subjuntiu del verb **ser: que sigui / siguin.**

> *Com vols la carn?*
>
> *(Vull)* **que sigui** *tendra (la carn).*
>
> *Com vols les pomes?*
>
> **Que siguin** *vermelles (les pomes).*

La carn, les pomes són el subjecte de les respostes, per això el verb hi concorda.

Més aviat

Més aviat... és una forma que modifica un adjectiu i n'indica la tendència. És equivalent a **tirant a...** (més que menys).

> *Com vols els plàtans?*
>
> **Més aviat** *madurs .*= **Tirant a** *madurs.* (més madurs que verds)
>
> ~~*Més bé madurs.*~~

Preposicions de i per

Quan ordenem un menú, per indicar-ne cada una de les parts utilitzem les preposicions:

de	*Què vol* **de** *primer (plat)?* **De** *primer, vull una amanida.* *Què vol* **de** *segon (plat)?* **De** *segon, vull un llenguado.*
de o per	*Què vols* **de / per** *postres?* **Per** *postres vull un flam.*
per	*Què vols* **per** *beure?* **Per** *beure vull aigua i vi.*

Quadres gramaticals

ADJECTIUS I SUBSTANTIUS

■ Flexió de gènere i nombre

SINGULAR		PLURAL	
masculí	femení	masculí	femení
-ø, -o, -e	**-a**	**-s**	**-es**
fill	filla	fills	filles
moreno	morena	morenos	morenes
negre	negra	negres	negres
-c	**-ca / -ga**	**-s**	**-ques / -gues**
suec	sueca	suecs	sueques
amic	amiga	amics	amigues
-t	**-ta / -da**	**-s**	**-tes / -des**
petit	petita	petits	petites
educat	educada	educats	educades
-à, -è, -í, -ó	**-ana, -ena, -ina, -ona**	**-ans, -ens, -ins, -ons**	**-anes, -enes, -ines, -ones**
català	catalana	catalans	catalanes
eslovè	eslovena	eslovens	eslovenes
marroquí	marroquina	marroquins	marroquines
letó	letona	letons	letones
-u	**-va**	**-s**	**-ves**
blau	blava	blaus	blaves
-l	**-l·la**	**-s**	**-l·les**
tranquil	tranquil·la	tranquils	tranquil·les
-s	**-a / -sa**	**-os / -sos**	**-es / -ses**
gris	grisa	grisos	grises
gras	grassa	grassos	grasses
-ix	**-a**	**-os**	**-es**
baix	baixa	baixos	baixes
-sc	**-a**	**-os**	**-ques**
fosc	fosca	foscos	fosques
-ç	**-a**	**-os**	**-ces**
dolç	dolça	dolços	dolces
-ig	**-tja / -ja**	**-tjos / -jos**	**-tges / ges**
lleig	lletja	lletjos	lletges
boig	boja	bojos	boges

Adjectius d'una terminació (masculí i femení)

SINGULAR		PLURAL	
masculí i femení		masculí i femení	
-ble	agradable	-s	agradables
-aire	rondinaire	-s	rondinaires
-ista	idealista	-es	idealistes
-ant	constant	-s	constants
-ent	intel·ligent	-s	intel·ligents
	gran		grans

Substantius referents a persones que tenen una forma diferent per a masculí i femení

SINGULAR	
masculí	femení
pare	mare
marit / home	dona
oncle	tia
gendre	jove / nora

ARTICLES

Article definit

SINGULAR		PLURAL	
masculí	femení	masculí	femení
el (l')	la (l')	els	les

Article indefinit

SINGULAR		PLURAL	
masculí	femení	masculí	femení
un	una	uns	unes

Article personal

masculí	femení
el (l') / en	la (l')

DEMOSTRATIUS

	singular	plural	singular	plural
masculí	aquest	aquests	aquell	aquells
femení	aquesta	aquestes	aquella	aquelles
neutre	això		allò	

INTERROGATIUS

SINGULAR		PLURAL	
masculí	femení	masculí	femení
quin	quina	quins	quines
quant	quanta	quants	quantes
qui			
com			
què			
on			
per què			
quan			

NUMERALS

Cardinals

0	zero	21	vint-i-u (un / una)
1	u (un / una)	22	vint-i-dos (dos / dues)
2	dos (dos / dues)	23	vint-i-tres ...
3	tres	30	trenta
4	quatre	31	trenta-u (un / una)
5	cinc	32	trenta-dos... (dos / dues)
6	sis	40	quaranta
7	set	50	cinquanta
8	vuit	60	seixanta
9	nou	70	setanta
10	deu	80	vuitanta
11	onze	90	noranta
12	dotze	100	cent
13	tretze	200	dos-cents (dues-centes)
14	catorze	300	tres-cents... (tres-centes)
15	quinze	1.000	mil
16	setze	1.100	mil cent
17	disset	2.000	dos mil (dues mil)
18	divuit	100.000	cent mil
19	dinou	1.000.000	un milió
20	vint	2.000.000	dos milions

Ordinals

1r / 1a	primer / primera	6è / 6a	sisè / sisena
2n / 2a	segon / segona	7è / 7a	setè / setena
3r / 3a	tercer / tercera	8è / 8a	vuitè / vuitena
4t / 4a	quart / quarta	9è / 9a	novè / novena
5è / 5a	cinquè / cinquena	10è / 10a	desè / desena...

Partitius

1/2	mig / mitja
1/4	un quart
2/4	dos quarts
3/4	tres quarts

POSSESSIUS

		SINGULAR		PLURAL	
		masculí	femení	masculí	femení
un posseïdor	(jo)	el meu	la meva	els meus	les meves
	(tu)	el teu	la teva	els teus	les teves
	(ell, ella, vostè)	el seu	la seva	els seus	les seves
més d'un posseïdor	(nosaltres)	el nostre	la nostra	els nostres	les nostres
	(vosaltres)	el vostre	la vostra	els vostres	les vostres
	(ells, elles, vostès)	el seu	la seva	els seus	les seves

PRONOMS

Pronoms personals

◼ Pronoms personals forts

	SINGULAR		PLURAL	
	masculí	femení	masculí	femení
1a persona	jo, mi		nosaltres	
2a persona	tu / vostè		vosaltres / vostès	
3a persona	ell	ella	ells	elles

◼ Pronoms personals febles

				davant del verb				darrere del verb			
				el verb comença per consonant		el verb comença per vocal o **h**		el verb acaba en consonant o **-u**		el verb acaba en vocal, excepte **-u**	
				s*	p*	s	p	s	p	s	p
1a persona	objecte directe i indirecte			em	ens	m'	ens	-me	-nos	'm	'ns
2a persona				et	us	t'	us	-te	-vos	't	-us
3a persona	objecte directe i indirecte			es		s'		-se		's	
	objecte directe	definit	m*	el	els	l'	els	-lo	-los	'l	'ls
			f*	la	les	l'	les	-la	-les	-la	-les
		indefinit		en		n'		-ne		'n	
		neutre		ho		ho		-ho		-ho	
	partitiu			en		n'		-ne		'n	
	objecte indirecte	m i f		li	els	li	els	-li	-los	-li	'ls
	circumstancial de lloc	amb la preposició **a**		hi		hi		-hi		-hi	
	atribut	nom indeterminat i adjectiu		ho		ho		-ho		-ho	

*s = singular   *p = plural   *m = masculí   *f = femení

VERBS
MODE INDICATIU
Present d'indicatiu

▪ Primera conjugació: **-ar**
Models regulars

ESMORZAR	LLEVAR-SE
esmorz**o**	**em** llevo
esmorz**es**	**et** lleves
esmorz**a**	**es** lleva
esmorz**em**	**ens** llevem
esmorz**eu**	**us** lleveu
esmorz**en**	**es** lleven

Formes irregulars amb alteracions ortogràfiques

COMENÇAR	PLEGAR	PASSEJAR	TANCAR
comen**ç**o	ple**g**o	passe**j**o	tan**c**o
comen**c**es	ple**gu**es	passe**g**es	tan**qu**es
comen**ç**a	ple**g**a	passe**j**a	tan**c**a
comen**c**em	ple**gu**em	passe**g**em	tan**qu**em
comen**c**eu	ple**gu**eu	passe**g**eu	tan**qu**eu
comen**c**en	ple**gu**en	passe**g**en	tan**qu**en

Formes irregulars

ANAR	ANAR-SE'N	ESTAR	ESTAR-SE
vaig	me'n vaig	estic	m'estic
vas	te'n vas	estàs	t'estàs
va	se'n va	està	s'està
anem	ens en anem	estem	ens estem
aneu	us en aneu	esteu	us esteu
van	se'n van	estan	s'estan

▪ Segona conjugació: **-er** i **-re**
Formes irregulars

BEURE	CONÈIXER	DIR-SE	ESCRIURE	FER	HAVER-HI
bec	conec	em dic	escric	faig	
beus	coneixes	et dius	escrius	fas	
beu	coneix	es diu	escriu	fa	hi ha
bevem	coneixem	ens diem	escrivim	fem	
beveu	coneixeu	us dieu	escriviu	feu	
beuen	coneixen	es diuen	escriuen	fan	

PODER	PRENDRE	SABER	SER	VIURE	VOLER
puc	prenc	sé	sóc	visc	vull
pots	prens	saps	ets	vius	vols
pot	pren	sap	és	viu	vol
podem	prenem	sabem	som	vivim	volem
podeu	preneu	sabeu	sou	viviu	voleu
poden	prenen	saben	són	viuen	volen

- Tercera conjugació: **-ir**
  Models regulars

sense increment **-eix**	amb increment **-eix**
DORM**IR**	LLEG**IR**
dorm**o**	lleg**eixo**
dorm**s**	lleg**eixes**
dorm	lleg**eix**
dorm**im**	lleg**im**
dorm**iu**	lleg**iu**
dorm**en**	lleg**eixen**

- Formes irregulars

OBRIR	SORTIR	TENIR	VENIR
obro	surto	tinc	vinc
obres	surts	tens	véns
obre	surt	té	ve
obrim	sortim	tenim	venim
obriu	sortiu	teniu	veniu
obren	surten	tenen	vénen

Passat perifràstic d'indicatiu

NÉIXER	CASAR-SE	ANAR-SE'N
vaig néixer	em vaig casar / vaig casar-me	me'n vaig anar / vaig anar-me'n
vas néixer	et vas casar / vas casar-te	te'n vas anar / vas anar-te'n
va néixer	es va casar / va casar-se	se'n va anar / va anar-se'n
vam néixer	ens vam casar / vam casar-nos	ens en vam anar / vam anar-nos-en
vau néixer	us vau casar / vau casar-vos	us en vau anar / vau anar-vos-en
van néixer	es van casar / van casar-se	se'n van anar / van anar-se'n

Imperfet d'indicatiu

- Models regulars de la primera, segona i tercera conjugació

TREBALLAR	CONÈIXER	TENIR
treball**ava**	coneix**ia**	ten**ia**
treball**aves**	coneix**ies**	ten**ies**
treball**ava**	coneix**ia**	ten**ia**
treball**àvem**	coneix**íem**	ten**íem**
treball**àveu**	coneix**íeu**	ten**íeu**
treball**aven**	coneix**ien**	ten**ien**

- Formes irregulars

SER	VIURE	FER	HAVER-HI
era	vivia	feia	
eres	vivies	feies	
era	vivia	feia	hi havia
érem	vivíem	fèiem	
éreu	vivíeu	fèieu	
eren	vivien	feien	

Imperatiu

■ Models regulars

	APUNTAR	COMPRAR	DEIXAR	ESCOLTAR	ESPERAR	PASSAR	POSAR
tu	apunta	compra	deixa	escolta	espera	passa	posa
vostè	apunti	compri	deixi	escolti	esperi	passi	posi

■ Formes irregulars

	DIR	FER	SEURE	TENIR
tu	digues	fes	seu	té
vostè	digui	faci	segui	tingui

Gerundi

Infinitiu acabat en:	Gerundi acabat en:
-ar	**-ant**
-er, -re	**-ent**
-ir	**-int**

Perífrasis

■ Perífrasi d'acció continuada

ESTAR	
estic	
estàs	
està	+ gerundi
estem	
esteu	
estan	

■ Perífrasi d'obligació

	HAVER	
impersonal	s'ha	
	he / haig	
	has	
personal	ha	+ de + infinitiu
	hem	
	heu	
	han	

PRONUNCIACIÓ I ORTOGRAFIA

Vocals. Síl·laba tònica i síl·laba àtona. Tipus d'accents

- En català hi ha cinc vocals, que representen vuit sons vocàlics. Hi ha algunes zones on no fan tots els sons.

- Normalment les paraules només tenen una síl·laba tònica, que es pronuncia amb més força; totes les altres són àtones.

- Les vocals **i** i **u** tenen sempre el mateix so [i], [u].

- Les vocals **a, e** i **o** tenen un so diferent si són en una síl·laba tònica o àtona.

- Les vocals **a** i **e** en síl·laba àtona tenen el mateix so: vocal neutra [ə] (so entre la **e** i la **a**).

- La vocal **o** en síl·laba àtona es pronuncia [u].

- Les vocals **e** i **o** en síl·laba tònica poden tenir dos sons: obert [ɛ] , [ɔ] (amb la boca més oberta) i tancat [e], [o] (amb la boca més tancada).

- Si les paraules porten accent gràfic, aquest sempre va sobre la vocal tònica.

- No totes les vocals de síl·labes tòniques porten accent gràfic.

- L'accent pot ser agut o tancat (´) i greu o obert (`).

- Si la vocal **a** porta accent, és obert: **à**

- Si les vocals **i** i **u** porten accent, és tancat: **í, ú**

- Les vocals **e** i **o** poden portar accent obert: **è, ò** (pronunciació més oberta) o accent tancat **é, ó** (pronunciació més tancada).

	a	e	i	o	u
síl·laba tònica	[a] **A**nna	[ɛ] T**e**resa [e] P**e**re	[i] Dav**i**d	[ɔ] P**o**l [o] Isid**o**r	[u] J**ú**lia
síl·laba àtona	[ə] M**a**ri**a**, G**e**rard		[i] Dan**i**el		[u] J**o**an, Pa**u**la

Accentuació gràfica

- Segons la síl·laba tònica diem que les paraules són:
  agudes, si la síl·laba tònica és l'última: ca-ta-**là**, a-le-**many**
  planes, si la síl·laba tònica és la penúltima: **à**-rab, xi-**le**-na
  esdrúixoles, si la síl·laba tònica és l'antepenúltima: **À**-fri-ca, **À**-si-a

- Les paraules agudes s'accentuen si acaben en:

a	català	as	Tom**à**s	en	dep**è**n, ent**é**n
e	eslov**è**, tamb**é**	es	camerun**è**s, despr**é**s	in	Berl**í**n
i	marroqu**í**	is	pa**í**s		
o	per**ò**, let**ó**	os	arr**ò**s, silenci**ó**s		
u	urd**ú**	us	Jes**ú**s		

- Les paraules planes s'accentuen si no acaben en les dotze terminacions anteriors: **à**rab, n**é**ixer, con**è**ixer, ten**í**em, psic**ò**leg, c**ó**rrer, **ú**nic... I no s'accentuen si acaben en alguna de les dotze terminacions anteriors: tenia...

- Les paraules esdrúixoles s'accentuen totes: **À**frica, Am**è**rica, esgl**é**sia, **Í**ndia, S**ò**nia, f**ó**rmula, R**ú**ssia.

- Normalment les paraules que tenen una síl·laba no s'accentuen, però hi ha diverses excepcions: **sóc, és, són, té, què, sí, bé, nét, véns, més, sé...** perquè aquestes paraules també existeixen sense accent i tenen un significat diferent.

Els diftongs. La "i" i la "u" entre dues vocals. La dièresi (¨)

▦ Una paraula té, en general, tantes síl·labes com vocals, que es pronuncien: *prat, maig, ro-sa, pen-sa, lle-geix, Ma-ri-a, ca-fe-te-ra, far-mà-ci-a*

Diftong

▦ Un diftong és la unió de dues vocals en una mateixa síl·laba, de manera que totes dues es pronuncien. Hi ha dos tipus de diftongs: els creixents i els decreixents.

diftongs creixents	**–ua, –üe, –üi, –uo** darrere de les lletres **g–** i **q–**	*q**ua**-tre, q**ües**-ti-ó, pin-g**üi**, q**uo**-ti-di-à*
diftongs decreixents	**ai, ei, oi, ui** **au, eu, iu, ou, uu**	***ai**-gua, f**ei**-na, b**oi**-ra, c**ui**-na pa-l**au**, p**eu**, c**iu**-tat, m**ou**-re, d**uu***

La i i la u entre dues vocals

▦ Normalment, quan les lletres **i** i **u** es troben entre dues vocals, actuen com si fossin la consonant de la segona vocal: *de-**i**a, mo-**u**en.*

Dièresi (¨)

Les dièresis s'utilitzen en tres casos.

▦ Si cal que la **u** després de **g–** o **q–** es pronunciï, en els conjunts: **–qüe, –qüi, –güe, –güi**: *q**ü**estió, aig**ü**es, ping**ü**í.*

▦ Si la **i** dels diftongs decreixents cal que formi una síl·laba independent (i no es pot accentuar): *can-vi-**ï**, a-gra-**ï**m.* No porten dièresi, però, les **i** en les terminacions dels infinitius, futurs o condicionals: *a-gra-**ir**, con-du-**i**-ré, o-be-**i**-ri-a.*

▦ Si la **i** entre dues vocals cal que formi una síl·laba independent (i no es pot accentuar): *a-gra-**ï**-a, con-du-**ï**-es, o-be-**ï**-en.*

Alteracions ortogràfiques

▦ Per qüestions ortogràfiques o fonètiques alguns verbs, noms o adjectius es veuen obligats a canviar les consonants del radical.

–a / –o		–e– / –i–	
–ca / –co	*tan**ca**, tan**co**, blan**ca**...*	**–que– / –qui–**	*tan**que**n, blan**que**s, to**qui**...*
–ça / –ço	*comen**ça**, comen**ço**, dol**ça**...*	**–ce– / –ci–**	*comen**ce**s, dol**ce**s, ca**ci**...*
–ja / –jo	*men**jo**, men**ja**, llet**ja**...*	**–ge– / –gi–**	*men**ge**u, llet**ge**s, men**gi**...*
–ga / –go	*ple**ga**, ple**go**, ami**ga**...*	**–gue– / –gui–**	*ple**gue**s, ami**gue**s, ple**gui**...*

Apostrofació

▦ En català l'apòstrof significa l'absència d'una vocal: **a** o **e**. Només s'apostrofen els articles definits i personals en masculí i femení singular, la preposició **de** i alguns pronoms febles.

▦ **El** i **la** s'apostrofen (**l'**) davant de noms començats per vocal o per la lletra **h**. L'article femení, però, no s'apostrofa si el nom comença per una **i / hi** o una **u / hu** en posició àtona: *L'Índia*, però, *la Isabel...*

▦ La preposició **de** s'apostrofa sempre davant d'un nom que comença per vocal o per **h**: ***d'A**tenes, **d'H**ongria...*

▦ Alguns pronoms s'apostrofen davant dels verbs començats per vocal o per la lletra **h**, o s'elideixen darrere dels verbs acabats en vocal, excepte **-u**, o entre ells: ***m'**agrada, **me'n** vaig, **t'**arregles, **te'n** vas, **n'**hi ha, **n'**agafa, compra**'n**, passi**'m**...*

Contracció

Les preposicions **a**, **de** i **per** es contrauen amb l'article definit masculí, singular i plural.

	de	a	per
el	**del** **del** Japó	**al** **al** Japó	**pel** **pel** carrer
els	**dels** **dels** Estats Units	**als** **als** Estats Units	**pels** **pels** carrers

Les preposicions **a, de** i **per** no es contrauen si l'article definit és femení, singular i plural, o si l'article s'apostrofa amb el nom perquè comença per vocal o per **h.**

	de	a	per
la	**de la** Xina	**a la** Xina	**per la** plaça
les	**de les** Filipines	**a les** Filipines	**per les** places
l'	**de l'**Equador / **de l'**Argentina	**a l'**Equador / **a l'**Argentina	**per l'**autor / **per l'**avinguda

Transcripcions

CONTINGUT DELS CD

CD1

UNITAT 1
LLIBRE DE L'ALUMNE
PISTA 1:   A l'aeroport
PISTA 2:   Exercici 1
PISTA 3:   Exercici 6
PISTA 4:   Exercici 16

LLIBRE D'EXERCICIS
PISTA 5:   Exercici 8
PISTA 6:   Exercici 9
PISTA 7:   Exercici 10
PISTA 8:   Exercici 12
PISTA 9:   Exercici 14
PISTA 10:   Exercici 16
PISTA 11:   Exercici 17
PISTA 12:   Exercici 18
PISTA 13:   Exercici 20
PISTA 14:   Exercici 27
PISTA 15:   Exercici 29
PISTA 16:   Exercici 30

UNITAT 2
LLIBRE DE L'ALUMNE
PISTA 17:   Exercici 1
PISTA 18:   Exercici 4
PISTA 19:   Exercici 6
PISTA 20:   Exercici 14

LLIBRE D'EXERCICIS
PISTA 21:   Exercici 4
PISTA 22:   Exercici 9
PISTA 23:   Exercici 12
PISTA 24:   Exercici 16
PISTA 25:   Exercici 19
PISTA 26:   Exercici 27
PISTA 27:   Exercici 29
PISTA 28:   Exercici 31
PISTA 29:   Exercici 32

UNITAT 3
LLIBRE DE L'ALUMNE
PISTA 30:   Exercici 1
PISTA 31:   Exercici 3
PISTA 32:   Exercici 4
PISTA 33:   Exercici 6

LLIBRE D'EXERCICIS
PISTA 34:   Exercici 5
PISTA 35:   Exercici 8
PISTA 36:   Exercici 11
PISTA 37:   Exercici 15
PISTA 38:   Exercici 23
PISTA 39:   Exercici 25
PISTA 40:   Exercici 26
PISTA 41:   Exercici 30
PISTA 42:   Exercici 31

PISTA 43:   Exercici 36
PISTA 44:   Exercici 38
PISTA 45:   Exercici 42

CD2

UNITAT 4
LLIBRE DE L'ALUMNE
PISTA 1:   Exercici 5
PISTA 2:   Exercici 8
PISTA 3:   Exercici 14

LLIBRE D'EXERCICIS
PISTA 4:   Exercici 1
PISTA 5:   Exercici 4
PISTA 6:   Exercici 6
PISTA 7:   Exercici 7
PISTA 8:   Exercici 12
PISTA 9:   Exercici 16
PISTA 10:   Exercici 19
PISTA 11:   Exercici 21

UNITAT 5
LLIBRE DE L'ALUMNE
PISTA 12:   Exercici 1
PISTA 13:   Exercici 8
PISTA 14:   Exercici 15

LLIBRE D'EXERCICIS
PISTA 15:   Exercici 1
PISTA 16:   Exercici 3
PISTA 17:   Exercici 6
PISTA 18:   Exercici 13
PISTA 19:   Exercici 19
PISTA 20:   Exercici 23
PISTA 21:   Exercici 27
PISTA 22:   Exercici 32

UNITAT 6
LLIBRE DE L'ALUMNE
PISTA 23:   Exercici 6
PISTA 24:   Exercici 9
PISTA 25:   Exercici 12

LLIBRE D'EXERCICIS
PISTA 26:   Exercici 3
PISTA 27:   Exercici 8
PISTA 28:   Exercici 9
PISTA 29:   Exercici 10
PISTA 30:   Exercici 12
PISTA 31:   Exercici 13
PISTA 32:   Exercici 18
PISTA 33:   Exercici 20
PISTA 34:   Exercici 28
PISTA 35:   Exercici 29
PISTA 36:   Exercici 36

UNITAT 1 — JO SÓC AIXÍ

LLIBRE DE L'ALUMNE

PISTA 1: A l'aeroport

Senyores i senyors passatgers, d'aquí a breus moments aterrarem a Barcelona. El temps és serè i la temperatura a l'aeroport del Prat és de 22 graus. El comandant Fabra i tota la tripulació els donem la benvinguda a Barcelona i esperem tornar-los a veure ben aviat.

Senyores i senyors passatgers, d'aquí a vint minuts aterrarem a Palma. El temps a l'illa de Mallorca és calorós i la temperatura a l'aeroport de Son Sant Joan és de 30 graus. El comandant Moll i tota la tripulació els donem les gràcies per la seva visita.

Senyores i senyors passatgers, d'aquí a mitja hora aterrarem a la ciutat de València. La temperatura a l'aeroport és de 25 graus i el temps a València capital és plujós. El comandant Alcover i tota la tripulació els donem la benvinguda i confiem tornar-los a veure.

Senyores i senyors passatgers, d'aquí a deu minuts aterrarem a Girona. El temps a l'aeroport Girona-Costa Brava és ventós i la temperatura és fresca, 15 graus. El comandant Oliva i tota la tripulació els donem les gràcies per la seva visita.

PISTA 2: Exercici 1

Avís número 1
Senyor Adrià Sala, senyor Adrià Sala, amb destinació Copenhaguen, vol número: vuit, vuit, nou, u. Passi, sisplau, pel taulell d'Sterling.

Avís número 2
Últim avís per a la senyora Adela Fuster, Adela Fuster, amb destinació São Paulo. Embarqui immediatament per la porta número 15.

Avís número 3
Avís per al senyor Vicenç Vilaró i la senyora Carme Creus, Vicenç Vilaró i Carme Creus, amb destinació Mèxic DF, vol número: vuit, sis, cinc, quatre. Passin urgentment per les oficines d'Iberia.

Avís número 4
Missatge per a la senyora Magda Coll, senyora Magda Coll, amb destinació Tunis, l'esperen al punt de trobada.

Avís número 5
Avís per al senyor Sergi Gil, senyor Sergi Gil, amb destinació Sevilla, vol número: nou, sis, cinc, vuit. Sisplau, reculli la targeta d'embarcament al taulell de Ryanair.

Avís número 6
Últim avís per al senyor i la senyora Collins, senyor i senyora Collins, per al vol número: zero, cinc, cinc, set, amb destinació Nova York. Embarquin immediatament per la porta número 14.

Avís número 7
S'ha perdut el nen Robert Benet. Sisplau, qui el trobi, que el porti a Informació de l'aeroport.

PISTA 3: Exercici 6

Ha trucat al consultori del doctor Casanelles. Si vol demanar hora de visita, truqui de dilluns a divendres de 9.30 a 12. Si es tracta d'una urgència, truqui al 6, 5, 0, 17, 38, 94.

Benvingut al servei d'atenció al client de Wamenadoo. Si és client d'ADSL, l'informem que hem canviat de número. Apunti: 9, 0, 2, 0, 11, 8, 0, 0. Per a suport d'abonaments, marqui l'u, per a suport...

Ajuntament de Palafrugell, en aquest moment les nostres línies estan ocupades, per favor intenti-ho més tard. Si vol contactar amb la Guàrdia Urbana, truqui al 9, 7, 2, 61, 36, 13. Si vol contactar amb els bombers...

Has trucat a Olívia cafè, si vols fer una reserva, truca d'una a tres del migdia o de vuit a deu del vespre. El telèfon de reserves és el 93, 2, 15, 16, 17. Gràcies.

PISTA 4: Exercici 16

1. Sóc en Llorenç Nel·lo Casanova. Tinc 38 anys. Sóc català. Sóc metge i treballo a l'hospital clínic. Parlo català, portuguès, espanyol i neerlandès. M'agrada cuinar, estudiar idiomes i córrer.

2. Em dic Marilisa Sgargi. Sóc de Venècia. Tinc 37 anys. Sóc advocada, però faig de professora d'italià. Parlo italià, català, anglès i portuguès. M'agrada ballar, fer esport i viatjar.

3. Sóc el Luís Pedro Basto. Sóc de Moçambic. Tinc 36 anys. Sóc arquitecte, però faig de dissenyador gràfic. M'agrada escriure i caminar. Parlo bantu, portuguès i català.

4. Em dic Helen Gregory. Sóc de Sud-àfrica. Sóc periodista, però faig de traductora. Tinc 35 anys. Parlo anglès, rus, espanyol i català. M'agrada navegar per internet i mirar la televisió.

LLIBRE D'EXERCICIS

PISTA 5: Exercici 8

1. Hola, sóc la Laia. I tu, com et dius?
   Josep.
2. Hola, sóc la Laia Rovira. I vostè, com es diu?
   Josep Guardiola.

3. Hola, bon dia. Em dic Eva Pauses Gadia. I
   vostè, com es diu?
   Antoni.
   I de cognoms?
   Comes i Ros.

4. Hola, bon dia. Em dic Eva. I tu, com et dius?
   Antoni.

5. Hola, ets l'Helena?
   Sí, sóc jo.
   I de cognom, com et dius?
   Cohen.

6. Hola, és la senyora Cohen?
   Sí, sóc jo.

7. Saps com es diu aquest noi?
   Es diu Stefano.

8. Sap com es diu aquell noi?
   Es diu Stefano.

9. I, aquella, qui és?
   És la Rose Pilcher.
   Com?
   Rose Pilcher.
   Gràcies.
   De res.

10. I, aquesta, qui és?
    És la Rose Pilcher.

11. Perdoni, és la Sra. Bacall?
    No, sóc el Sr. Bacall.
    Ai, perdoni!

12. Perdoni, vostè es diu Bacall?
    No, jo em dic Bogard.
    Ai, perdoni!

13. Nom, sisplau?
    Viyé.
    Com s'escriu?
    Ve baixa, i, i grega, e. Amb accent tancat a la e.
    Cognom?
    Diba. Amb be.

14. Nom, sisplau?
    Helena.
    Amb hac o sense?
    Amb hac.
    Cognom?
    Grasset. Amb dues esses.

15. Com s'escriu Jehú?
    Jota, e, hac, u.
    Amb accent o sense?
    Amb accent a la u.

Tancat o obert?
Tancat.
Així?
Sí.

16. Com s'escriu Raül?
    Erra, a, u, ela. Amb dièresi a la u.

PISTA 6: **Exercici 9**

1. Com et dius?
   Núria Bastons Vilallonga.
   Núria porta accent?
   Sí, agut a la u.
   I Vilallonga, com s'escriu?
   Ve baixa, i, ela, a, ela, ela, o, ena, ge, a.

2. Nom, sisplau?
   Marta
   Cognoms?
   Mas i Prats (pe, erra, a, te, essa.)

3. Com es diu aquella noia?
   Gemma Verdés Prieto.
   Com s'escriu Verdés?
   Ve baixa, e, erra, de, e (amb accent tancat), essa.

4. Hola, com et dius?
   Maria Helena Vergés Carreras.
   Vergés amb ge o amb jota?
   Amb ge.

5. Ets l'Albert?
   Sí.
   I de cognoms, com et dius?
   Vilagrasa i Grandia, sense accent.
   Vilagrasa, amb ela geminada?
   No.

PISTA 7: **Exercici 10**

Exemple: CAT: ce, a, te

1.   pe, pe, ce, ce
2.   u, e
3.   IVA: i, ve baixa, a
4.   MACBA: ema, a, ce, be, a
5.   MNAC: ema, ena, a, ce
6.   ce, de
7.   ce, e
8.   essa, pe
9.   de, ena, i
10.   hac
11.   ONU: o, ena, u
12.   pe, ce
13.   essa, essa
14.   VIP: ve baixa, i, pe
15.   ve baixa, o, essa

1

PISTA 8: Exercici 12

Noms de nena, noia, dona

Exemple: Maria

Paula
Laura
Carla
Alba
Marta
Laia
Júlia
Andrea
Anna

Noms de nen, noi, home

Marc
Àlex
Pau
David
Pol
Arnau
Daniel
Gerard
Jordi
Joan

PISTA 9: Exercici 14

Quadre u

cinquanta
seixanta-quatre
quinze
quaranta-nou
noranta-tres
deu
cinquanta-set
catorze
vuitanta-dos
onze
seixanta-vuit
dinou
vint-i-sis
noranta
dos

Quadre dos

disset
setanta-vuit
trenta-cinc
vuitanta
vint-i-dos
cinc
noranta-sis
divuit
seixanta
setze
sis
tretze
setanta
dotze
quaranta

PISTA 10: Exercici 16

Exemple:
Bombers Generalitat
Telèfon: zero, vuitanta-cinc

1. Emergències mèdiques
   Telèfon: zero, seixanta-u

2. Creu Roja. Coordinació d'emergències
   Telèfon: nou, tres, quatre, vint-i-dos, vint-i-dos, vint-i-dos

3. Bombers Generalitat. Barcelona, ciutat
   Telèfon: zero, vuitanta

4. Cos Nacional de Policia
   Telèfon: zero, noranta-u

5. Institut Català de la Salut (ICS). Informació
   Telèfon: zero, dotze

6. Guàrdia Urbana
   Telèfon: zero, noranta-dos

7. Emergències
   Telèfon: u, dotze

8. Creu Roja. Informació
   Telèfon: nou, tres, dos, zero cinc, catorze, catorze

9. Mossos d'Esquadra
   Telèfon: zero, vuitanta-vuit

10. Institut Català de la Salut (ICS). Sanitat respon
    Telèfon: nou, zero, dos, onze, catorze, quaranta-quatre

PISTA 11: Exercici 17

Exemple:
Generalitat de Catalunya. Atenció ciutadana
Telèfon: zero, dotze

1. Generalitat de Catalunya. Trucades des de fora de Catalunya
   Telèfon: nou, zero, dos, quaranta, zero zero, dotze

2. Correus
   Telèfon: nou, zero, dos, dinou, setanta-u, noranta-set

3. RENFE
   Telèfon: nou, zero, dos, vint-i-quatre, zero dos, zero dos

4. Ferrocarrils de la Generalitat de Catalunya
   Telèfon: nou, tres, dos, zero, cinc, quinze, quinze

5. Transports metropolitans
   Telèfon: zero, deu

6. Aeroport del Prat. Central aeroport
   Telèfon: nou, tres, dos, noranta-vuit, trenta-vuit, trenta-vuit

7. Aeroport del Prat. Informació de vols

Telèfon: nou, zero, dos, quaranta, zero cinc, zero zero

8. Port de Barcelona

Telèfon: nou, tres, tres, zero sis, vuitanta-vuit, zero zero

9. Ajuda a la carretera

Telèfon: nou, zero, zero, dotze, trenta-cinc, zero cinc

10. Informació meteorològica

Telèfon: nou, tres, dos, vint-i-u, setze, zero zero

PISTA 12: **Exercici 18**

1. Té telèfon?

Sí, és el 9 7 2 46 16 25.

2. Tens telèfon?

No, no en tinc.

3. Tens mòbil?

Sí, és el 6 5 0 18 13 94.
Pots repetir-ho, sisplau?
Sí. 6 5 0 18 13 94.
Gràcies.
De res.

4. Tens mòbil?

No, no en tinc.

5. Té mòbil?

Sí que en tinc. És el 6 0 9 16 25 17.

6. Quants anys tens?

En tinc divuit. Tinc divuit anys.

7. Quants anys té?

En tinc seixanta.

8. Quants anys té aquesta noia?

En té disset.

9. Quants anys té aquell noi?

En té vint-i-sis.

PISTA 13: **Exercici 20**

1. D'on ets?

Sóc francesa, de París.

2. Vostè d'on és?

Sóc d'Itàlia, de Venècia.

3. D'on és aquella senyora?

És brasilera.

4. D'on és aquest senyor?

Del Paraguai, és paraguaià.

5. Quina llengua parles?

Parlo urdú.

6. Perdoni, quina llengua parla?

Parlo neerlandès.

7. Quines llengües parles?

Parlo l'urdú, el persa, l'anglès i l'espanyol.

8. Quantes llengües parles?

En parlo quatre. Parlo quatre llengües.

9. Què t'agrada fer en el temps lliure?

M'agrada mirar la televisió.

10. A vostè, què li agrada fer en el temps lliure?

M'agrada molt escoltar música.

11. A la Rosa no li agrada viatjar. I a tu?

A mi, m'agrada molt.

12. T'agrada ballar?

Sí que m'agrada.

13. T'agrada fer esport?

No, no m'agrada.

14. A en Tom li agrada navegar per internet?

Sí que li agrada.

15. Què fas, estudies o treballes?

Estudio hostaleria.

16. Què fa en Martí, estudia o treballa?

En Martí treballa. Fa de pintor.

17. Estudies o treballes?

Treballo. Sóc advocada.

18. De què fas?

Faig d'informàtic.

19. De què fa en Martí?

Fa de pintor.

20. Vostè, de què fa?

Faig de traductor.

PISTA 14: **Exercici 27**

A Ei! Què hi ha! Com va? Sóc una noia de Granollers, em dic Marina, tinc 16 anys i sóc estudiant, però també treballo. Faig de cangur. M'agrada conèixer noies i nois catalans per anar a concerts. També m'agrada llegir, el teatre, sortir de festa i tot tipus de música (sobretot el rock català). Escriviu aviat! Petonets.

B Hola! Sóc de Suïssa. Sóc traductor. Parlo català, francès, anglès, espanyol i alemany. M'agrada navegar per internet, fer esport... també m'agrada Barcelona, la Costa Daurada i la Costa Brava. Escriviu-me. Fins aviat!

PISTA 15: **Exercici 29**

Em dic Andrew i sóc dels Estats Units d'Amèrica, concretament de Boston. Tinc 40 anys. Sóc arquitecte, però no faig d'arquitecte, ni de dissenyador, ni de res. No treballo. Parlo moltes llengües: l'anglès, és clar, el català, l'hindi, el tagàlog, el kurd... Ara estudio coreà, persa i portuguès. Coses que m'agrada fer? Estudiar llengües minoritàries, escriure, caminar, a poc a poc, eh! I, no m'agrada estudiar les llengües que estudia tothom, ni córrer, ni fer esport. I sobretot no m'agrada treballar. Estic casat amb una catalana magnífica... però treballa molt. La felicitat completa no existeix.

PISTA 16: **Exercici 30**

Conversa 1

Hola! Bona nit!

Bona nit!

Ei! Què hi ha?

Perdona, com et dius?

Borja.

Com?

Borja.

Això és nom o cognom?

Nom.

Ah!

Ets casada?

No.

Ets soltera?

Sóc divorciada.

T'agrada ballar?

No, no m'agrada.

Doncs a mi, sí que m'agrada.

Doncs balla! Ja ens veurem!

Fins ara!

Conversa 2

Bona tarda!

Bona tarda!

Bona tarda!

El seu nom, si us plau?

Jo em dic Sue.

Gràcies.

De res.

Perdoni, i vostè com es diu?

Hellen.

Hola, Hellen!

Hola!

I vostè qui és?

Ai, perdoni. Jo sóc en JR.

A vostè, JR, li agrada ballar?

Depèn ... I a vostè, Hellen, li agrada ballar?

No, no m'agrada.

Doncs a mi, sí que m'agrada. I escoltar música, a vostè, JR, li agrada?

Depèn ... I a vostè, Hellen, li agrada escoltar música?

No, no m'agrada.

Doncs a mi, sí que m'agrada.

A vostè, Hellen, què li agrada?

Viatjar!!!

Hellen!

Sue! Adéu-siau!

Adéu, Hellen! Passi-ho bé, senyores!

Adéu, JR! Fins aviat!

UNITAT 2 CIUTATS I GENT

LLIBRE DE L'ALUMNE

PISTA 17: Exercici 1

1. Mira, aquest és en Pol. Pol, la Núria.

Hola, Núria, què hi ha?

Hola, què hi ha?

2. Coneixes la Joana, oi?

No, no ens coneixem. Hola, Joana. Sóc en David. Com anem?

Hola, què hi ha?

3. Sr. Molet, li presento la Sra. Remei Folch, la directora de l'oficina.

Encantat.

Molt de gust.

4. Ei, us presento en Pep.

Hola, Pep, com va això?

Anar fent.

5. Home, Lluís, quant de temps! Què fem?

Ei, Marc. Molt bé, i tu?

Anar fent.

6. Hola, Lluïsa, com estàs?

Ei, Quim, com anem?

Molt bé. Com està l'Andreu?

Molt bé.

PISTA 18: Exercici 4

1. Aquesta és la Marta. Té disset anys i viu a Terrassa. Parla català, espanyol, anglès i una mica d'italià.

2. Coneixes el Santi? És d'Andorra, però viu a Sabadell. Parla anglès.

3. La Camilla i el Lars són danesos. Tenen 29 anys. Parlen danès i anglès.

4. Us presento l'Helena. És de Còrdova. Té 39 anys i viu a Manlleu. És traductora.

5. Aquest senyor té 63 anys i és de l'Argentina, però viu a Menorca des de fa 35 anys.

6. Coneixeu la Claudia i la Corina? Són alemanyes, però viuen a Palma. Són actrius.

PISTA 19: Exercici 6

1. És maca i rossa.

2. És morena i grassa.

3. És alt i lleig.

4. És rossa i prima.

5. Són baixos i lletjos.

PISTA 20: Exercici 14

Nova York

Nova York és a la costa est i més concretament a la boca del riu Hudson. És la ciutat més poblada dels Estats Units, amb més de 7 milions d'habitants. Ocupa diferents illes i part del continent. Cada part correspon a diferents districtes o *boroughs*.

Manhattan, que correspon a l'illa que té el mateix nom, és el cor de la ciutat. És el districte més important i més car dels cinc que la componen. És la zona més turística perquè hi ha la major part dels símbols de Nova York: els gratacels. També hi ha els barris més coneguts, com Chinatown, Little Italy, Soho, Tribeca o Greenwich Village.

El Bronx és al nord de la ciutat i és l'únic districte que forma part del continent. La zona més pròxima a Manhattan, el sud del Bronx, és la zona més lletja del districte i és una mica perillosa. A la resta del districte hi ha zones residencials i molts parcs. També hi ha el zoo metropolità més gran dels Estats Units, que es diu Wildlife Conservation Park o Bronx Zoo.

Al nord-oest hi ha el districte de Queens, que és el més gran de Nova York i també el més sorollós, perquè dos dels tres aeroports de la ciutat són en aquest districte.

Brooklyn és el districte més poblat de Nova York. És al sud-est. En aquest districte hi trobem un altre símbol de la ciutat: el pont de Brooklyn, des d'on hi ha les millors vistes de Manhattan.

Staten Island és una illa al sud de la ciutat i és el districte més tranquil perquè és una zona residencial.

LLIBRE D'EXERCICIS

PISTA 21: Exercici 4

Diàleg 1

Sr. Casamitjana, aquest és el Sr. Siurana.

Molt de gust.

Encantat.

Diàleg 2

Sra. Miralles, li presento la Sra. Mir.

Molt de gust.

Encantada.

Diàleg 3

Us presento la Mercè i la Laura.

Ei, què hi ha?

Hola, què hi ha?

Ei, com anem?

Diàleg 4
Joan, et presento en Quim.
Hola, Quim.
Com va això?

Diàleg 5
Ei, com va això?
Anar fent. I tu?
Molt bé.

PISTA 22: **Exercici 9**

Que saps com es diu?

Que sabeu quants anys té?

Que saps d'on és?

Que sabeu on viu?

Que saps quantes llengües parla?

Que sabeu de què fa?

PISTA 23: **Exercici 12**

Hola, Pere. Què hi ha?
El Marroc és fantàstic. És un país molt maco. De moment t'envio la foto del grup. Ja pots veure que hi ha persones de tot arreu. És un grup molt simpàtic. En John, el noi baix, és anglès, de Cambridge, i només parla anglès. Ja saps com són els anglesos! En Patrick és irlandès, de Dublín i és el xicot d'en John. La Isabella i en Marco són italians. Tenen 34 i 37 anys i parlen català perquè tenen amics a Barcelona. Són molt agradables. Viuen a Bolonya, però són venecians. La Vedrana, la noia rossa, és de Dubrovnik i té dues filles bessones, la Nora i la Sandra, que també són rosses. Tenen 8 anys. La noia alta és la Pilar. És de Granada i és molt simpàtica. Parla una mica d'àrab perquè estudia filologia àrab. I el noi del centre és en Mfaddel, el guia. És marroquí, de Casablanca. Oi que és maco? Té 28 anys com jo i parla àrab, francès, espanyol i una mica de català: «Visca el Barça», «Barcelona és bona si la bossa sona» i aquestes coses..., i és tan simpàtic! A mi ja em coneixes, oi?

Un petó,

Rosa

PISTA 24: **Exercici 16**

Aquests d'aquí són els meus avis, en Michael i l'Eva. L'avi és alemany i té 75 anys. L'àvia és txeca i en té 72. Viuen a Sant Pere de Ribes. Entre ells parlen alemany, però amb mi parlen català. Tenen dos fills: en Markus, el meu oncle, i en Pavel, el meu pare.

Aquest és el meu oncle Markus. La seva dona, la Sylvie, és francesa, de París. Crec que tenen uns 40 anys, o més. No ho sé. Tenen un fill, en Philippe, que és el meu cosí, té 14 anys i li agrada xatejar. És aquest noi lleig i prim. El meu oncle i la meva tieta parlen alemany entre ells, però la meva tieta i el meu cosí parlen francès. Viuen a Sitges, molt a prop de Sant Pere de Ribes.

Aquells d'allà són els meus pares. En Pavel, el meu pare, i la Clara, la meva mare. Oi que són macos? La meva mare és més jove que el meu pare. Té 38 anys. És catalana, d'Igualada. És professora de música. El meu pare és advocat.

Aquesta nena rossa és la meva germana, la meva germana petita. Es diu Lyudmyla i és ucraïnesa, però no parla ucraïnès perquè viu a Catalunya des de fa 2 anys. Ara en té 3.

I jo sóc aquesta d'aquí. Aquesta noia tan maca. Em dic Asha i sóc de l'Índia. Tinc 11 anys i visc a Catalunya des de fa 9 anys. La meva germana i jo som adoptades. Els meus pares, la meva germana i jo vivim a Tarragona.

Tots vivim a Catalunya i parlem moltes llengües: alemany, txec, francès, però la llengua comuna és el català, és clar! Ah, també parlem espanyol!

PISTA 25: **Exercici 19**

Aquests són els teus cosins, oi?

Aquestes són les vostres germanes, oi?

Aquells són els seus nebots, oi?

Aquelles són les teves tietes, oi?

Aquests són els teus avis, oi?

PISTA 26: **Exercici 27**

Les meves germanes viuen a Girona.

El meu cosí i jo vivim a França.

On viviu, vosaltres?

Nosaltres parlem català, espanyol i anglès.

Els nostres cosins parlen anglès.

Tu ets de Barcelona i tens vint-i-cinc anys, oi?

Us coneixeu? No, no ens coneixem.

Aquest noi és el seu fill i és lleig.

Aquesta ciutat és lletja, perillosa i sorollosa.

PISTA 27: **Exercici 29**

cent
dos-cents
tres-cents
quatre-cents
sis-cents cinquanta
set-cents seixanta
vuit-cents noranta

mil
mil dos-cents
mig milió
nou-cents mil
un milió
dos milions

PISTA 28: **Exercici 31**

Alemanya: 82.439.000
Islàndia: 287.559
Portugal: 10.408.000
Dinamarca: 5.368.354
França: 59.183.000

PISTA 29: **Exercici 32**

Al món es parlen més de 5.000 llengües. El nombre de llengües repartides pels continents és el següent: Àfrica: 1.798, Amèrica: 573, Àsia: 1.445, Europa: 95, Oceania: 1.496. L'idioma més parlat és el xinès, que té mil dos-cents vint-i-tres milions quatre-cents tres mil parlants. A continuació hi ha l'anglès, amb tres-cents quaranta-un milions tres-cents vint mil parlants, i l'espanyol, amb tres-cents quaranta milions set-cents trenta-vuit mil parlants. El quart lloc l'ocupen l'hindi, l'urdú i el panjabi, amb dos-cents noranta-sis milions trenta-vuit mil parlants, i en cinquè lloc hi ha l'àrab, que té dos-cents quinze milions vuit-cents setanta-cinc mil parlants.

A Europa hi ha estats on es parla més d'una llengua com a l'Estat espanyol, on es parla espanyol, èuscar, gallec i català.

3

UNITAT
3 # DE SOL A SOL

LLIBRE DE L'ALUMNE

PISTA 30: **Exercici 1**

Diferents sons

PISTA 31: **Exercici 3**

1. Perdoni, quina hora és?
   Les cinc i deu.
   Gràcies!

2. Senyors viatgers, en aquests moments estem aterrant a Barcelona. Són dos quarts de dues i la temperatura és de 26 graus. Gràcies per volar amb Barnair i esperem veure'ls ben aviat.

3. A quina hora comença la pel·lícula?
   A dos quarts d'onze.

4. Hola! Trucava per reservar taula per a dues persones.
   A quina hora?
   A les deu.
   El seu nom?
   Enric Serra.
   Molt bé, doncs ja està, avui a les deu.

5. Senyors clients, falten vint minuts per tancar el nostre centre comercial. Els recordem que l'horari és de deu del matí a deu del vespre.

6. Dinem? És que és molt tard, són tres quarts de tres!

7. Mònica, on ets?
   A la plaça Catalunya, i tu?
   Mira, encara sóc a la feina. Quedem més tard, a les vuit?

8. Perdoni, que tanquen al migdia?
   Sí, a les dues.

PISTA 32: **Exercici 4**

Entrevistem els membres de la família Peret per saber com s'organitzen un dia de cada dia.

Bon dia! Aquí tenim la família. Comencem pels pares. Qui es lleva primer?

Doncs, la meva dona, a dos quarts de set. Jo una mica més tard. Quan em llevo, desperto les nenes i després faig l'esmorzar de tota la família. Esmorzo amb les meves filles, la mitjana i la petita.

Sí, perquè jo esmorzo abans i surto de casa a un quart de vuit. Començo a treballar a les vuit.

I tu qui ets?

Jo sóc la Laura.

O sigui que ets la petita? I què fas quan et lleves?

Doncs, esmorzo, em rento les dents i vaig al col·le.

A quina hora acabes?

Plego a dos quarts de cinc, però després vaig a música.

Hola, jo sóc la Montse, la mitjana. Jo estudio a l'institut. Em llevo a les set perquè les classes comencen a dos quarts de vuit.

I no tens classe a la tarda?

Els dimecres i els divendres no tinc classe a la tarda, però els dimarts i els dijous sí que en tinc. Quan hi vaig a la tarda, plego a les sis i torno a casa.

I vostès són els pares de la senyora Mari o del senyor Joaquim?

Som els pares del Joaquim. La Mari és la nostra jove.

I a quina hora es lleven?

Nosaltres, tard. A un quart d'onze. No treballem. Al matí esmorzem quan la família és fora. Al migdia passegem una estona i anem a la piscina. Dinem allà i a la tarda anem a buscar la néta petita a l'escola.

Falta algú?

Sí, la Pepa, la nostra filla gran.

I on és?

Es lleva tard perquè té xicot i surten a les nits i torna a casa a la matinada. I després es queda a casa mirant la tele.

Tu calla!

Gràcies per contestar i que tinguin un bon dia.

PISTA 33: **Exercici 6**

Els supermercats obren tot el dia, de vuit del matí a nou del vespre.

Els centres comercials obren normalment de deu del matí a deu del vespre i els diumenges tanquen.

Els bancs i caixes d'estalvi obren a un quart de nou del matí i tanquen a dos quarts de tres del migdia. A la tardor i a l'hivern, les caixes obren el dijous a la tarda, i els bancs obren els dissabtes al matí.

Hi ha establiments que tenen horaris especials, per exemple les farmàcies o les pastisseries. Hi ha farmàcies que obren de nou a dues, tanquen al migdia i tornen a obrir de cinc a vuit. Però també n'hi ha que obren vint-i-quatre hores. Les pastisseries obren els diumenges al matí, però tanquen normalment els dilluns.

LLIBRE D'EXERCICIS

PISTA 34: **Exercici 5**

1. Són tres quarts de quatre.

2. És un quart de dotze.

3. Són dos quarts de deu.

4. Són les dotze i deu.

5. Són les sis i cinc.

6. Falten cinc minuts per a les vuit.

7. Són dos quarts de cinc.

8. Són dos quarts i tres minuts d'onze.

9. Falten cinc minuts per a tres quarts de dues.

10. Són tres quarts d'onze.

PISTA 35: **Exercici 8**

llevar-se	esmorzar	fer	escriure	dormir	sortir	llegir	anar-se'n
em llevo	esmorzo	faig	escric	dormo	surto	llegeixo	me'n vaig
et lleves	esmorzes	fas	escrius	dorms	surts	llegeixes	te'n vas
es lleva	esmorza	fa	escriu	dorm	surt	llegeix	se'n va
ens llevem	esmorzem	fem	escrivim	dormim	sortim	llegim	ens en anem
us lleveu	esmorzeu	feu	escriviu	dormiu	sortiu	llegiu	us en aneu
es lleven	esmorzen	fan	escriuen	dormen	surten	llegeixen	se'n van

PISTA 36: **Exercici 11**

començar	plegar	passejar
començo	plego	passejo
comences	plegues	passeges
comença	plega	passeja
comencem	plequem	passegem
comenceu	plegueu	passegeu
comencen	pleguen	passegen

PISTA 37: **Exercici 15**

1. Quina hora és?

És un quart d'una.

2. Quina hora és?

És la una.

3. Quina hora és?

Són les dues.

4. Què fas al matí?

Em llevo, em dutxo i esmorzo.

5. Què fa al migdia?

Se'n va a dinar i llegeix el diari.

6. Què feu a la tarda?

Fem la migdiada i tornem a treballar.

7. Què fan al vespre?

Llegeixen el diari i surten.

8. Què fas a la nit?

Me'n vaig a dormir i dormo vuit hores.

PISTA 38: **Exercici 23**

1. El millor dia de la setmana? El divendres a la tarda! Comença el cap de setmana, tinc dos dies de festa, vaig a sopar a fora, al cine, al teatre, a fer una copa...

2. Quin és el millor dia de la setmana? Per a mi, el dilluns. És una mica estrany, però jo tinc tres fills i els caps de setmana són intensos: normalment els dissabtes em llevo a les vuit, vaig a comprar, faig el dinar i a la tarda vaig amb els nens al cine o a passejar. Els diumenges ells també es lleven a les vuit i fem moltes coses. El dilluns és diferent: ells van a l'escola i jo, a la feina; al migdia dino tranquil·lament amb els companys i a la tarda vaig al gimnàs. Sí, sí, per a mi el millor dia de la setmana és dilluns.

3. Per a mi, el millor dia de la setmana és el diumenge. A mi m'agrada molt el futbol; és que sóc del Barça, saps? Normalment, els diumenges vaig a Barcelona amb cotxe, passejo per la Rambla, dino en un bon restaurant i després vaig al camp.

4. Mira, a mi m'agraden els dies de cada dia. Per què? Doncs perquè jo treballo els caps de setmana en un bar, els divendres, dissabtes i diumenges; començo a les vuit i plego a les quatre; això vol dir que dormo de dia i treballo de nit. En canvi, de dilluns a dijous no treballo i faig moltes coses: estudio italià, vaig a museus, faig cursos de cuina...

PISTA 39: **Exercici 25**

1. A quina hora plegues?

Plego a tres quarts de dues i torno a casa.

2. A quina hora te'n vas a dormir?

Sopo a les deu i me'n vaig a dormir a les dotze de la nit.

3. A quina hora comences a treballar?

A l'hivern començo a les nou i a l'estiu, a les vuit.

4. Quin horari fan?

Des de les deu del matí fins a les deu del vespre. El dissabte i el diumenge tanquen.

5. Quin horari fa la farmàcia Boix?

Al matí, des de les 9 fins a dos quarts de dues i a la tarda, des de dos quarts de cinc fins a les nou.

PISTA 40: **Exercici 26**

1.	tanquem		tanquen
2.	estudiem	estudieu	
3.		esmorzeu	esmorzen
4.	treballem		treballen
5.		sortiu	surten
6.	dormim		dormen
7.	escrivim		escriuen
8.	dinem	dineu	
9.	comencem	comenceu	
10.		plegueu	pleguen

PISTA 41: **Exercici 30**

Em llevo a les sis de la tarda. Encara fa calor. Abans de dutxar-me surto a veure la posta del sol. És la millor hora del dia. Quan acaba, entro a casa i bereno. Escolto, a la ràdio, les notícies del temps: calor. Si hi ha aigua, em dutxo i em rento les dents. Començo a treballar al vespre, a dos quarts de 9, arribo d'hora perquè treballo a casa. Treballo 5 hores. Faig un àpat fort, fumo un cigarret i escolto les notícies del temps: tot igual. Després, vaig a passejar, és de nit, tot tranquil. A les sis de la matinada torno a casa i treballo un parell d'horetes més. Menjo una mica i abans d'anar a dormir escolto les notícies del temps: continua la calor, com al migdia, com a la tarda. Sempre hi fa calor: a l'estiu, a la primavera, a la tardor i a l'hivern. Aquest temps m'agrada, per això treballo aquí, estic fent un estudi sobre el canvi climàtic. Enyorar... el que enyoro més és el pa amb tomàquet!

Al matí, quan em llevo, miro la televisió: les notícies del temps. M'agrada veure que el temps no canvia. Abans d'esmorzar em dutxo, a les 7 en punt, com al meu país. A dos quarts i cinc de vuit esmorzo i, després d'esmorzar, començo a treballar, a dos quarts i sis minuts. Treballo a casa. Dino puntualment a les dues i, havent dinat, miro les notícies del temps. Comprovo que tot continua igual. No faig la migdiada per no arribar tard a la feina! Quan plego, sopo, a les 6 de la tarda, i havent sopat escric el meu diari. Abans d'anar a dormir miro les notícies del temps: fa fred, com al matí, com a la tarda. Sempre hi fa fred: a l'estiu, a la primavera, a la tardor i a l'hivern. No m'agraden els canvis, per això treballo aquí, estic fent un estudi sobre el canvi climàtic. No enyoro el meu país, però trobo a faltar una cosa: el pa amb tomàquet!

Exercici 31

Jo faig quatre àpats al dia: l'esmorzar, el dinar, el berenar i el sopar. Al matí abans de sortir de casa prenc un suc de taronja i una magdalena. A les onze, al bar de l'empresa, prenc un cafè amb llet. Al migdia dino al restaurant de l'empresa, dos plats i prenc un cafè. A la tarda, a les sis o a les set, bereno. Menjo un croissant i prenc un tallat. A la nit sopo a casa. Només menjo un entrepà i, abans d'anar a dormir, prenc un altre cafè.

Exercici 36

1. Perdoni, li puc fer una pregunta?

Sí.

Vostè fa els àpats a casa?

Doncs depèn... Els dies feiners esmorzo i dino al bar o al restaurant perquè no tinc temps de fer res. Els caps de setmana esmorzo i dino a casa, però vaig a sopar al restaurant o a casa d'un amic.

D'acord, gràcies.

2. Una pregunta...

Sí?

On fas els àpats, a casa?

Cada dia esmorzo a casa. A vegades dino en un bar, però un entrepà o un menú...

I els caps de setmana?

Si surto amb els amics, anem a un bar després de sopar. Alguna vegada anem a un restaurant, però poques, vaja...

D'acord, gràcies.

3. Perdoni, una pregunta...

Digui?

On fa els àpats, a casa?

Doncs cada dia esmorzo a casa amb els meus fills i dino a la feina. A la tarda, després del col·legi, anem a una granja a berenar. A la nit sempre sopem a casa.

I els caps de setmana?

Bé, depèn... De tant en tant anem al restaurant, però normalment ens quedem a casa. Som quatre de família i són molts diners...

D'acord, gràcies.

4. Perdoni, li puc fer una pregunta?

Sí, ràpid, si us plau.

On fa els àpats?

Al matí no esmorzo, només prenc un cafè. El dinar i el sopar, cada dia fora de casa, al bar o al restaurant. No m'agrada cuinar i tampoc tinc temps.

D'acord, gràcies.

Exercici 38

En una consulta. Un metge fa preguntes a la pacient

I així, com està?

Molt cansada. Potser és que faig moltes coses.

Quantes hores dorm cada dia?

Cinc o sis.

Només?

Sí, és que al matí em llevo molt d'hora. I a la nit, me'n vaig a dormir tard, a les dotze, la una.

Quants àpats fa cada dia?

Un o dos. Al matí no esmorzo mai, només prenc un cafè. Dino a la feina i a vegades no sopo, perquè no tinc ganes de fer el sopar.

I els caps de setmana, què fa?

Normalment em quedo a casa. Però de tant en tant vaig a l'estranger per la feina.

Fa esport?

No, mai.

Beu alcohol?

Sí, a vegades. Sobretot quan vaig a dinar o sopar al restaurant.

Ara treballa molt?

Sí, molt.

Exercici 42

Es diu Carolina, té 25 anys, és d'Esparreguera i és la catalana més internacional. Fa de model i treballa amb els dissenyadors més famosos del món. Viatja d'Esparreguera a Nova York i de Nova York al Japó cada setmana.
Aprofitem que la Carolina ara és a casa, perquè està fent un anunci de promoció per a tot el món de les granges Bon berenar, per conèixer el secret del seu èxit.

Vostè que normalment treballa cada dia en un país diferent, a quina hora es lleva?

Doncs no ho sé, perquè sovint em llevo a ciutats diferents: un matí a Rio de Janeiro, l'altre matí a San Francisco, l'altre, a París... Canvio molt sovint de ciutat i no sé mai a quina hora em llevo ni a quina hora me'n vaig a dormir. Això sí, quan sóc a Esparreguera em llevo d'hora perquè la mama em prepara l'esmorzar: un entrepà amb fuet, que és el que m'agrada més.

I amb aquests horaris..., bé, que no sabem quins són, és difícil mantenir una dieta?

Sí que és difícil. Però sóc una persona que tinc molta voluntat. Quan em llevo, no sé mai on ni a quina hora, sempre, i dic sempre, esmorzo: cada dia, per esmorzar, menjo una pasta: una ensaïmada, un croissant o una magdalena, i bec un cafè amb llet. Això sempre, cada dia. I a vegades també prenc un suc de taronja, un iogurt i unes torrades, depèn del dia.

Més tard dino. Sempre dino, cada dia, perquè per a mi és l'àpat més important del dia... i havent dinat faig la migdiada.

I també sopa?

I tant! I a més, a la tarda, a les sis o a dos quarts de set, bereno. No cada dia, però sovint: quatre o cinc vegades per setmana. I més tard sopo. Sopo cada vespre perquè per a mi és el segon àpat més important del dia. Havent sopat prenc un cafè amb llet perquè m'ajuda a dormir bé. I de tant en tant bec una copeta d'aromes de Montserrat. Però només de tant en tant!

Fa exercici?

Exercici? Gairebé mai. Potser una vegada al mes passejo. És que no tinc temps perquè només faig exercici quan no menjo. I això no passa gairebé mai, perquè sempre menjo: sóc una model professional, jo!

I fuma?

Si fumo? Mai. No fumo mai! Per a les models la salut és molt important.

I de tant en tant fa règim?

Règim? Mai, mai, mai. Sóc una model professional i he de mantenir la talla.

A CASA MEVA O A CASA TEVA?

LLIBRE DE L'ALUMNE

PISTA 1: **Exercici 5**

1. Hola, Anna! Em dic Pere. Mira, jo et puc llogar una habitació al carrer Muntaner, molt a prop de la facultat de lletres. El pis està molt bé, hi ha dues habitacions i terrassa. L'únic inconvenient és que és un àtic sense ascensor; són sis pisos, comptant l'entresòl i el principal. No ho sé, si t'interessa, truca'm. El telèfon és 647 88 32 34. És un mòbil. Ja em diràs alguna cosa.

2. Aquest és un missatge per a l'Anna Garcia. Llogo un estudi al barri de Gràcia, al carrer Torres. És un tercer pis amb ascensor. Només hi ha una habitació, una cuina petita i el bany, però tot està reformat i, a més, és molt a prop del metro de Diagonal. Si l'interessa, pot trucar al 93 424 43 77. Pregunti per en Joan.

3. Hola! Em dic Sònia i estic buscant una noia per compartir casa meva. No és a prop de la plaça Universitat perquè és a Sants, al carrer Rector Triadó, però està molt ben comunicat. És una planta baixa, hi ha tres habitacions, dues de grans i una de petita. La cuina i el bany són nous, estan reformats. No... si està molt bé! I què més? Ah, sí, té un pati petit al darrere. No ho sé... si t'interessa truca'm. El meu telèfon és el 318 32 33, amb el 93 al davant, és clar. Espero la teva trucada. Adéu!

4. Em dic Joel i he llegit el teu anunci a la facultat. M'han donat una beca per anar a l'estranger i llogo el meu apartament durant el curs. És al carrer del Tigre, a prop de la Ronda Sant Antoni, molt cèntric, que és el que busques, oi? Bé, el pis és un primer però hi ha entresòl i principal, i no té ascensor. Hi ha una habitació molt gran, cuina, bany i menjador. És tot exterior, menys el bany, que dóna a un celobert. Per a una persona sola està molt bé. El carrer és molt tranquil i no hi passen cotxes. Si t'interessa veure'l, truca'm al mòbil, 683 044 834; repeteixo, 683 044 834.

PISTA 2: **Exercici 8**

Conversa 1

Mira, aquí n'hi ha uns que busquen algú per compartir pis. Em sembla que et pot interessar.

Sí? On és?

Al Raval, a la part vella. Això és el que vols, oi?

Sí, sí, però de vegades són escales tan velles que no tenen ni ascensor.

No, aquest sí que en té. A més, té calefacció i aire condicionat, i tot!

Caram! I diu si hi ha mobles?

Sí, diu que ja està moblat.

I quant val aquesta meravella?

200 € i a més les despeses, és clar...

Ah, no està gens malament. A veure, deixa'm veure l'anunci.

Conversa 2

Noia, em sembla que ara viuré a Granollers, com tu. Avui he vist un pis perfecte, em sembla que me'l quedaré.

Ai que bé! De lloguer o de compra?

No, no, de lloguer, no vull complicar-me la vida amb hipoteques, ara.

I quants metres quadrats fa?

76, però sembla més gran, no ho sé. Té una cuina nova amb tots els electrodomèstics; el bany és nou, molt maco i tres habitacions que estan bé: una per a mi, una per al nen i l'altra per a la meva mare o la meva germana per quan vénen.

I ja té mobles?

Sí, sí, això ara em va perfecte, perquè no tinc ni temps ni diners per anar a comprar mobiliari. I una cosa bona: hi toca el sol perquè està molt ben orientat i és un pis alt: és un cinquè.

Però té ascensor suposo...

Sí, sí, és una finca nova. El que no té és aire condicionat..., però no es pot tenir tot.

PISTA 3: **Exercici 14**

A la meva escala hi ha veïns de tota mena.

A dalt de tot, mai no hi ha la mateixa gent: és un pis de lloguer, sempre hi ha estrangers que s'hi estan dues o tres setmanes, arriben amb moltes maletes i se'n van. Al davant hi viu una parella amb una nena de deu anys, ell és el president de l'escala, en Joan Domènech, i el coneixem molt: és molt agradable.

A sota, al cinquè, hi viuen dues famílies: a la segona porta, una parella gran que ja no té els fills a casa, la Teresa i el Cisco, i al davant, a sota del president, una parella amb els seus dos fills. Em sembla que són professors de la universitat.

A sota, al 4t 1a, no hi viu ningú, és un pis buit des de fa molt de temps, em sembla que no hi ha ni mobles, i a sota del matrimoni gran hi ha un noi que coneixem fa poquet, en Daniel: és molt tímid. Crec que ara ja no viu sol, perquè sempre entra i surt amb un altre xicot, em sembla que són parella. A sota hi ha una noia que té dues filles: Arianna i Laura, em sembla que es diuen. Ara tampoc no s'està sola, també hi viu la seva parella, en Roc, que té un nen petitó que ve alguns caps de setmana. Deu ser la primavera! Davant hi ha la senyora Rita amb la seva germana més jove, són grans però molt valentes: hivern i estiu, cada dia de l'any, van a la platja a nedar una mica. Al pis de sobre nostre hi ha un xicot, l'Andreu Puig, que està separat i que té els nens de tant en tant, un cap de setmana sí i un cap de setmana no, els dimecres a la tarda... Són uns bessons maquíssims, l'Aina Puig i el Lluc Puig, que van a la classe del meu fill.

Al primer segona, hi vivim nosaltres i al pis del davant, al mateix replà que nosaltres, hi ha tres noies de Puigcerdà que comparteixen el pis: em sembla que el propietari és el pare d'una d'elles. Són simpàtiques i, per ser estudiants, no fan gaire soroll, no ens podem queixar: una es diu Emma i les altres no ho sé. A baix de tot, a sota nostre hi ha un banc i, al costat, un restaurant xinès. Ah! Ja no me'n recordava, al 2n, davant del pare dels bessons hi ha un despatx d'advocats.

LLIBRE D'EXERCICIS

PISTA 4: **Exercici 1**

1. Senyor Tomeu, les seves dades personals, sisplau? El seu nom complet és Pere Tomeu Picatoste, oi?

Sí.

Adreça?

Passeig del Tossal, 23, quart, segona.

D'aquí, de Taradell?

Sí.

El districte, doncs, és 08552.

Sí, exacte.

Telèfon?

93 880 23 36.

D'adreça electrònica, que en té?

Sí, sí és pe tomeu pi 7 (tot junt i el set amb números), arrova, hotmail, punt, com.

Perfecte, ja ho tinc tot, moltes gràcies.

2. Mercè, em dónes la teva adreça i l'adreça electrònica, si us plau? Per comprar-te el bitllet d'avió ho necessito tot. Ah! I el teu nom complet també!

Sí, sí, apunta. Els cognoms són: Vilar, amb erra final, Falcó, amb accent tancat.

I l'adreça?

Electrònica?

No no, on vius, vull dir.

Carrer Progrés, 79, tercer, cinquena, 08850, Gavà.

El teu telèfon ja el tinc i l'adreça electrònica?

Et dono la de la feina: vendes (amb ve baixa), arrova, barnasud (amb d final), punt, e, essa.

Molt bé, doncs, ja està, Ja et trucaré, eh? Ah, i gràcies!

Gràcies a tu, nena. Adéu

Adéu.

3. Tu saps les dades de la Michiko? Jo no les tinc i només em falten les d'ella.

Sí, espera, a veure... Mira, sí, apunta: Michiko (amb ce, hac i ca) Kobe (amb ca també), carrer Salvador Espriu, 63, cinquè, segona, 08005, Barcelona. El telèfon és el 93 225 98 78. I l'adreça electrònica, també?

Sí, mira, dóna-me-la també. Així ja ho tinc tot.

Doncs és michiko, punt, kobe, arrova, ub, punt, edu. Tot amb minúscula.

Perfecte, gràcies! Estàs molt ben informat, noi! Ho estàs de tothom o només de la Michiko?

Què vols dir?

Res, res...

PISTA 5: **Exercici 4**

1. On vius?

A l'avinguda Diagonal, número 217, quart, cinquena.

2. Quina adreça tens?

Passeig de Joan Maragall, 30, primer, segona.

3. Adreça?

Rambla Prim, 45, àtic, quarta.

4. On t'estàs ara?

A la plaça Castella, 5, entresòl, segona.

5. On s'està el teu fill?

Ara viu a la Ronda Guinardó, 65, principal, segona.

6. Quina és la teva adreça electrònica?

Apunta: jota, krim, arrova, vilanet, punt, net.

7. Tens l'adreça de la Mireia?

Sí. Viu a Rubí, al carrer Miraflors, 40, segon, sisena.

8. Quina és la seva adreça electrònica, senyor Puig?

És erra, puig, arrova, bancvic, punt, com.

9. Quina és l'adreça del restaurant Estevet?

Carrer Lluçà, número 9, baixos, a.

PISTA 6: **Exercici 6**

1. Què hi ha en aquest pis?

Hi ha dues habitacions, la cuina, el menjador i un bany.

2. Quantes habitacions té?

En té quatre, però una és l'estudi.

3. Quants banys tens?

Al meu pis hi ha dos banys, però no hi ha safareig ni galeria.

4. Quantes habitacions hi ha a casa teva?

Casa meva té tres habitacions, cuina, menjador, bany, rebedor i dues terrasses molt grans.

5. Què és això?

Això és l'estudi i això és la cuina.

6. Aquí és on dorms?

No, aquesta és l'habitació d'en Pere i aquesta és la d'en Pau.

PISTA 7: **Exercici 7**

Text 1

La masia catalana és un tipus d'habitatge de camp, situat normalment fora dels pobles, que s'adapta als diferents tipus de clima de la geografia catalana. Al sud de Catalunya la masia és més petita que al nord. Té influències de l'arquitectura romànica i de la italiana.

La masia està formada d'un edifici principal, generalment de dos o tres pisos. Després hi ha petites edificacions al voltant enganxades a la casa o separades, que es fan servir per a diverses coses relacionades amb la feina agrícola. A la planta baixa hi ha la cuina, que és l'espai més important de l'edifici i és el lloc on la família menja els dies de cada dia. En aquest pis, també hi ha l'espai dedicat a les màquines del camp. A la primera planta hi ha els dormitoris de tots els membres de la família i el menjador, que és un espai que només es fa servir per als àpats dels dies de festa i que dóna a fora, normalment a una terrassa molt gran, on la família s'està als vespres a l'estiu. A l'última planta hi ha les golfes, que és un espai sota la teulada on es guarden els objectes vells de la família i els records.

Algunes masies tradicionals no tenen bany fins a finals del segle XX: els grans es renten i es banyen a les habitacions, i els nens, a la cuina. Tampoc no tenen lavabo: els seus habitants fan «les seves necessitats bàsiques» en una petita edificació, fora de la casa principal, que es diu comuna.

Text 2

Una de les cases típiques del Japó és un edifici de dues plantes amb un jardí petit, que normalment dóna al carrer. Hi ha un espai petit a l'entrada on la gent es treu les sabates.

A la planta baixa, hi ha la cuina, el lavabo, el menjador i, a més a més, una o dues habitacions. El bany té un estil diferent de l'europeu. Normalment és format per diferents espais: a l'entrada hi ha un lloc amb la pica per rentar-se les mans i on també posen la rentadora. Des d'aquest lloc es pot accedir al vàter per una porta i, per una altra porta, a un espai amb una dutxa o una banyera.

A la primera planta hi ha les altres habitacions i l'estudi per treballar o estudiar. Algunes habitacions de la casa són d'estil japonès i les altres són d'estil occidental.

El jardí també té un pàrquing per a un parell de cotxes.

PISTA 8: **Exercici 12**

Pis 1

El meu pis no és ni gran ni petit, però per a nosaltres dos i el gos està bé. Fa 90m2. Hi ha dues habitacions i l'estudi d'en Jordi. També hi ha una cuina petitona, un menjador bastant gran, un bany i un lavabo petit. Ja dic que el menjador és gran, però es veu molt ple perquè hi ha el meu ordinador, tots els meus llibres i tota la col·lecció de CD d'en Jordi. Quan entres al pis hi ha un passadís que fa una L a la dreta. Entrant a la dreta hi ha la cuina i a l'esquerra, un lavabo petit. Quan gires pel passadís, a la dreta, hi ha les dues habitacions: una per a nosaltres i una altra per als convidats i per a la planxa, i a l'esquerra, l'estudi d'en Jordi, amb la bateria i tot l'equip de música, i el menjador. Al fons del passadís hi ha el bany. És una planta baixa i per això tenim un pati amb plantes i la caseta del gos.

Pis 2

És un pis de mida mitjana: 80m2. No és gran, però m'agrada molt. Quan entres pots anar a la dreta o a l'esquerra. El menjador és a la dreta i la cuina és davant de la porta d'entrada i està connectada amb el menjador. Les habitacions són a l'esquerra, al final d'un corredor curtet al voltant d'un distribuïdor. N'hi ha tres: una per a nosaltres, que és la del mig; una per al nen, a l'esquerra, i l'altra per a la nena, a la dreta. El bany gran és al costat de la cuina, davant de la porta d'entrada, una mica a l'esquerra. El bany petit és a dintre de la nostra habitació. Tenim un pati petit: s'hi surt pel menjador.

PISTA 9: **Exercici 16**

Trobar un pis: un maldecap amb solucions per als joves .

Tots ho sabem: marxar de casa cada vegada és més complicat. Trobar un pis o una casa on viure per als nostres joves no és gens fàcil.

4

L'últim informe *Els joves catalans i l'habitatge* diu que més de la meitat dels joves catalans d'entre 20 i 34 anys (fins a un 58%) encara viuen a la casa familiar i, en canvi, el 42% estan emancipats. D'aquests, la majoria, el 32%, viuen amb la seva primera parella estable (casats o no), i molt pocs, el 10%, sols o amb altres companys.

També s'informa que la mitjana d'edat dels joves quan marxen de casa a viure sols és al voltant dels 28-29 anys.

Hi ha diversos factors que provoquen aquesta situació, però el més important és la dificultat de trobar un habitatge adequat a les necessitats dels joves i a les seves possibilitats econòmiques. Els pisos de lloguer tenen uns preus impossibles i pràcticament no n'hi ha. Per comprar (aquí tothom vol comprar per allò de "vas pagant però al final és teu") normalment necessites hipoteques de 30 o 40 anys. I, ja se sap, per obtenir una hipoteca s'ha de tenir una feina estable o l'ajuda dels pares (un 11,5% dels pares ajuden els fills, sobretot quan es casen). Tot això és normal, ja que la gent, en general a Catalunya, dedica un 66,9% dels seus ingressos a les despeses d'habitatge, i a la zona de Barcelona, un 82,4%!!!

El Govern català fa propostes per ajudar els joves a trobar pis:

–Els joves viuen en una casa vella sense pagar lloguer, però han de mantenir-la o arreglar-la.

–Els joves comparteixen casa amb persones grans i, a canvi d'això, els ajuden en la seva vida quotidiana (anar a comprar, al metge...).

–Es dóna als joves pisos amb lloguers molt baixos, però només hi poden viure durant dos anys; així, mentrestant poden estalviar.

PISTA 10: **Exercici 19**

1. A quina edat se'n van els joves de casa dels seus pares al teu país?

Normalment als 18 anys, quan acaben la secundària.

2. És difícil per als joves trobar pis al teu país?

Sí, com aquí. A les ciutats els pisos són molt cars.

3. Els pares ajuden econòmicament els seus fills?

No tant com aquí. Els joves treballen o tenen beques per pagar el lloguer del seu pis.

4. La gent jove viu en pisos de lloguer o de compra?

La majoria viuen en pisos de lloguer, perquè comprar un pis és molt car.

5. La gent jove comparteix pis amb altres joves?

Més que aquí. La majoria dels joves viuen en un pis d'estudiants amb altres amics.

6. Quant costa un pis de compra al teu país?

Depèn del barri, però més o menys com aquí.

7. Quant pagues al mes per un pis de lloguer al teu país?

Depèn del barri, però són més barats que aquí.

PISTA 11: **Exercici 21**

1. Que té calefacció? = Té calefacció?

2. Què té el teu pis? = Què hi ha al teu pis?

3. Que ja tens pis? = Ja tens pis?

4. Que hi ha aire condicionat al teu pis? = Hi ha aire condicionat al teu pis? = Al teu pis, hi ha aire condicionat?

5. Té pàrquing la casa? = Que té pàrquing la casa?

6. Hi ha piscina a la casa? = Que hi ha piscina a la casa?

7. Això és la teva habitació? = Que és la teva habitació, això?

8. Què és això? = Això, què és?

9. Oi que això és la cuina? = La cuina és això, oi?

10. Amb qui comparteixes pis? = Comparteixes pis? Amb qui?

LA NOSTRA HISTÒRIA

LLIBRE DE L'ALUMNE

PISTA 12: **Exercici 1**

Aquests dos goril·les bessons, un mascle i una femella, van néixer al zoo de Barcelona el 26 d'agost de 2004. Són els últims néts del conegut goril·la blanc «Floquet de Neu», que va morir el 24 de novembre de 2003, però, igual que tots els seus altres descendents, són negres.

Els Pets, grup de rock català, van néixer el 25 de desembre de 1985 a Constantí, petit poble del Tarragonès. El febrer de 2004 va arribar a les botigues el seu disc «Agost» que en tres dies es va col·locar entre els 25 discos més venuts a l'Estat espanyol, cosa que no és fàcil quan es canta en català...

Hans Gamper, conegut també com a Joan Gamper, va néixer a Winterthur (Suïssa) el 22 de novembre de 1877. Juntament amb onze entusiastes practicants del que en aquell moment era un esport poc conegut anomenat foot-ball, va fundar el Futbol Club Barcelona el 29 de novembre de 1899.

Salvador Dalí i Domènech va néixer a Figueres l'11 de maig de 1904. Tenia un germà gran, que no va conèixer perquè va morir abans de néixer ell, i una germana més petita, que Dalí va dibuixar i pintar moltes vegades. La seva germana es deia Anna Maria. Dalí va morir el 23 de gener de 1989.

Pau Gasol i Sáez va néixer a Sant Boi de Llobregat (Barcelona) el 6 de juliol de 1980. Va començar a estudiar medicina, però va deixar la carrera per dedicar-se plenament a jugar a bàsquet. El 1999, amb 19 anys, va debutar a l'equip de bàsquet del Futbol Club Barcelona i el 27 de juny de 2001 es va convertir en el quart jugador de l'Estat espanyol que va fitxar per a un equip de la NBA, la lliga professional de bàsquet nord-americana.

PISTA 13: **Exercici 8**

La nostra és una història curiosa. Amb l'Adrià, i en Jordi ens vam conèixer i ens vam fer amics l'any 1983, quan teníem 3 anys i vam començar a anar a l'escola del poble. Als 7 anys vam tocar junts per primera vegada, amb guitarres de joguina i un teclat dibuixat en una cartolina. El 1990, amb els nostres pares, vam anar per primera vegada a un concert d'Els Pets a Tarragona. Va ser una experiència molt emocionant. Del 1992 al 1996 ens vam separar perquè vam anar a estudiar a diferents llocs, però l'any 1998 tots tres vam anar a viure a Barcelona i vam començar a actuar com a professionals. El 1999 va sortir el nostre primer disc i en vam vendre moltes còpies. Vam viatjar per tot el país. Al cap de tres anys, en Jordi es va enamorar d'una noia australiana i va decidir anar-se'n a viure a Austràlia. Aquí va acabar una etapa de la nostra vida.

PISTA 14: **Exercici 15**

En el nostre programa d'avui ens acompanyen una noia equatoriana, la Gabriela, i una de xinesa, la Sara Su. Totes dues ens parlaran de la seva experiència aquí, en terres catalanes.

Bon dia Gabriela, tu, on vas néixer?

A Guayaquil.

I quant fa que vius a Catalunya?

Vols dir quan hi vaig arribar?

Això mateix.

Doncs, l'any passat. Fa un any que visc aquí, a Amposta.

I per què vas venir a viure aquí?

Perquè el meu xicot, en Pep, és català.

Ah sí? Com us vau conèixer?

Ens vam conèixer a l'Equador i, després de tres anys, vam decidir venir a viure a Catalunya. Al principi no va ser gens fàcil. Vaig arribar a l'hivern i feia molt fred. Em vaig enyorar molt. Ara ja és diferent.

I el català, quan el vas aprendre?

De fet, no em va costar gaire perquè el meu xicot, a Guayaquil, ja em parlava una mica en català i vaig fer un curs amb el «Digui, digui». A més a més, sóc molt intel·ligent, sóc escorpí. Bé, això diuen! Ha, ha...

Sara Su, i tu, on vas néixer?

A Pequín.

I on vius?

Fa sis anys que visc a Barcelona, amb els meus pares i el meu germà.

I com és que vau venir?

Doncs mira, fa deu anys, els meus tiets van obrir un restaurant aquí, a Barcelona. Els va anar molt bé i, quatre anys més tard, els meus pares van decidir venir per treballar amb ells.

I, al principi, també va ser difícil, com per a la Gabriela?

No. La veritat és que de seguida em vaig sentir molt bé aquí. No em vaig enyorar gens.

I el català, què? Et va costar gaire? Perquè el xinès i el català no tenen res a veure, oi?

Et diré que el català va ser l'única cosa que em va costar una mica, perquè sóc tímida i em feia una mica de vergonya parlar malament. Ara, en canvi, penso que és molt fàcil.

5

LLIBRE D'EXERCICIS

PISTA 15: **Exercici 1**

Text 1

El pintor Joan Miró va néixer a Barcelona el 20 d'abril de 1893 i va morir a Palma el 25 de desembre de 1983. El 2 d'octubre de 1929 es va casar amb Pilar Juncosa a Palma i el 1930 van tenir una filla, la Maria Dolors. La Maria Dolors, que es va casar dues vegades i va tenir quatre fills, va morir a Palma el 26 de desembre de 2004, als 74 anys.

Text 2

Els meus avis, l'Enric i la Maria, van néixer el mateix dia, el 31 de març, i al mateix lloc, a Lloret de Mar; però van néixer amb 10 anys de diferència. La meva àvia va néixer el 31 de març del 1947 i el meu avi, el 31 de març de 1937. El meu avi va morir el 1991.

Text 3

Sóc en Jaume i vaig néixer el 16 d'agost de 1954 en un poble molt petit que es diu Vidrà, a la comarca del Ripollès. La meva dona es diu Maria Jesús i va néixer a Sòria l'1 de juny de 1956.

PISTA 16: **Exercici 3**

Quan va néixer Joan Miró?

El 20 d'abril de 1893.

I, on va néixer?

A Barcelona.

Quan va morir?

El 25 de desembre de 1983.

I, on va morir?

A Palma.

Quan es va casar?

El 2 d'octubre de 1929.

Quan va néixer la seva filla?

El 1930.

Quan va morir la seva filla?

El 26 de desembre de 2004.

I, on va morir?

A Palma, també.

PISTA 17: **Exercici 6**

1. La Laia, és àries?

No, és taure.

És tossuda, oi?

Sí, sí que ho és.

2. Ets lleó?

Sí que ho sóc.

Ets independent, oi?

Home, depèn.

3. L'Abel, és escorpí?

No, és cranc.

És molt sensible, oi?

Sí, sí que ho és.

4. Ets bessons?

No, sóc capricorn.

Ets tímida, oi?

Home, depèn.

PISTA 18: **Exercici 13**

Hola, sóc la Gemma. Vaig néixer el 29 de febrer en un poble molt petit de la comarca d'Osona i, com tots els peixos, sóc idealista. Néixer el 29 de febrer, segurament, ja és un avís que la teva vida no serà del tot corrent. Voleu la veritat sobre la meva vida? Sí? Doncs mireu, la veritat és que encara sóc soltera, tot i que m'he enamorat moltes vegades. La primera vegada que em vaig enamorar va ser quan tenia 13 anys. Em vaig enamorar perdudament d'un veí que era fill d'un guàrdia civil, però em va durar poc. Els altres cops em va anar més bé i em va durar una mica més.

De petita, vaig estudiar al meu poble, però la meva obsessió sempre va ser poder anar a viure a Barcelona i, al final, ho vaig aconseguir; això sí, el preu que vaig pagar va ser estar-me dos anys en una residència de monges. Al tercer any, vaig aconseguir anar a viure a un pis d'estudiants. En aquella època hi havia moltes manifestacions antifranquistes i, una vegada, em va detenir la policia, però al cap de 24 hores van deixar-me anar.

Quan feia la carrera vaig tenir una crisi d'estudis i vaig buscar feina. Vaig contestar un anunci per treballar al zoo de Barcelona com a cuidadora d'animals i em van agafar. En realitat els netejava i els donava el menjar. Hi vaig estar dos anys i me'n vaig cansar. Uns quants anys més tard, amb el meu xicot, que també era idealista, ens en vam anar a fer de hippies a Eivissa i allà van néixer els nostres fills: en Martí i en Pau.

Un dia, quan estava una mica cansada de la vida que feia, vaig comprar un número dels cecs... i em va tocar un premi...

PISTA 19: **Exercici 19**

1. Vam venir perquè no teníem feina.

2. Van venir perquè no tenien feina.

3. Vau venir perquè no teníeu feina.

4. Van marxar perquè no hi havia llibertat.

5. Vau marxar perquè no hi havia llibertat.

6. Vam marxar perquè no hi havia llibertat.

7. Ens vam conèixer quan érem petits.

8. Us vau conèixer quan éreu petits.

9. Es van conèixer quan eren petits.

10. Es van fer amigues quan feien català.

11. Us vau fer amigues quan fèieu català.

12. Ens vam fer amigues quan fèiem català.

PISTA 20: **Exercici 23**

Quan vivia al Brasil, tenia un xicot d'origen català. Un bon dia la seva família va decidir tornar a Catalunya. En aquell moment jo estava estudiant a la universitat i quan vaig acabar la carrera vaig decidir venir jo també a Catalunya perquè ens volíem casar. D'això fa 8 anys. No va ser fàcil. Vam tenir molts problemes al poble on vam anar a viure, perquè tots es pensaven que el nostre matrimoni era de conveniència. La primera cosa que em va impactar i sorprendre d'aquí és que la gent és molt treballadora, responsable i també seriosa.

PISTA 21: **Exercici 27**

1. Quan vas venir el maig del 95, ja hi havia la Glòria a casa, oi?

2. Als 18 anys se'n va anar de casa dels seus pares.

3. El 2000 me'n vaig anar a viure als Estats Units.

4. Des de Granada ens en vam anar a Sevilla. Ens va agradar molt.

5. Quan feia dos mesos que vivien sols, van decidir venir a viure aquí, amb mi.

6. A les nou se'n van anar a la festa de final de curs a casa de la Gemma. Jo no hi vaig poder anar.

7. Quan vaig venir aquí, tenia disset anys.

PISTA 22: **Exercici 32**

Text 1
La meva àvia es diu Isabel, com jo, i té 74 anys. Va néixer a Múrcia, però des de molt petita va anar a viure a un poble de Granada. Va ser molt feliç allà, amb els seus amics i els seus pares. Quan va fer 21 anys, l'Adolfo, que és el meu avi, va anar al poble a fer una feina temporal i es van enamorar. Però, al cap d'un temps, al meu avi, li van oferir una feina a Barcelona i la va acceptar. Abans de venir a Catalunya es van casar.
Quan van arribar a Catalunya, van anar a viure a Santa Coloma de Gramenet. Van tenir moltes facilitats: feina i un pis que els va deixar un tiet de l'Adolfo. La meva àvia explica que, al principi, es va enyorar una mica de la família, però que no van tenir cap problema d'adaptació. La meva àvia és una persona molt optimista. Dos anys més tard va néixer la meva mare, que es diu Lorena, i, al cap de 3 anys, quan va néixer el meu oncle Lucas, van anar a viure a un altre lloc. Els meus avis, ara, estan molt bé a Catalunya.

Text 2
Em dic Vilma, tinc 24 anys i vaig néixer a l'Equador. Fa quatre anys que vaig arribar a Catalunya. Vaig venir per treballar i ajudar la meva família a pagar l'escola dels meus germans. Vaig venir sola. Estava molt il·lusionada perquè era la primera vegada que viatjava amb avió a un país nou que no coneixia. Primer vaig viure a Vic, perquè treballava d'assistenta a casa d'una família vigatana. Els primers dies em vaig sentir força estranya perquè el menjar era diferent i també, l'horari. A més, vaig arribar a l'hivern, el mes de febrer, i tot era molt trist. No va ser gens fàcil aprendre català, trobar feina, fer amics... Vaig trobar a faltar molt la meva família i estava molt trista. Però al cap de dos anys em vaig enamorar d'en Ramon i ens vam casar. Ara tinc dos fills, el Pol i el Robert. També tinc feina: faig de perruquera. Estic bé aquí.

Text 3
Em dic Carmen, tinc 65 anys i vaig néixer a Extremadura. Quan tenia 25 anys i una filla de dos, el meu marit va decidir marxar a Alemanya, perquè hi havia més feina. Allà va treballar en una fàbrica i, com tots els seus amics, va estalviar molts diners. Set anys més tard, va decidir deixar Alemanya i venir a viure a Catalunya, al Prat de Llobregat, perquè tenia un germà que també hi vivia.
Al cap de pocs mesos vam venir la meva filla i jo. Jo tenia 31 anys. El viatge va anar bé, no vam tenir cap problema ni dificultat, però al cap d'un temps ens vam enyorar molt, perquè deixar la família és difícil. Al principi vam viure a casa del meu cunyat, fins que, amb els diners estalviats, vam comprar el pis on vivim ara. Vam tenir dos fills més i ens vam adaptar força bé, però cada estiu anem de vacances al poble. La veritat és que encara m'enyoro i penso que un dia vull tornar a viure a Extremadura.

UNITAT 6 QUINA GANA!

LLIBRE DE L'ALUMNE

PISTA 23: ### Exercici 6

Doctora Felip, ara que està tan de moda estar prim i fer vida sana, parli'ns una mica de les dietes.

La dieta és l'alimentació ordenada, racional i estudiada que fa una persona, sana o malalta, amb l'objectiu de mantenir la seva salut.

I sempre s'ha de fer la mateixa dieta?

No. El cos no és igual a la joventut que quan s'és gran i les necessitats tampoc no són les mateixes.

Llavors, hi ha una dieta per a cada edat?

Per a cada edat no, però per franges d'edats, sí. Als vint anys la dieta s'ha de basar en aliments rics en hidrats de carboni, als trenta les necessitats energètiques són menors i als quaranta...

Per concretar, què hauria de menjar, per exemple, la gent que està entre els vint i els trenta anys?

Hi ha moltes combinacions; però, si vol, li explico el que poden menjar en un dia.

D'acord. Endavant! Comencem per l'esmorzar?

Per començar el dia: llet descremada o dos iogurts desnatats. Dues llesques de pa integral o cereals o galetes integrals i cinquanta grams de formatge fresc.

I no s'ha de menjar res fins a l'hora de dinar?

És convenient menjar una mica a mig matí: dues peces de fruita i quatre nous, per exemple.

I per dinar?

Amanida o verdura: espinacs, enciam, mongeta tendra... amb arròs, patates o llegum. Peix o pollastre a la planxa.

S'ha de berenar?

Sí, una mica: un iogurt desnatat amb cereals i una peça de fruita.

I per sopar?

Com que sovint al vespre els joves surten i no mengen a casa, dono quatre possibilitats: amanida amb tonyina, ou dur i pasta; pasta amb verdures: tomàquet, carbassó i formatge; un entrepà amb pa integral, enciam, pollastre, pastanaga i tomàquet, o arròs amb pollastre i bolets: xampinyons, per exemple.

Les verdures, amb què s'han d'amanir?

Amb oli d'oliva. Això és molt important! Com a mínim, dues cullerades d'oli al dia.

I per acabar, s'ha de fer exercici?

Sí. Dos cops per setmana i també s'ha de caminar cada dia mitja hora.

Doncs ja ho saben. Continuarem parlant de dietes. Moltes gràcies, doctora i a vostès que ens escolten, i fins demà al nostre espai de salut que parlarem de la dieta dels trenta als quaranta.

PISTA 24: ### Exercici 9

Jo prefereixo anar a comprar al supermercat que hi ha a prop de casa. Allà hi ha de tot. Puc comprar-hi tots els productes frescos: peix, carn, verdura i fruita. A més, obren a les nou del matí i tanquen a dos quarts de deu del vespre.

A nosaltres ens agrada anar al mercat. Ens agrada passejar i triar. Tenim unes parades preferides: la parada de fruites i verdures, la carnisseria i la peixateria. Hi anem dos cops per setmana. També anem a la botiga de queviures sota de casa quan ens oblidem alguna cosa, però és molt cara.

No m'agrada gens anar a comprar. Compro per internet un cop per setmana i el supermercat m'envia la comanda a casa. És molt pràctic. Quan em falta una cosa, vaig a un supermercat del barri que no tanca mai.

Visc en un barri on hi ha de tot: una peixateria, un supermercat, un forn de pa, una formatgeria, una botiga on venen vedella, pollastre, xai... Sempre vaig a les botigues del barri perquè em coneixen i són molt a prop. M'estimo més quedar-me al barri.

PISTA 25: ### Exercici 12

Peixateria Moll

Bon dia!

Bon dia!

Què li poso?

Posi'm un quilo de musclos.

Un quilo de musclos. Molt bé.

A quant van les gambes?

A 100 euros el quilo.

Ui, que cares.

És que són fresques.

Xarcuteria Catalana

Què més?

Pernil dolç.

Quant en vol?

Uns 10 talls prims i un fuet.

Ho sento, però no en tinc. Fins demà no en porten.

Fruites i verdures Cols

Hola, jove!

Bon dia. Posi'm tomàquets.

Els vols madurs o més aviat verds?

Que siguin madurs.

Aquests d'aquí?

Millor aquells.

Carnisseria Bou

Vol alguna cosa més?

No, res més. Quant és?

Són 21 euros amb 10 cèntims. Que té els 10 cèntims, sisplau?

Sí, tingui.

LLIBRE D'EXERCICIS

PISTA 26: **Exercici 3**

En el programa «Cuinetes d'avui» volem saber quin és el plat que agrada més a la nostra comarca. En Vicenç Rovira és a la fira alimentària «Cuinetes del món» per saber els plats preferits dels visitants de la comarca. Anem al carrer amb el Vicenç.

Vicenç, on ets ara?

Hola, Maria Pau! Sóc a la fira alimentària. Hi ha molta gent que està tastant diversos plats típics d'arreu del món.

Quins són els plats que tenen més èxit?

Doncs ara ho comprovem. Som davant d'un estand de cuina italiana i, si et sembla, preguntem a la gent si els agrada aquest tipus de menjar.

Endavant!

Perdoni, una pregunta per a TV13.

Ai perdoni, però això que menjo és tan bo!

I què menja?

Un tros de lassanya d'albergínia.

Lassanya d'albergínia! I què hi ha?

És un plat de pasta amb albergínia, tomàquet, formatge... És molt bo. Vol tastar-lo?

Ui sí! Mmmmm... Que bo! I a vostè, li agrada?

Sí... però jo m'estimo més la cuina de casa.

No li agrada la cuina italiana?

Sí, no està malament, però jo prefereixo el pa amb tomàquet i pernil.

Entre gustos... Gràcies per les seves opinions. Si ens acompanyen, canviem de lloc. Ara, Maria Pau, ens en anem a l'estand del Japó. Aquí hi ha una senyora que està menjant un... em sembla que és un sashimi, això que menja, oi?

Miri, no sé com es diu, però m'encanta. Sembla peix cru amb un no sé què, però és boníssim.

N'ha menjat vostè?

Uix, quin fàstic! Peix cru!

No li agrada el peix?

Sí, però en una paella o un suquet...

Ja. ja... I aquí al costat hi ha l'estand d'Alemanya. Plats típics com la xucrut... i una bona cervesa... Que bo!

Xucrut! Què és això?

Em sembla que és un plat fet amb col, salsitxes...

Ecs! Col... Odio la col!

I les salsitxes tampoc li agraden?

M'estimo més la botifarra. Un bon plat de mongetes amb botifarra... Mmmm. Que bo!

Escolti i vostè, per què visita aquesta fira, si només li agrada el menjar típic d'aquí?

Perquè m'encanta sortir a la tele! Cada any hi surto. Puc saludar els meus amics?

Faci, faci...

Ei, Hola! Saludo la penya del poble que...

PISTA 27: **Exercici 8**

1. Quin plat t'agrada més?

   El gaspatxo.

   Per què?

   Perquè hi ha moltes verdures i a mi les verdures m'agraden molt.

   Doncs, jo odio les verdures. No m'agraden gens.

   I a vosaltres us agraden les verdures?

   A mi, no gaire.

   Jo m'estimo més els llegums.

2. Quin plat prefereixes?

   Prefereixo la xucrut.

   Què hi ha?

   Col...

   Uix! Quin fàstic. No suporto la col.

   Doncs, a mi m'encanta.

PISTA 28: **Exercici 9**

1. Mmmm, que bona aquesta paella!
2. El gaspatxo? Ai uix! Odio les verdures!
3. Home... M'agrada la carn; però m'estimo més el peix.
4. Peix cru! Quin fàstic!
5. M'encanten els espaguetis!
6. El guacamole? M'agrada, però no m'encanta.

PISTA 29: **Exercici 10**

A Catalunya la majoria de la gent fem tres àpats. Per esmorzar no mengem gaire. Al migdia, cap a les dues o les tres, dinem i mengem força: primer plat, segon plat, postres i cafè o tallat; no prenem mai cafè amb llet! Al vespre, cap a la nit, sopem i també fem tres plats. La nostra dieta és a base de verdura, llegums, arròs, pasta, peix, carn... Prenem una mica de vi. Sempre cuinem i amanim amb oli d'oliva, que diuen que és molt sa. Potser per això les dones catalanes són, diuen, les que viuen més anys d'Europa.

PISTA 30: **Exercici 12**

1. Quant peses?

60 quilos.

Quant fas d'alçada?

Un metre seixanta-set.

2. Quant peseu?

Jo peso 70 quilos.

Jo, 80.

Quant feu d'alçada?

Jo faig un metre setanta-set.

Jo, un metre vuitanta-sis.

PISTA 31: **Exercici 13**

1. De fruita, en menges?

Sí, havent dinat i havent sopat.

Quan? Cada dia?

No, els diumenges menjo dolços.

I els gelats, t'agraden?

Sí, però engreixen molt.

2. Cada quant menges peix?

Un o dos cops per setmana menjo peix blau.

I de peix blanc, no en menges?

No gaire, perquè és molt car.

3. Prefereixes carn o peix?

Carn. En menjo molt sovint, cada dia per dinar.

No ets vegetarià, oi?

PISTA 32: **Exercici 18**

Benvinguts al Mercat de la Boqueria

El Mercat de la Boqueria va néixer com un mercat ambulant, a la Rambla de Barcelona, a l'aire lliure i davant d'una de les portes de l'antiga muralla on els venedors ambulants i els pagesos venien els productes. Actualment és el mercat més representatiu de tots els mercats de Barcelona. La situació i els venedors el converteixen en un lloc de visita obligada per a tots els turistes. La majoria de parades ja eren dels pares o dels avis dels actuals propietaris.

L'oferta comercial és molt variada perquè hi ha parades de peix fresc i marisc, pesca salada i conserves, carnisseria i menuts, aviram, caça i ous, fruita i verdura, llegums i cereals, queviures, forn de pa, congelats, cansaladeria i embotits...

PISTA 33: **Exercici 20**

1. Jo sóc de Vic i sempre vaig a comprar al mercat que es fa a la plaça, els dissabtes. Cada dissabte hi vaig. Hi compro verdura, fruita, embotits, formatge. També vaig a una botiga a prop de la plaça. Allà hi compro la carn: vedella, pollastre...

2. Al mercat? No, no hi vinc gairebé mai. Avui sóc aquí amb els meus amics d'Alemanya. Els estic ensenyant la ciutat: estem fent de turistes. Jo normalment compro en un supermercat de sota de casa. Hi tenen de tot i tots els productes són molt frescos: la carn, el peix, els ous... Hi vaig uns tres cops per setmana, perquè no tinc ascensor a casa i així no pesa tant!

3. Preferim anar a comprar al supermercat del barri. Hi comprem els productes que no són frescos: les llaunes, la llet, l'aigua... Els productes frescos: la carn, el peix, la verdura i la fruita, els comprem al mercat del barri. Hi anem un cop per setmana, els divendres a la tarda, al mercat i els dissabtes al matí, al supermercat.

4. Jo, a comprar? Mai. Un cop per setmana em connecto a internet i ho compro tot: la llet, els embotits, les cerveses, la pasta, els pots de tomàquet... M'ho porten a casa i no perdo temps. Els caps de setmana, quan vaig a dinar a casa dels meus pares, menjo calent.

PISTA 34: **Exercici 28**

Així, què compro?

Ous, un paquet de farina i formatge.

D'ous, no en queden?

No, no en queda cap.

Quants en compro?

Dues dotzenes. Un paquet de farina...

El formatge, com el compro? Tendre?

Sí, més aviat tendre. Compra'n un tros de 250 grams.

Que compro fruita?

Sí, pomes. Que siguin verdes.

I quantes?

Un quilo.

Alguna cosa més?

Ah, sí. Compra oli perquè no en queda gens. Una ampolla.

Una ampolla, molt bé. I ja està tot?

Crec que sí. Ah, una ampolla de vi.

Blanc o negre?

Negre.

Ara sí que ja està! Res més!

Molt bé, gràcies!

PISTA 35: **Exercici 29**

1. Que hi ha pomes?

Només n'hi ha dues.

2. Doncs compra'n mig quilo.

Com les compro?

Que siguin verdes.

3. Que queden iogurts?

No en queda cap.

Doncs compra'n sis.

4. De pernil, que n'hi ha?

No, no en queda gens.

PISTA 36: **Exercici 36**

Escolti, sisplau!

Em pot portar una copa, sisplau?

Ara mateix.

Que poden abaixar l'aire condicionat?

Oh, i tant!

Passa'm la sal, sisplau.

Té.

Per favor el compte!

De seguida.

Puc prendre nota?

Sí, ja estem.

Què volen de primer?

Dues amanides.

De segon?

Un bistec i lluç a la planxa.

Per postres?

Jo no vull res.

Per beure?

Vi i aigua.

Avui convido jo.

Deixa'm la carta.

Espera un moment.

Jo prefereixo fricandó.

Què és això?

Carn de vedella amb bolets.